L'instant d'après

SARAH
RAYNER

L'instant d'après

ROMAN

Traduit de l'anglais (Grande-Bretagne)
par Françoise Hayward

Titre original :
ONE MOMENT, ONE MORNING

Première publication en 2010 par Picador,
une maison d'édition de Pan Macmillan,
une filiale de Macmillan Publishers Ltd, Londres

Lundi

07 h 58

Lou fait semblant de dormir, mais du coin de l'œil regarde la femme assise en face d'elle se maquiller. Elle a toujours trouvé ça fascinant de voir d'autres femmes se transformer ainsi dans le train.

Lou, elle, ne se maquille que pour les grandes occasions et trouve bizarre de choisir les transports en commun pour dévoiler cette forme d'intimité, même si c'est un gain de temps pour la personne. Et choisir le train de 7 h 44 pour livrer à la foule la séance de maquillage qui épaissit les cils, agrandit le regard, couvre les cernes et les rougeurs, puis pulpe les joues et les lèvres, c'est comme dévoiler les truquages d'un tour de magie.

Les gens qui l'entourent sont silencieux pour la plupart ; certains dorment ou somnolent, d'autres lisent et quelques-uns discutent.

Lou écoute discrètement son iPod, tout en prêtant l'oreille à la conversation du couple assis dans la contre-allée. Elle change de position sur son siège et, pour mieux les voir, rajuste sa capuche d'anorak : comme elle se rend à la gare en vélo, il est encore dégoulinant de pluie.

Le couple est marié. Leurs alliances et la façon dont ils entrelacent leurs doigts le confirment. La femme doit avoir une quarantaine d'années, pense

Lou. Elle a un joli visage. Son profil est intéressant, encadré de cheveux bruns et épais. Son mari n'est pas aussi beau, à première vue ; il est grisonnant et un peu enveloppé – Lou lui donne dix ans de plus que sa femme, voire davantage –, mais il a l'air gentil. Les petites rides autour de sa bouche indiquent qu'il aime rire. La femme est tendrement blottie contre son épaule. Devant lui, un gros livre de poche, un des derniers best-sellers, mais il ne le lit pas. Il caresse la main de sa femme, doucement, tendrement. Lou ressent une pointe de jalousie. Elle envie leur tendresse et la façon innocente dont ils la montrent.

Le train s'arrête à Burgess Hill. Il pleut des cordes, et les banlieusards secouent et replient leur parapluie en montant dans le train. Un coup de sifflet les oblige à se dépêcher et, tandis que les portes se referment, Lou jette un coup d'œil à sa voisine en vis-à-vis. Elle a terminé de se maquiller les yeux, et c'est comme si son visage était plus net et mieux contrasté. Lou se dit qu'elle était pourtant mieux sans maquillage… plus douce, plus vulnérable. Jolie de toute façon. Et ses cheveux blonds, bouclés comme des cheveux d'ange, sont si différents des siens que Lou a envie de les toucher.

Lou regarde la jeune femme se mettre du rouge à lèvres. Soudain, cette dernière s'arrête, sa bouche en arc de Cupidon à moitié peinte en rose, comme une poupée chinoise inachevée. Lou suit son regard vers le couple. L'homme vient de régurgiter d'une façon inopinée et embarrassante.

Sa veste, sa chemise, sa cravate, sont couvertes d'un lait mousseux, grumeleux, avec des morceaux de viennoiserie à moitié digérés, comme du vomi de bébé.

Lou détache discrètement un de ses écouteurs.

— Oh, mon Dieu ! s'exclame sa femme en essayant frénétiquement d'essuyer le désastre avec les minuscules serviettes en papier fournies avec le gobelet de café.

Sans résultat car, en rotant comme un bébé, l'homme vomit à nouveau. Cette fois, comble de l'horreur, sa femme en a partout, sur les poignets, sur son corsage, et jusque dans les cheveux.

— Je ne sais pas..., dit-il en hoquetant, et Lou voit qu'il transpire abondamment, anormalement.

Puis il ajoute :

— Je suis désolé...

Lou croit comprendre de quoi il s'agit. L'homme porte la main à sa poitrine tandis que sa femme reste assise, toute droite, et soudain boum, un choc ! Il s'est effondré sur la table, la tête la première. Il ne bouge plus. Complètement immobile. Pendant quelques secondes, personne ne réagit. Lou regarde le café renversé : une trace de liquide beige court jusqu'au sol – ploc, ploc ploc –, le long de la fenêtre et de la tablette en Formica. Dehors, une tempête de pluie secoue violemment les arbres.

Et puis c'est la panique. La femme se lève d'un bond et crie :

— Simon ! Simon !

Simon ne répond pas. Sa femme le secoue, et Lou aperçoit son visage : sa bouche est ouverte, et il retombe en arrière. Elle le reconnaît, elle l'a déjà vu dans ce train auparavant.

— Alors ! renifle un homme en agitant son journal d'un air péremptoire. Qu'est-ce qui lui arrive ? Il a trop bu, ou quoi ?

Son jugement galvanise Lou :

— Il a une crise cardiaque, bon sang !

Elle se lève et se souvient des automatismes appris dans sa jeunesse aux cours de secourisme, aux Jeannettes et devant *Urgences* :

— Appelez les pompiers, un contrôleur, quelqu'un !

Un autre homme, jeune, le cheveu hirsute, un bouc au menton, installé près de la femme au maquillage interrompu, laisse tomber son sac en plastique et se lève en demandant à Lou, comme si elle savait tout :

— Où ça ?

— Le wagon du milieu ! crie l'épouse.

Le jeune homme hésite.

— Par-là, lui indique Lou en désignant la queue du train, et il s'y précipite.

*

* *

Trois voitures plus loin, Anna lit son magazine favori. En deux stations, elle a déjà dévoré l'article de fond sur une princesse de la pop en désintoxication, et elle aborde la section mode, où elle vient de repérer une veste superbe pour le printemps, à un prix tout à fait raisonnable.

Elle marque la page pour y revenir à l'heure du déjeuner, quand un jeune homme barbu lui heurte le coude en passant près d'elle.

— Pardon, marmonne-t-elle d'un ton sarcastique.

Encore un de ces hippies, pense-t-elle.

Quelques secondes plus tard, il repasse dans l'autre sens, accompagné d'un contrôleur. Ils ont l'air inquiets tous les deux. Il y a peut-être un problème.

On entend la voix du conducteur dans les haut-parleurs.

— Y a-t-il un médecin ou une infirmière dans le train ? Si oui, contactez le contrôleur dans le wagon E s'il vous plaît.

Dix secondes plus tard, deux femmes passent en courant à côté d'elle, leurs sacs à main volant dans leur sillage. Anna hausse les sourcils en regardant les passagers assis en face d'elle. Un incident de ce genre est une exception dans le train de 7 h 44 ; c'est un peu inquiétant, car généralement il ne se passe rien.

Très vite, le train s'arrête à Wivelsfield, et Anna se demande pourquoi. Habituellement, il traverse simplement la gare. Elle espère que ce n'est rien, mais craint quelque chose de grave.

Cinq minutes plus tard, elle est vraiment inquiète, et les gens autour le sont aussi ; ils s'agitent sur leur siège. Anna n'a pas envie d'arriver en retard au bureau. Elle travaille certes en free-lance, mais elle a un contrat, et ses patrons sont très à cheval sur la ponctualité. L'un d'entre eux est là chaque matin pour fliquer les retardataires.

Après quelques ratés, on entend un autre message dans le micro :

— Mesdames et Messieurs, nous allons rester immobilisés en gare quelques minutes de plus en attendant l'ambulance suite au malaise d'un voyageur.

Anna soupire et se demande pourquoi on ne fait pas sortir le passager maintenant pour qu'il attende l'ambulance dehors, mais un regard sur la pluie battante lui fait regretter sa pensée égoïste : on est en février et il fait froid.

Trop distraite pour lire, elle regarde par la fenêtre. La pluie cingle le pavé gris et les flaques s'élargissent sur le sol irrégulier. Comment s'appelle cette ville où elle ne s'est jamais arrêtée ?

Dix minutes passent, puis quinze, puis vingt. Pas d'annonce… Les voyageurs envoient des textos sur leur mobile ou téléphonent à voix basse. Certains manifestent ouvertement leur mécontentement sans aucune compassion, en disant :

— Il y a un problème, apparemment quelqu'un est malade, un drogué sans doute…

D'autres se donnent de l'importance :

— Désolé, Jeanne, c'est Ian, je vais être en retard pour la réunion, fais-les attendre, tu veux ?

Enfin, Anna aperçoit trois silhouettes en anorak fluo avec une civière. Dieu merci, ça ne sera plus très long maintenant.

Elle garde les yeux fixés sur le quai et s'attend à voir revenir la civière avec quelqu'un dessus, porté à toute vitesse. Mais toujours rien, en dehors de la pluie qui tombe encore plus fort.

Finalement, après quelques crachotements :

— Mesdames et Messieurs, nous allons devoir rester immobilisés encore un certain temps. Nous ne pouvons pas déplacer le passager... Je vous demande d'être patients, nous vous tiendrons au courant dès que nous aurons du nouveau.

Gros soupir collectif et remue-ménage. *Comme c'est ennuyeux !* pense d'abord Anna, puis elle trouve cela étrange ; ça ne ressemble pas à un problème de drogue. Brighton n'est pas un endroit où les toxicomanes prennent le train du matin ! Donc, quelqu'un est réellement malade. Elle s'inquiète de ce que vont penser ses collègues, et surtout son patron. Purée ! Elle a une montagne de boulot aujourd'hui. Elle se sent en phase avec l'expression affichée par le passager d'en face : un mélange d'exaspération égoïste et d'empathie.

— Pourquoi on ne le déplace pas ? demande finalement l'homme, qui ose briser un tabou en parlant à des étrangers dans le train.

Il est grand, bien rasé, porte un col blanc amidonné, impeccable, et des lunettes, comme dans les tableaux de Norman Rockwell.

— Si la personne a la moelle épinière endommagée, ils ne peuvent pas lui déplacer le cou, dit la passagère à côté de lui, une dame âgée en forme de pomme.

Visiblement, ils ne voyagent pas ensemble, vu la façon dont elle délimite l'espace entre eux sur le siège. Il opine.

— C'est possible.

Anna n'en est pas certaine.

— C'est quand même bizarre : comment peut-on endommager sa moelle épinière dans un train ?

— Ou alors quelqu'un est mort.

Anna se retourne, voit une jeune fille près d'elle. Cheveux noir corbeau, piercings sur le visage. Gothique.

— Oh là là ! j'espère bien que non, souffle la vieille dame, inquiète.

— Possible, oui, sinon comment expliquer qu'on reste là ? Ils attendent peut-être la police, déclare Norman Rockwell.

— Pour certifier la mort, ajoute la gothique.

Soudain, le magazine d'Anna lui semble creux, vide même. Pourtant, ça lui fait du bien de retrouver chaque semaine sa ration de fun, de mode, de potins et de célébrités. Elle sait que c'est futile, mais c'est bien son genre, et après tout il y a aussi des articles de fond intéressants. Justement, en l'ouvrant au hasard, elle tombe sur la photo d'une jeune femme afghane dont le corps est horriblement balafré de cicatrices de brûlures.

Anna frissonne.

*

* *

Pour Lou, la vue des passagers qui détournent la tête quand deux hommes hissent une civière au-dessus des sièges est presque un sketch. La civière a une forme bizarre, même sans la croix rouge – plus grande qu'une valise, sans les roulettes –, et la scène est irréelle, comme dans une série télé. Sauf qu'on peut éteindre la télé si on n'a pas envie de regarder… mais comment ne pas voir, quand ça se passe juste devant vous ?

Au cours des dix dernières minutes, deux jeunes femmes – des infirmières de l'hôpital le plus proche – ont tenté désespérément de ramener l'homme à la vie. Elles ont vérifié sa respiration, son pouls au niveau du cou et, avec l'aide du contrôleur, l'ont installé sur le sol, à l'horizontale.

Tout ceci aux pieds de Lou, avant qu'elle ait eu le temps de s'en aller. Et elle a dû assister à cette scène horrible sans pouvoir partir. Elles se sont relayées, l'une pour presser sur le thorax en appuyant de façon presque brutale des deux mains, tandis que l'autre lui soufflait de l'air dans la bouche, toutes les trente compressions environ. Puis elles ont changé de rôle, quand celle qui pratiquait le massage thoracique a montré des signes d'épuisement.

L'épouse, debout sur le côté, assiste à la scène, impuissante. Son regard va d'une infirmière à l'autre, puis à son mari, et son visage est déformé par l'angoisse.

Tout s'accélère à la fin. Les équipes de secours arrivent, l'infirmière qui fait du bouche-à-bouche s'arrête, lève les yeux et signale que c'est fini, d'un geste triste, définitif.

Les infirmiers penchent la civière sur le côté, font glisser le corps dessus et l'emportent rapidement dans l'espace plus large, du côté des portes. Les passagers se poussent pour laisser le passage. Lou les voit utiliser de l'oxygène, un défibrillateur, une injection, puis on crie :

— Dégagez !

Et ils le choquent.

Rien.

Encore.

Rien.

Encore.

Toujours rien.

Tout le monde dans le wagon est hypnotisé.

Ce n'est pas seulement de la fascination morbide, mais de la stupeur, l'incapacité de comprendre ce qui se passe. Que vont-ils faire ? Le contrôleur décide alors de donner des ordres. Soit par compassion pour l'homme et la femme, soit parce qu'il se méprend en voyant les yeux et la bouche grands ouverts des passagers, soit par désir de reprendre le contrôle de la situation. En tout cas, le résultat est le même, et chacun peut l'entendre aboyer :

— Tout le monde descend immédiatement du wagon, s'il vous plaît.

Lou rassemble ses affaires – son mobile, son iPod, son sac à dos –, reconnaissante de pouvoir enfin partir, pour plusieurs raisons. Le livre de l'homme est resté sur la tablette ; il n'en aura plus besoin maintenant. La jeune femme ferme son manteau, rabat sa capuche et sort du train sous la pluie.

Une autre annonce au haut-parleur suit, et cette fois tous les passagers du train sont invités à descendre. Lou est entourée de gens complètement paumés qui cherchent la sortie d'une gare qu'ils ne connaissent pas.

*

* *

Anna doit se battre pour ouvrir son parapluie. Les quais sont bondés, mais pas question d'avoir les cheveux mouillés. Elle déteste quand ils se mettent à frisotter. Aujourd'hui, c'est encore pire : elle s'est levée tôt pour se faire un shampoing brushing express, afin d'être impeccable pour sa réunion. Heureusement, son parapluie automatique s'ouvre aussitôt avec un « Pouf ! » sonore. Elle le hausse au-dessus de sa tête et bingo ! elle a évité le pire.

Juste à côté d'elle, il y a la grosse dame âgée et, devant, Norman Rockwell.

— Qu'est-ce qu'on va faire maintenant ? demande-t-il.

— Ils ont des bus, dit la dame âgée.

Anna ne sait pas comment la vieille dame peut connaître ce genre d'info – un tel incident ne se produit pas tous les jours –, mais lui fait confiance.

— Comment vont-ils se débrouiller pour y faire entrer tout le monde ?

Elle n'a pas encore réalisé ce qui s'était passé.

— Je suppose qu'ils vont les faire venir de Brighton, dit Norman.

— Sans moi, il va leur falloir des heures. Je laisse tomber. Je rentre chez moi, ajoute une quatrième voix.

C'est la fille gothique, coincée derrière Anna.

Moi, je ne peux pas, pense Anna. Si seulement elle pouvait rentrer chez elle. Mais ses clients vont être là pour la présentation ; de plus, si elle ne se pointe pas au bureau, elle ne sera pas payée, et c'est son gagne-pain.

De toute façon, qu'ils prennent le bus ou retournent à Brighton, tous les voyageurs doivent emprunter le même passage, un espace couvert aux murs tapissés de vieilles affiches publicitaires.

C'est la mêlée, le coude à coude, et ceux qui envoient des textos en marchant retardent encore davantage le mouvement. Il faut encore un bon moment avant de quitter l'escalier, passer devant le guichet et sortir à l'air libre.

Là, Anna s'arrête pour faire le point. Le spectacle est étonnant : plusieurs centaines de personnes dans un espace restreint. L'endroit est exigu, même pas une vraie gare, seulement un petit guichet dans les escaliers, sur un palier.

Il existe probablement des milliers de gares semblables à travers le pays, mais elles ne sont pas prévues pour des masses de passagers débarquant d'un train bondé.

Il n'y a même pas de parking. Pas d'arrêt de bus non plus, encore moins de bus à l'horizon.

Merde !

À ce moment précis, une Ford Mondeo blanche débarque en faisant gicler les flaques d'eau, et s'arrête juste à côté d'elle. Un taxi. Un bref instant, Anna pense, interloquée : *quelqu'un l'a commandé, c'est bien organisé,* mais elle réalise très vite que c'est une gare, et si petite soit-elle, il doit toujours y avoir des taxis en maraude.

La lumière sur le toit est allumée, il est donc libre. La foule se précipite et la compétition est féroce, mais la porte arrière du passager est à sa portée. C'est maintenant ou jamais. Elle l'ouvre, se penche et demande au conducteur :

— Vous êtes libre ?

La porte opposée s'ouvre en même temps. Elle voit une capuche bordée de fourrure, un visage anxieux :

— La station Hayward Heath ? demande l'autre femme.

— Je serais ravie de partager le taxi avec vous, suggère Anna.

— Comme vous voulez, grogne le chauffeur en signe d'approbation.

Une course est une course.

Avant qu'il ait le temps de changer d'avis, les deux femmes s'engouffrent dans la voiture.

08 h 30

Anna soupire : ouf !

La pluie tambourine sur le toit du taxi comme si elle soulignait leur chance.

— On a vraiment eu du bol, dit la femme en parka en ôtant sa capuche et en retirant son sac à dos. Le pauvre homme, dit-elle en s'asseyant.

— Qu'est-ce qu'il s'est passé ? demande Anna.

— Il a eu une crise cardiaque, répond la femme.

— Il est mort, vous croyez ?

— J'en ai bien peur.

— Oh mon Dieu !

— Je sais, c'est terrible. Il voyageait avec sa femme.

— Vous avez tout vu ?

— J'étais assise à côté d'eux, dans la contre-allée.

— Ç'a dû être horrible, vous devez être sous le choc.

— Oui, en convient la femme.

Anna se maudit : *Et dire que je me plaignais du désagrément… La gothique avait sûrement raison. C'est si grave que ça, d'être en retard au boulot ? Franchement, c'est pas comme ça que j'aimerais partir. Je préférerais mourir en faisant du cerf-volant avec mes petits-enfants ou pendant une super fête, mais certainement pas dans le train aux heures de pointe.*

— Dites, mes p'tites dames, les interrompt le chauffeur avant qu'elles reprennent leur discussion. Pas la peine d'aller à la station Haywards Heath. Tout le trafic est interrompu, conclut-il en répétant ce que dit la voix nasillarde de son poste.

— Ils ne peuvent pas nous faire ça ! s'exclame Anna.

— Ils vont se gêner ! Vous savez comment ça se passe sur la ligne de Brighton : c'est une seule voie de Haywards Heath jusqu'à la côte. Il suffit d'un train en panne pour tout foutre en l'air, dit le chauffeur.

Les deux femmes se regardent, interdites.

— Alors, je vous conduis où ? demande le chauffeur, énervé.

— Chez moi ? suggère la femme à l'anorak.

— C'est où, chez vous ? demande l'autre.

— Brighton, du côté de Kemptown, répond-elle.

Anna réfléchit à toute vitesse. L'anorak, le visage un peu masculin, les cheveux courts et coiffés au gel, pas de maquillage, le sac à dos, enfin l'adresse : c'est certain, la femme est lesbienne. Ce n'est pas loin de chez elle, cela dit, et il est tentant de rentrer à la maison, mais elle se résigne et explique qu'elle doit absolument se rendre à Londres.

— Je crois bien que je ferais mieux d'y aller aussi, opine la femme à l'anorak, mais pour une fois, j'avais une vraie excuse pour y échapper.

— J'ai une réunion, dit Anna.

— À quelle heure ?

— Dix heures.

Anna regarde sa montre. Il est 8 h 35 maintenant.

— Normalement, avec le train de 7 h 44, j'arrive à mon à travail à temps.

— Mais ils vont comprendre, non ? Quelqu'un est mort dans ce train, vous ne pouvez pas les prévenir et leur expliquer que vous serez en retard ? demande la femme à l'anorak.

Anna imagine le discours de son pit-bull de chef, à l'arrivée. Elle connaît déjà le scénario.

— Mesdames, j'ai besoin de savoir où vous allez, les interrompt le chauffeur alors qu'ils approchent d'un carrefour.

Anna surprend son regard dans le miroir. Il a un sourire en coin, il s'amuse en fait.

— Je dois vraiment aller à Londres, répète-t-elle.

Elle ne veut pas planter ses collègues. Ne pas y aller obligerait l'un d'eux à faire la présentation à sa place. Anna sait que ça ne va pas passer. Elle se penche vers l'avant et demande au chauffeur :

— C'est combien pour aller là-bas ?

— Où ça ?

— Clapham, indique-t-elle.

— Où devez-vous aller précisément ? demande la femme à l'anorak.

— Du côté de King Road, je peux trouver des tas de bus près de la station.

— C'est parfait pour moi, je prendrai un train pour rejoindre la correspondance à Victoria, dit la femme à l'anorak.

— Je vous ferai un prix, disons cent, ça vous va ? demande le chauffeur.

Ils sont arrêtés à un feu rouge.

Anna fait un rapide calcul. Pour quatre-vingts kilomètres, c'est correct. Vu ce qu'elle gagne par jour, c'est quand même rentable. Elle perdra beaucoup plus si elle ne va pas travailler. La femme à l'anorak semble hésiter. Tout le monde ne gagne pas autant qu'Anna.

— Je paierai soixante-dix et vous compléterez, offre-t-elle, il faut vraiment que j'y aille.

— Non, ce ne serait pas juste.

— Je suis payée à la journée, explique Anna. Pas de problème pour moi.

— Vous êtes sûre ?

— Oui.
— Euh…
— Si j'étais seule, je devrais tout payer. Alors…
— OK, alors, et merci, lui sourit la femme à l'anorak.
— Super !
Anna se penche vers le chauffeur :
— C'est parti !
Alors il met le compteur en route, tourne à gauche et se dirige vers l'autoroute.

*
* *

— Je m'appelle Lou, au fait.
Lou se tourne vers l'autre femme et lui tend la main.
Sa compagne n'est pas vraiment jolie, mais elle a du charme. Elle doit avoir une dizaine d'années de plus qu'elle, soit une petite quarantaine. Son visage est anguleux, encadré par un carré noir soigneusement lissé qui lui donne des airs de Cléopâtre, de même que son maquillage très soutenu. Le rouge à lèvres est intense, le fard à paupières sombre et appuyé souligne encore plus ses yeux bruns. Un signe de confiance en soi, paraît-il. Avec sa silhouette mince et ses longues jambes, son trench bleu marine et son sac à main hors de prix en peau de serpent, elle est classe, voire franchement impressionnante.
— Et moi, je m'appelle Anna.
Sa main est froide, osseuse. *Elle a une poigne ferme,* se dit Lou, *pourtant, elle n'est pas aussi dure qu'elle en a l'air… Après tout, elle peut se montrer généreuse et empathique.*
— Vous allez où ? demande Lou.
— Je travaille à Chelsea. C'est là qu'a lieu ma présentation. Et vous ?
— Moi, je vais du côté de Hammersmith.

Puis, après un silence, Lou ajoute :

— Je suis éducatrice pour les jeunes.

— Ah... dit Anna.

Lou adore son job, mais se rend compte qu'il n'a rien de flamboyant. Cette femme doit avoir un métier beaucoup mieux payé et plus prestigieux que le sien. Elle aimerait expliquer ce qu'elle fait, mais elle n'en a pas le temps. Anna pivote sur son siège, repliant sa jambe gauche sous elle de manière à être le plus possible en face d'elle.

— Alors, racontez-moi ce qui s'est passé dans le train.

Lou lui relate les faits comme elle le peut et conclut en disant :

— On n'a pas eu le temps de le ranimer. Les infirmières sont arrivées très vite, elles ont tout essayé. Oui, tout essayé...

Elle frissonne en y repensant.

— Mais tout est allé trop vite. Il était là en train de boire son café, et une minute après il était mort.

— Et sa pauvre femme ! dit Anna, Vous imaginez ? Vous partez travailler avec votre mari, comme d'habitude, et soudain il s'écroule et il meurt. Juste à côté de vous. Oh ! je suis vraiment désolée pour elle.

*

* *

— Alors, vous habitez à Brighton vous aussi ? demande Lou dès qu'ils arrivent sur l'autoroute. Le chauffeur appuie sur l'accélérateur et ils roulent à cent kilomètres par heure. Les buissons d'ajonc commencent tout juste à jaunir sur les bas-côtés.

— Oui.

— À quel endroit ?

— Si vous connaissez Brighton… j'habite à Charminster Road, entre Shoreham Road et Dyke Road.

— Ah oui, je vois ! s'exclame Lou. Plein de petites maisons victoriennes, un immeuble de bureaux au bout de la rue…

— C'est ça. C'est assez mal entretenu, mais moi j'adore.

— Vous vivez seule ?

Elle a l'air sincèrement intéressée, et Anna la voit vérifier si elle porte une alliance. *Amusant*, pense Anna, *nous sommes toutes les deux en train d'essayer de deviner qui est l'autre*. Elle marque une pause et, comme c'est un sujet qu'elle préfère éviter, elle dit seulement :

— Non, je… hum, je vis avec quelqu'un.

Lou pige le signal et change de sujet.

— Et vous travaillez toujours à Londres ?

— Oui, principalement. Et vous ?

— Quatre jours par semaine. Je ne pourrais pas faire le trajet cinq jours d'affilée.

— C'est très fatigant en effet.

Anna ressent une pointe d'amertume. Si Steve gagnait plus d'argent, elle ne serait pas obligée de travailler autant. Mais elle respire un grand coup et ajoute d'un air enjoué :

— J'adore vivre à Brighton, alors ça en vaut la peine.

Elle sourit en pensant à sa maison en terrasse avec son joli patio qui donne sur la vallée, qu'elle a mis tant d'énergie à agencer et à décorer. Sans parler de ses amis et relations éclectiques qui habitent dans le coin, mais aussi de la plage et de la mer juste à côté… C'est ce qui fait l'intérêt de la banlieue quand on habite dans un tel endroit. On peut se permettre de passer des heures dans le train quand il y a tout ce bleu, ce vert, ce gris selon le temps… Ah ! la mer, et son incessante diversité, jamais le même paysage deux jours de suite.

Lou l'interrompt dans ses pensées.

— Moi aussi, j'adore habiter à Brighton.

— Alors, à quel endroit de Kempton habitez-vous ? demande Anna. Ne me dites pas que vous habitez une de ces grandes villas en bord de mer qui rendent tout le monde jaloux !

Elle plaisante évidemment, mais posséder une de ces résidences de style Régence avec des baies vitrées géantes, des colonnes en stuc et des porches immenses, et à l'intérieur des cheminées somptueuses en marbre... le rêve.

Lou éclate de rire.

— Pas vraiment. J'habite une mansarde, à peine la taille d'un studio.

Anna suppose que le « je » signifie que Lou vit seule. Et elle demande :

— Je suppose que vous ne partagez pas ce logement ?

Lou éclate de rire, d'un rire contagieux, profond, rauque, sans complexe.

— Il y a à peine la place pour un chat en plus.

— Et c'est où exactement, si je peux me permettre ?

— Magdalena Street.

— Ouah ! Alors, ça veut dire que vous voyez la mer ?

— Oui, depuis la baie vitrée du salon, au rez-de-chaussée. Les agents immobiliers parlent d'une vue en oblique sur la mer. Et j'ai aussi un petit toit en terrasse d'où on peut la voir, ainsi que la jetée.

— Charmant...

Anna est songeuse. Elle a toujours rêvé d'habiter son propre studio. Elle imagine un instant ce que serait sa vie si elle n'avait pas autant d'engagements... si elle n'avait pas les crédits à payer, si elle vivait seule, libre de mener la vie d'artiste dont elle rêve.

Trop tard ! Elle ne peut rien changer et, de toute façon, elle a envie d'en savoir plus sur sa compagne de taxi.

— Ça doit être sympa le soir dans ce quartier, dit-elle, sur le ton de la confidence.

Lou habite au cœur du quartier gay de Brighton, au milieu de dizaines de pubs et de clubs. Anna imagine qu'il doit s'y passer des tas de choses excitantes.

— Peut-être un peu trop, réplique l'autre. Et c'est souvent très bruyant.

Dommage ! pense Anna. Elle aurait aimé des histoires croustillantes de drogués et de lesbiennes, ça lui aurait permis de vivre par procuration et de sortir de sa routine monotone. Cela dit, même si Lou a une vie intéressante, elle ne va pas la déballer directement à une étrangère.

*
* *

Au bout d'une demi-heure, Lou pense qu'Anna est une femme convenable, mais ne voit pas ce qu'elles peuvent bien avoir en commun. Lou est assez fine et perspicace, c'est un peu la conséquence de ses années de travail en tant que psychologue. Elle arrive à cerner rapidement les personnalités et les individus. Elle se montre moins subtile quand elle tombe amoureuse, là elle devient carrément aveugle.

Mais elle a remarqué que c'était la même chose pour les hommes et les femmes hétéros, donc elle n'est pas la seule.

De toute façon, Anna n'est pas lesbienne et, en plus, physiquement, cette femme n'est pas son genre. Cependant, Lou est intriguée. Elle adore imaginer la vie secrète des gens, et c'est la même curiosité qui l'incite à observer les voyageurs dans le train : elle adore imaginer leur vie à partir de petits détails, rassembler tous les indices pour recréer leur identité. C'est aussi ce qui la passionne dans son travail : elle aime aller au fond de tout ce qui est compliqué, voire tragique, destructeur, chez les jeunes à la dérive.

Malgré l'apparence impeccable d'Anna, qui suggère un attachement à l'apparence plus important que celui de Lou, celle-ci sent, à certains signes, que cette femme a des vertus cachées. Elle n'a pas parlé de ses enfants en évoquant sa maison. Elle n'en a donc pas, et c'est assez rare pour une femme de son âge. Mais le plus intrigant, c'est la façon dont elle a hésité avant de parler de son compagnon. Lou est persuadée qu'il y a toute une histoire à ce sujet. Elle perçoit immédiatement la faille cachée, car elle aussi sait très bien dissimuler certaines choses de sa vie privée. Et Anna semble sensible aux besoins des autres, même lorsqu'elle prend des décisions. Finalement, elle s'est pliée au désir d'Anna, qui a offert de payer la plus grosse part de la course. La curiosité de Lou est vraiment piquée au vif par la personne qu'elle vient de rencontrer.

Je me demande si on se reverra, se dit-elle en montant dans le bus qui les conduit à travers la banlieue triste de Couldson. Elle a l'habitude de voyager seule le matin et d'en profiter pour faire le point tranquillement. Mais ça serait sympa de voyager à deux de temps en temps pour bavarder, quand elle en aurait envie. Si Anna prend le train de 7 h 44 aussi souvent qu'elle le dit, elles se reverront. Cela dit, le train est long et toujours bondé. Il n'est pas dit que leurs chemins se croisent à nouveau.

09 h 45

Karen se trouve dans un parking extérieur. Comment a-t-elle atterri là et depuis combien de temps y est-elle, cela reste un mystère. C'est seulement lorsqu'elle tente d'allumer une cigarette avec ses doigts tremblants qu'elle réalise qu'il pleut. Le mince papier blanc se transforme en buvard détrempé. Elle lève les yeux : des nuages gris traversent le ciel. Elle penche la tête en arrière et son visage se couvre de pluie. Elle devrait sentir les gouttes froides sur sa peau, mais ce n'est pas le cas. Elle ouvre la bouche pour y goûter, mais n'a plus aucune sensation. Elle frissonne, mais ne ressent pas le froid.

Elle essaie de s'orienter. Une grande pancarte annonce en blanc sur fond bleu : « Hôpital du Département du Sussex ».

C'est logique, somme toute. Que va-t-elle faire ?

Simon est mort.

Mort.

Elle a beau se le répéter, même si elle a assisté à sa mort, elle ne veut pas y croire.

Même si elle a vu deux infirmières s'efforcer de le ranimer et des secouristes tenter en vain de le ramener à la vie par tous les moyens dans le train, et après dans l'ambulance. Même si le médecin a confirmé qu'il était mort quelques minutes plus tôt, en enregistrant l'heure exacte du décès.

Tout cela ne sonne pas vrai, pas du tout.

Ils l'ont laissée avec Simon aux soins intensifs – il avait des tuyaux partout. Maintenant, ils doivent être en train de le transporter à la morgue, dans la salle des visites où ils lui ont proposé de passer un peu de temps avec le corps. Mais il lui fallait absolument une cigarette, et voilà comment elle se retrouve ici, complètement sous le choc.

— Larguée. Sidérée.

Elle répète les mots à voix haute. Elle se souvient d'un truc bizarre. On dit que le sentiment d'hébétude est le premier stade du chagrin, du deuil aussi.

Elle devrait faire quelque chose pour les enfants. Quelle heure est-il ? Où sont-ils ? Ah oui, bien sûr, aujourd'hui ils sont avec la nourrice... Tracy.

Le numéro de Tracy, oui, c'est ça, sur son mobile.

Il pleut des cordes. Elle ferait mieux de se mettre à l'abri, son téléphone va prendre l'eau.

Karen aperçoit un grand auvent de verre à l'entrée de l'hôpital. Des gens s'y abritent en bavardant. Elle les rejoint. Tout à coup, elle se rend compte qu'elle est trempée. Sa frange fait des queues de rat sur son front, et l'eau glacée dégouline sur sa nuque. Même ses chaussures en daim sont trempées. Quelle horreur !

Elle sort le téléphone du cabas dans lequel elle met tous ses papiers et qui contient aujourd'hui le numéro de mars d'un magazine féminin, son porte-monnaie, son rouge à lèvres, un peigne, une bouteille d'eau minérale et ses cigarettes.

Son téléphone est un modèle de base démodé, avec un étui en cuir fatigué. Ses enfants l'ont décoré de stickers affreux. Le numéro de Tracy se trouve dans le répertoire. Il doit exister un raccourci clavier pour appeler directement, elle le sait, mais ne se souvient plus comment on fait. Alors elle déroule la liste alphabétique et appuie sur le bouton vert… puis le bloque aussitôt.

Qu'est-ce qu'elle va faire ? Que va-t-elle leur dire ?

— Luc, Molly, papa est mort. Vous voulez venir à l'hôpital pour voir le corps ?

Ils ont cinq et trois ans, putain ! Ils ne vont pas comprendre. Elle ne réalise pas elle-même. Mon Dieu… Mon Dieu…

Non. Karen a besoin de parler avant tout à son amie, sa meilleure amie. Elle saura quoi faire, elle sait toujours quoi faire. Elle appuie sur les chiffres automatiquement, sans y penser, de ses doigts encore tremblants.

*

* *

Tout près de la station Clapham, le taxi est coincé dans la circulation. Le chauffeur a mis un temps record en passant par la banlieue glauque et déprimante – Croydon, Norbury et Streatham –, malgré des dizaines de feux rouges, vingt minutes à peine pour arriver à St John's Hill.

Anna commence à s'énerver quand son vibreur se déclenche. Il résonne de plus en plus fort au fond de son sac en peau de serpent, et elle farfouille pour essayer de l'attraper à temps. Zut… Il est où ? Finalement, elle met la main sur un portable ultra chic en forme de poudrier.

Elle l'ouvre juste à temps et pousse une exclamation joyeuse en voyant le nom sur l'écran :

— Hé !

— Anna ? demande une petite voix plaintive.

— Oui, c'est moi. C'est toi ?

La voix s'étrangle dans un « oui » à peine audible. Il y a un problème, c'est certain. *Oh là là !* se dit Anna en se rapprochant de l'appareil pour être mieux entendue.

— Que se passe-t-il ?

— C'est… c'est Simon…

La voix si familière est méconnaissable.

— Qu'est-ce qu'il a ?

Anna est désorientée.

— Il est…

Une pause. Une très longue pause.

— Quoi ? insiste Anna, soudain très inquiète.

— Il est…

Et tout se bouscule dans la tête d'Anna, qui a un terrible pressentiment. Elle sait déjà ce qui va suivre, mais ce n'est pas possible. Ça ne se peut pas. Et le mot fatal arrive, bien réel…

— Mort.

— Oh mon Dieu ! s'écrie Anna.

Est-ce une mauvaise plaisanterie ?

— Qu'est-ce qui se passe ? demande Lou en posant une main sur le genou d'Anna.

Anna lui fait signe de se taire.

— Quoi, quand ?

— À l'instant, ce matin, dans le train…

— Tu veux dire, celui de 7 h 44 ?

— Oui, mais comment le sais-tu ? poursuit la voix à peine audible.

— Parce que j'ai pris celui-là ! s'exclame Anna. Je n'y crois pas, Karen !

Et elle fond en larmes. Des larmes abondantes qui lui brouillent la vue et la secouent sans qu'elle puisse s'arrêter. Ce n'est pas encore le chagrin, car l'information n'est pas encore passée, mais c'est le choc. Karen et Simon sont ses meilleurs amis… Karen est sa meilleure amie. Elle veut pourtant comprendre.

— Qu'est-ce que vous faisiez dans ce train ? Vous ne prenez jamais celui-là.

— Oui, mais ça devait se passer comme ça, je suppose, dit Karen. Je n'y ai pas réfléchi.

— Merde !

D'un seul coup, Anna réalise que ce n'est pas une plaisanterie. C'est logique.

— Vous deviez signer les papiers du crédit aujourd'hui, c'est bien ça ?

— Oui, acquiesce Karen dans un souffle. On avait rendez-vous à Londres chez le notaire, avant que Simon aille à son travail. C'était prévu comme ça. Et moi, je voulais faire des courses. Je voulais trouver un beau cadeau pour l'anniversaire de Luc.

— Je suis désolé de vous interrompre, mesdames, mais on est arrivés, dit le chauffeur poliment.

— Comment ?

Anna regarde par la vitre : elle voit un kiosque de fleuriste avec une profusion de couleurs et de feuillages, et juste au-dessus une pancarte indiquant en grosses lettres rouges : « Carrefour de Clapham ».

— Ah oui, d'accord. (Elle prend son sac.) Reste en ligne, Karen, ne quitte surtout pas, j'en ai pour une minute, le temps de payer le taxi, je te reprends dans une seconde.

— C'est bon, allez-y ! dit Lou. Moi, je m'occupe de payer le chauffeur et on réglera ça après.

Anna lui fait un petit signe de tête amical et se retrouve sur le trottoir, accrochée désespérément à son téléphone pour ne pas perdre le lien avec Karen.

Lou paie le chauffeur, heureusement elle a assez de liquide sur elle.

— T'es encore là ? s'enquiert Anna.

— Oui, répond Karen.

— Juste une seconde.

Anna veut rembourser Lou, et elle fouille au fond de son sac pour prendre son porte-monnaie, mais le fait tomber. Lou le ramasse et lui tend en disant :

— Je n'ai pas le temps pour ça, allez-y… On se reverra.

— Vous êtes certaine ?

Lou opine et s'éloigne pour ne pas déranger.

Anna demande à Karen.

— Tu es où ?

— À l'hôpital, répond Karen.

— Quel hôpital ? Celui d'Haywards Heath ?

— Non. Brighton… Je ne sais pas pourquoi on s'est retrouvés ici. Ils doivent avoir une unité de cardiologie, je ne sais pas.

— Ah oui. Alors, explique-moi ce qui s'est passé…

On avait beau lui avoir déjà raconté les faits, elle avait besoin de les réentendre pour toucher la réalité.

— On était assis dans le train, ensemble, ce matin… Tu sais, tout était normal, quand… je ne sais pas… on parlait et on buvait notre café quand, tout à coup, il a eu une crise cardiaque.

— Comme ça, d'un seul coup, sans prévenir ?

— Eh bien, il s'était quand même plaint d'indigestion en allant à la gare. Mais tu connais Simon, il a toujours des aigreurs d'estomac, il prend tellement tout à cœur. Et pour être honnête, je pensais que c'était nerveux, juste un peu de stress à cause de l'achat de la maison, de la signature des papiers.

Anna acquiesce d'un signe de tête, même si Karen ne la voit pas.

— Alors, comme ça…

Anna hésite, de crainte d'y aller un peu fort, mais elle continue sur sa lancée – il n'y a jamais eu d'hypocrisie entre elle et Karen.

— C'est arrivé d'un seul coup… ou bien ?

— Oui. Il était juste à côté de moi. C'est arrivé en quelques minutes… Il a vomi, il est tombé en avant en renversant son café. Puis des infirmières se sont précipitées pour le ranimer, et tout le monde a dû descendre du train. Ensuite l'ambulance est arrivée et on est partis à l'hôpital. Ils l'ont emmené aux soins intensifs... puis j'ai parlé avec la police et l'aumônier de l'hôpital. Il y avait tellement de monde. Mais le médecin a dit que personne n'aurait pu le sauver. (Karen murmure faiblement :) Il est mort subitement, comme ça.

Anna a le cœur chaviré, elle titube et cherche à reprendre son équilibre en s'appuyant sur l'étalage du fleuriste.

— Voyons... Tu te trouves où exactement ?

— Au Royal Sussex

— Où ça, à Kemptown ?

— Oui.

— Bon, je vois. Et les enfants ?

— Ils sont chez Tracy.

— Luc n'est pas à l'école ?

— Non, ils sont en vacances en ce moment à Brighton. On les a emmenés tous les deux là-bas pour pouvoir aller à Londres ensemble.

— Je vois... Quand dois-tu les récupérer ?

— Heu... vers trois heures et demie.

C'est bon, ça nous laisse un peu de temps, pense Anna.

— Tu leur as dit ?

— Non.

— Et à Tracy ?

— Non, non, pas encore. Tu es la première personne que j'appelle.

— Et où est Simon ?

— Ben, je... (Karen semble égarée, comme si elle ne comprenait pas la question.) Il est ici, à l'hôpital. Ils vont l'emmener dans une salle spéciale. Je dois y retourner. Et toi, tu es où ?

— Au carrefour de Clapham. À la gare. J'ai trouvé un taxi.

Elle s'apprête à lui raconter comment elle s'est retrouvée assise avec une femme qui a été témoin de la mort de Simon, mais elle décide de se taire. Ce n'est ni le lieu ni le moment.

— Écoute... (Elle essaie de proposer son aide à Karen.) Je vais revenir. Je dois aller à une réunion, mais je vais me faire remplacer. Ce n'est vraiment pas important. Je vais les appeler. Ils comprendront, et sinon tant pis pour eux. Alors, voilà... Attends-moi là-bas. J'y serai, disons... (Elle regarde sa montre.) Il est dix heures moins cinq. Je crois que les trains partent toutes les heures, à 12. Je peux être de retour à Brighton vers 11 heures, prendre un taxi et te retrouver dès que possible.

— Tu vas vraiment pouvoir le faire ? Tu es sûre que ça ne te dérange pas ?

La voix de Karen est presque inaudible.

— Si ça me dérange ?

Anna est choquée que son amie puisse lui poser une telle question.

— Mais voyons, puisque je te le propose ! Où vas-tu attendre ? Tu rentres chez toi après ?

— Je ne sais pas...

Karen n'est pas en état de prendre une décision.

— Plus tard, oui, mais là je veux passer un peu de temps avec Simon.

— Bien sûr... Je te rappelle dans une minute. Je veux juste me renseigner sur les trains pour être certaine de te rejoindre à l'heure. OK ? Je te rappelle tout de suite.

— D'accord... Merci, dit Karen très doucement.

Quelques secondes plus tard, Anna sent une pression sur son épaule. C'est Lou qui s'inquiète :

— Vous allez bien ?

— Oui, je crois...

— Vous voulez qu'on aille prendre un café ? Vous êtes blanche comme un linge. Vous devriez vous asseoir...

— Non merci, il faut vraiment que je prenne le prochain train, je le lui ai promis. À mon amie Karen... c'était son mari, dans le train.

Elle est décidée à partir.

— Je comprends.

Anna sourit et se rappelle soudain :

— Oh zut ! je vous dois de l'argent. Est-ce qu'on lui a donné un pourboire ? (Elle fouille dans son porte-monnaie.) Je n'ai que quatre billets de vingt, est-ce que c'est assez ?

— C'est beaucoup trop. Vraiment. Il vous faut du liquide pour prendre le train et le taxi. Donnez-moi seulement deux billets de vingt.

— Non, pas question, insiste Anna, je suis sûre que je peux trouver un distributeur automatique...

— Non vraiment, quarante, ça me suffit largement.

— Je déteste devoir de l'argent.

— Bon, alors on va faire autrement ! Plutôt que de se prendre la tête maintenant, prenez ma carte... (Elle lui tend une carte de visite très élégante au nom du Département de l'Éducation – Hammersmith et Fulham.) Envoyez-moi le reste par la poste si vous y tenez vraiment. Ou mieux, appelez-moi ou envoyez-moi un texto, un jour quand vous en aurez envie, dans le train. Si vous voulez.

— Alors, c'est d'accord, dit Anna.

— Je travaille du lundi au mercredi... Appelez-moi un de ces jours, si vous avez envie de parler.

L'expression de Lou est si sympathique qu'Anna ne sait plus quoi dire. Elle bafouille un merci, complètement déphasée.

— De rien, répond simplement Lou.

— Non, vraiment, j'apprécie beaucoup.

— C'est sans importance. Et, s'il vous plaît, quand le moment sera approprié, dites à votre amie combien je suis désolée pour elle.

— Hmm... Oui, bien sûr, je n'y manquerai pas, dit Anna.

11 h 00

Anna tripote machinalement la carte de visite de Lou en se curant les ongles avec les angles quand, tout à coup, le train s'arrête à un passage à niveau juste avant le terminus. La ville s'étend à perte de vue avec ses rangées de maisons en terrasses. L'écran d'information déroule son message en lettres digitales orange : « La prochaine station est Brighton ». Elle est complètement désorientée, chavirée par les émotions. Elle a voyagé de Brighton à Wivelsfield, puis à Clapham aller-retour par l'autoroute, et il n'est que 11 heures du matin. Elle a l'impression d'avoir laissé des parties d'elle-même s'envoler tout le long du chemin et de ne plus savoir qui elle est.

Elle essaie de rassembler ses pensées de façon plus cohérente, afin de pouvoir aider Karen. Mais comment vont-elles s'en sortir ? Il y a le problème de Luc et de Molly. Comment dire à deux petits enfants que leur père est mort ? Ils sont si jeunes. Quel impact cela va-t-il avoir sur leur vie ? Et puis, il y a le reste de la famille de Simon… Sa mère est encore vivante, par exemple, et il a aussi un frère, Alan. Anna l'a rencontré plusieurs fois. Simon et lui sont très proches. Il habite tout près et ils ont l'habitude de jouer au football sur les pelouses du front de mer avec les autres papas du coin.

Et puis, il y a Karen. Simon et elle vivent ensemble depuis que Karen a quitté l'université pour travailler. Simon était avec une autre femme quand ils se sont rencontrés, un vrai drame, mais c'était il y a longtemps. Ils sont ensemble depuis presque vingt ans. Ils ont, c'est vrai, traversé quelques moments difficiles – quand Simon a perdu son travail, et quand Luc est tombé malade juste après sa naissance –, mais cela n'a pas ébranlé leur couple. En fait, rien n'a entamé leur relation… jusqu'à aujourd'hui.

Anna frissonne. Elle le sent, ce n'est que le début, et elle éprouve déjà le chagrin de Karen si fort qu'elle ne sait plus où se trouve la frontière de leurs deux peines conjuguées. Elle sent aussi que le pire est à venir, parce qu'elle ne réalise pas encore ce qui s'est passé, que Simon est vraiment mort. Et même si elle a eu quelques sanglots tout à l'heure, il est trop tôt pour pleurer.

Il n'est peut-être pas mort après tout, se dit-elle l'espace d'une seconde. Peut-être que Karen est devenue folle et qu'il s'agit d'une autre personne.

Anna secoue la tête, furieuse tout à coup. Enfin, voyons, personne n'est fou. Et pourtant, si quelqu'un avait pu le sauver ? Un homme de cinquante et un ans ne peut pas tomber raide mort comme ça : il a dû avoir des signes avant-coureurs. Est-ce que Simon a senti que ça allait lui arriver ? Et quand il jouait au foot ? N'a-t-il pas eu des malaises, des douleurs ? Pourquoi n'a-t-il pas fait d'examen médical complet ? Il était père de famille, donc responsable. Pourquoi son médecin généraliste ne l'a-t-il pas mis en garde ? Anna sait que les hommes vont rarement chez le médecin. Son propre compagnon, Steve, n'y mettait plus les pieds depuis des années. Mais ces infirmières dont Karen avait parlé, celles qui se trouvaient dans le train, pourquoi n'avaient-elles rien fait ? Et ces foutus secouristes ? Et les médecins de ce prestigieux Centre de cardiologie de Brighton ? Probablement sous-équipé, et en manque de personnel. C'était aussi la faute du gouvernement. Bande de crétins ! Qu'ils aillent tous se faire foutre !

Et puis il y avait le risque, et c'était insupportable pour elle, que Karen se rende coupable de tout ça parce que c'était dans sa nature de se miner pour les autres et de les faire passer avant elle. Elle pensait d'abord aux enfants, à Simon, à Anna aussi parfois, avant de penser à elle.

Évidemment, elle n'y est pour rien, mais elle va se persuader que c'est sa faute si Simon est parti.

Et, pour la première fois, Anna se sent coupable elle aussi. Et si elle aussi était responsable ? Après tout, Karen devait veiller sur toute la famille et n'avait pas de recul, c'était normal qu'elle ne voie rien arriver, en tout cas, pas les petites dégradations imperceptibles de la santé de Simon... mais elle, Anna, en toute objectivité, elle aurait dû voir les signes avant-coureurs... si elle n'était pas aussi engluée dans son travail et dans son couple. Elle avait vu Simon régulièrement, quasiment chaque semaine depuis Dieu sait combien d'années. Alors, pourquoi n'avait-elle pas remarqué qu'il respirait plus difficilement ou bien qu'il avait des problèmes de digestion, des vertiges ou des rougeurs sur le visage, ou d'autres symptômes qui laissent supposer que le cœur va mal, au lieu de ne penser qu'à ses petits problèmes à elle ?

Oh là là ! pense-t-elle, en revenant brutalement à l'instant présent. Les passagers ont déjà tous quitté leur siège, et elle est encore rivée au sien. Elle ferait mieux de sortir du train en vitesse. Une femme du service de nettoyage, gantée de latex, arrive et débarrasse le compartiment des gobelets en carton en les jetant dans un grand sac en plastique transparent. Alors, Anna enfile son manteau, prend son sac à main sur la tablette et, pour la deuxième fois de la journée, traverse la gare de Brighton.

Karen est assise au café juste en face de l'hôpital. Elle regarde la pendule sur le mur, Anna sera là d'ici quelques minutes. Elle l'attend parce qu'elle a besoin d'elle, de ses conseils, avant de rentrer à la maison. Karen n'a jamais eu besoin d'être secourue par qui que ce soit dans sa vie, du moins pas pour des choses graves ; elle a toujours joué le rôle de sauveur pour les autres. Même quand elle était petite, elle assumait les responsabilités de l'aîné ou du meneur. Mais il a suffi d'un événement catastrophique pour changer un ordre qui avait duré quarante ans. Elle est piégée dans un cauchemar qui n'en finit pas. Elle veut que quelqu'un vienne la réveiller, lui dire qu'il y a eu une erreur, que ça n'est pas arrivé et qu'elle peut rentrer à la maison. Elle est complètement déconnectée du monde autour d'elle. La pièce dans laquelle elle est assise n'a pas l'air réelle. Tout est disproportionné dans ce café : c'est trop grand, il y a trop d'espace entre les tables, les lumières fluorescentes sont trop brillantes, le comptoir où elle est allée chercher son thé est anormalement plat. Le café est presque désert, il y a seulement quelques clients, un couple de vieux et une femme qui gazouille des mots doux à son bébé, mais leurs voix sont distantes et déformées par un écho bizarre.

Plus jeune, Karen avait pris de l'acide une fois avec Anna. Elle avait détesté l'expérience ; elle s'était sentie complètement en perte de contrôle. Là, c'est pire encore parce que, avec l'acide, on sait que ça va s'arrêter, même si on a très peur. À l'époque, elle avait très mal vécu la dérive de son esprit. Anna, elle, en avait déjà pris avant et semblait s'éclater à ses côtés. Elle l'avait calmée en lui parlant tranquillement.

Mais là, elle est toute seule. Et elle n'a aucune idée de ce qu'elle doit faire. Normalement, c'est à Simon qu'elle parlerait, mais une voix dans sa tête – celle du médecin qu'elle a vu un peu plus tôt – lui rappelle la réalité : Simon est mort. Les deux pensées ne peuvent pas coexister. C'est tellement confus. Elle n'arrive pas à croire qu'il est parti, elle a l'impression que ses sens sont engourdis tout en éprouvant par moments des douleurs comme si des morceaux de verre la transperçaient de part en part. L'absence de sensations est peut-être préférable à la panique qui la déchire lentement. Elle devrait peut-être faire une liste... elle est bonne pour les listes.

Et puis, il y a toutes ces paperasses à remplir, dans son sac ; c'est bien, elle peut écrire sur le verso des feuillets en A4. Et, oui, elle a un stylo. Elle se souvient l'avoir mis dans sa poche de devant. Elle n'aime pas être sans stylo dans un train, ça l'énerve ; mais ce genre de situation a peu de chances de se reproduire, et c'était il y a un siècle. Donc, en attendant, la liste...

Karen se concentre pour rassembler ses souvenirs. Elle peut retrouver des bribes de cette expérience en repensant au père de Simon. Il a eu un problème d'anévrisme, et un jour il a fait une attaque. Et cent fois elle avait répété à Simon qu'il devrait faire un *check-up*, parce que c'était peut-être héréditaire. Mais, bien entendu, il ne l'avait pas écoutée. La colère monte en elle comme une grande marée, au milieu des morceaux de verre. C'est presque agréable comme sensation. Normal, finalement. Elle a déjà été en colère contre

Simon, et elle connaît bien ce sentiment. C'est le même, en plus violent, et elle a envie de crier. Mais en une seconde, toutes les sensations douloureuses reviennent, et c'est à nouveau la paralysie, les déchirures et la panique.

Quand le père de Simon est mort, elle et son mari ont aidé la mère de ce dernier à rédiger une liste des choses qu'elle devait faire. Karen se plonge dans cette tâche et, lentement, de façon automatique, elle commence à écrire.

1. Appeler Tracy. Aller chercher les enfants.

Comme c'est étrange, son écriture à l'encre noire est presque comme d'habitude, avec des boucles penchées, et elle en est surprise.

2. Le dire aux enfants.

Comment va-t-elle s'y prendre ? C'est le mystère total ; mais avant que les douleurs reprennent, elle ajoute : les emmener à l'hôpital pour dire au revoir ?

Ensuite, elle écrit :

3. Rentrer à la maison. Téléphoner :

– à la mère de Simon,

– à Alan,

– au bureau de Simon.

Oh zut ! le bureau de Simon. Elle va les appeler tout de suite. Ils ont dû l'attendre. Et puis le notaire. Ils ont raté le rendez-vous. Ces gens-là ne peuvent pas attendre qu'elle soit rentrée chez elle. Ils doivent savoir maintenant.

Elle reprend son téléphone. Les petits autocollants scintillent, et elle a un élan d'amour pour sa fille, Molly, qui a insisté pour les coller dessus. Il y a une étoile qui recouvre le rond du logo et des petites fleurs autour de l'écran. Karen appelle le bureau de Simon. Mais elle interrompt la communication parce que, tout simplement, elle ne va pas pouvoir parler. Quand Anna sera là, on verra. Elle l'aidera. Elle remet le téléphone dans son sac et maudit sa faiblesse, elle qui est toujours d'attaque pour tout ce qui se présente dans la vie.

— Karen, je suis là.

Elle lève les yeux. Merci, mon Dieu ! ce manteau, ce sac, ce visage : c'est son amie.

Anna la prend dans ses bras. Karen se laisse faire et l'embrasse aussi. Elles sont serrées l'une contre l'autre, en silence. Karen se rassied et Anna s'installe face à elle, mais change de place pour se rapprocher de son amie et prendre ses mains dans les siennes.

Le visage de Karen est ravagé par les émotions qu'elle a ressenties depuis le matin. D'habitude, elle a l'air plein d'entrain et d'énergie. Là, le rose de ses joues a disparu : elle a l'air vidé, gris. Ses cheveux longs, généralement brillants et bien coiffés, sont trempés, sans forme, et ses yeux noisette sont vides de tout éclat, éteints. Elle ne dégage que peur et confusion. Tout son corps est différent. Comme si on en avait aspiré toute vie à l'aide d'un aspirateur géant. Elle est défaite, courbée par le choc. Elle tremble comme une feuille, ses mains surtout. Et pourtant, elle a essayé d'écrire sur une feuille posée devant elle.

Anna aimerait poser son amie dans son salon confortable, d'un coup de baguette magique, la sécher, l'installer dans un fauteuil douillet, l'envelopper dans une couverture et allumer un feu dans la cheminée. Elle lui ferait un chocolat chaud et lui offrirait des petits gâteaux. Mais elles sont plantées là, dans cet endroit glauque, par une journée pluvieuse de la fin février. C'est sinistre, cette grande salle horrible, inhospitalière, avec ces meubles en métal et ces lumières crues ! On ne peut imaginer de pire endroit que ce café.

— Je suis désolée, dit-elle gentiment, et elle offre à Karen un petit sourire forcé.

Et elle l'est ; probablement la première fois de sa vie qu'elle est dévastée de la sorte. Elle sent les larmes venir, mais elle ne doit pas, surtout pas, pleurer.

Karen secoue la tête.

— Je ne sais pas ce qui s'est passé.

— Je comprends, soupire Anna.

— Je crois que je suis sous le choc.

— Oui, ma chérie, je crois qu'on l'est toutes les deux.

Elle regarde les mains de son amie dans les siennes et constate qu'elles ont toutes les deux leurs premières taches brunes. Nous vieillissons, pense-t-elle.

— Une crise cardiaque ! dit-elle.

— Oui…

Karen prend une longue inspiration.

— Je crois qu'on va pouvoir y aller maintenant, je t'attendais.

— Où est-il ?

— Dans cette salle spéciale… d'après ce qu'ils m'ont dit.

— D'accord, répond Anna.

Elle se demande s'ils vont pratiquer une autopsie. Cela signifierait qu'il faudrait attendre pour les funérailles. Mais on aurait peut-être des explications. Elle se pose beaucoup de questions, et Karen encore plus, c'est évident. Karen refusera sans doute l'autopsie. Ça ne le fera pas revenir.

— Mais avant de partir, je me demande si tu ne pourrais pas donner quelques coups de fil pour moi ?

— Bien sûr, à qui ?

— C'est juste que je n'y arrive pas…

Anna sourit gentiment.

— Mais bien sûr, qui veux-tu que j'appelle ?

— Le notaire, si tu peux. Ils doivent nous attendre, et aussi au bureau de Simon…

La voix de Karen se brise.

Anna reprend le contrôle de la situation.

— Pas de problème. Tu as les numéros ?

— Oui, ici. Mais ce serait plus facile de téléphoner avec mon mobile, j'imagine.

— Bien sûr.

Anna prend le téléphone de Karen, rangé dans son étui de cuir familier et décoré de ses autocollants enfantins, posé sur la table.

— Bon, alors on va d'abord appeler le notaire. (D'un côté, elle déteste se montrer aussi terre à terre, mais elle est ravie de pouvoir être utile à son amie pour des affaires aussi matérielles.) Dis-moi, vous aviez déjà signé un compromis pour la maison ?

Karen secoue la tête.

— Non, on devait signer les papiers aujourd'hui.

Ouf ! pense Anna. Ça veut dire que tout n'est pas perdu. Elle passe en mode Action.

— OK, je vais appeler le notaire. Leur dire que pour le moment, la vente est suspendue.

— Ils vont être furieux, dit Karen qui reprend pied dans la réalité des autres.

— Je m'en fiche ! Et fais-en autant. On ne va pas se prendre la tête avec ça pour le moment, vu ?

— Non…

— Alors, où est le numéro ?

— Les vendeurs aussi vont être furieux… ajoute Karen, toujours soucieuse des autres.

— Mais on se fout d'eux aussi ! (Anna est tranchante.) Ils peuvent attendre. Pour le moment, c'est toi qui comptes.

Karen acquiesce d'un signe de tête.

— Les numéros… tiens, les voilà.

— OK, dit Anna en se levant. Mais je vais les appeler dehors, il n'y a pas assez de réseau ici. Je peux te laisser seule quelques instants ?

— Hmm, oui…

Quand Anna ouvre la porte du café, l'air glacé entre et la pluie la frappe au visage. Elle a menti, le téléphone fonctionne aussi bien dedans que dehors, mais elle ne veut pas que son amie entende le récit de la mort de Simon une fois de plus. Ce coup de téléphone sera le premier d'une longue série, et elle tient absolument à adoucir la peine de Karen du mieux qu'elle peut.

11 h 35

— Alors, mademoiselle, z'êtes une lesbienne, c'est ça ?

— Pardon ?

Lou se trouve face à un garçon de quatorze ans nommé Aaron. Elle a beau être blindée dans ses rapports avec les jeunes et leurs problèmes de drogue, d'abandon, de misère, de viol, la question la prend de court. Elle conseille les jeunes qui ont été exclus de tant d'écoles – virés, comme dirait sa mère – qu'ils n'ont plus nulle part où aller dans le système actuel.

En réalité, ils continuent leur éducation dans un établissement spécialisé à l'encadrement très pointu – peu d'élèves, des enseignants nombreux et bien formés – où Lou a récemment trouvé un emploi. En plus des cours, les enfants peuvent demander une séance hebdomadaire avec elle. Elle voit une quinzaine d'élèves par semaine, et ils en ont tous vu de toutes les couleurs.

— Ouais, vous avez bien entendu, mademoiselle. (Lou aime bien qu'on l'appelle par son prénom, mais Aaron utilise le « Mademoiselle » non par marque de respect, mais pour la défier. Il continue à l'agresser, en croisant ses jambes maigres vêtues de jeans larges, penché sur sa chaise avec nonchalance...) Vous savez, une de ces meufs qui aiment les meufs, quoi. Une gouine.

Aaron n'a absolument pas à questionner Lou sur sa vie privée, et il le sait très bien. Il fait tout pour la provoquer, et elle refuse le défi. Pourtant, elle ne peut bloquer le sujet entièrement, car Aaron est un ado qui explore sa propre sexualité. Elle doit garder le contrôle de leur discussion et éviter les dérapages.

Il s'agite sur sa chaise et la dévisage.

— Pourquoi vous ne voulez pas me le dire, mademoiselle, z'avez honte ?

Pas question de se laisser piéger dans cette zone sensible. Il est hors de question de centrer le débat sur elle. Lou se demande seulement où il a appris à associer l'homosexualité et la honte.

— Tu crois que c'est quelque chose de honteux, Aaron ?

Il a l'air content de cette question.

— Alors, c'est que vous avez honte… Pourquoi vous ne me répondez pas, mademoiselle ?

Elle reste d'abord silencieuse, puis déclare avec fermeté.

— On est ici pour parler de toi, Aaron, pas de moi.

— Pourquoi on devrait parler de moi, si vous ne voulez pas parler de vous ?

Pas faux, pense Lou. Mais ce n'est pas le protocole, et Aaron utilise ça pour détourner l'attention de lui. Si elle n'était pas psy, elle pourrait dire à Aaron qu'elle est homo. Mais en le lui disant, elle fusillerait la dynamique thérapeutique, et c'est inutile, surtout s'il ne pose la question que par voyeurisme mal placé. C'est intéressant qu'il ait abordé ce sujet à ce moment précis : ils commençaient à parler de son usage de la drogue, le skunks, pour être précis, et Lou sait qu'il botte en touche. Elle sourit et apprécie la stratégie. L'esquive, ils sont tous les deux très forts dans ce domaine.

— Kyra aussi pense que vous êtes gouine, dit Aaron.

Oh, super ! pense Lou. *Alors, on parle dans mon dos*, se dit-elle. La rumeur a commencé à circuler parmi les élèves, c'est probable. Lou n'a pas envie de voir sa vie privée déballée dans ses séances, car les ados avec qui elle travaille sont extrêmement agressifs et intolérants. Elle en a été témoin plusieurs fois. Ils s'en prennent aux bons élèves et aux profs comme au personnel. Le moindre écart par rapport à leur norme est cruellement réprimé par des moqueries cinglantes.

Lou ne tient pas à devenir une de leurs cibles, et pour le moment elle n'a dit à personne qu'elle était homo. *Après tout*, se dit-elle, furieuse, *je ne vois pas pourquoi je le leur dirais*.

Elle veut absolument ramener Aaron à son problème à lui.

— Nous ne sommes pas ici pour parler de Kyra ou de ce qu'il pense de moi, dit-elle. (Elle marque une pause et ajoute :) Je me demande bien en quoi ça t'aiderait de savoir si je suis gay ou pas.

— Alors, vous êtes gay ! C'est ce que je crois.

Aaron sourit d'un air satisfait. Il semble content d'être arrivé à cette conclusion et de s'en sortir comme ça. Lou décide d'en rester là. Mais elle sent bien qu'il va essayer de pousser son avantage. C'est certain.

*

* *

Après avoir appelé le notaire et les collègues de Simon, Anna veut passer un dernier appel avant de rejoindre Karen. Elle veut faire vite, car elle sait que Karen est seule dans le café ; mais elle doit mettre Steve au courant et elle a déjà essayé de le joindre à deux reprises. Elle ne lui laisse pas de message, ce n'est pas le genre de nouvelle qu'on laisse sur une boîte vocale. Cette fois, il décroche.

— Allô ?

Sa voix est morne.

— Ah ! enfin... J'essaie de te joindre depuis un bon moment. Tu étais où ?

— Désolé, je dormais.

Typique, pense Anna en regardant sa montre. Il est presque midi. Steve est peintre et décorateur, et n'a pas de travail en ce moment. Mais on est lundi et ça l'énerve de voir qu'il a déjà gâché une demi-journée. En temps normal, quand elle se lève à 6 h 30, elle encaisse le coup ; mais là, elle sent qu'elle ne va pas prendre de gants devant la gravité de la situation.

— J'ai besoin que tu sois bien réveillé.

— Ouais, ouais. OK, je suis réveillé.

— Il s'est passé quelque chose

— Ah bon, quoi ?

— C'est Simon.

— Tu veux dire le Simon de Karen ?

— Oui

— Qu'est-ce qu'il a fait ?

— Il n'a rien fait. (Anna s'énerve de plus en plus. Steve et Simon ne sont pas particulièrement amis, mais c'est quand même un peu fort que Steve le soupçonne d'avoir fait quelque chose de mal. Alors, elle balance froidement l'info :) Il est mort.

— Tu plaisantes !

— Non, Steve, je ne plaisante pas. (Elle se tait pour qu'il percute.) Il est mort dans le train.

— Oh merde ! Comment ?

— Je ne sais pas exactement... un gros infarctus, probablement. Ils ont essayé de le ranimer, mais... ça n'a pas marché.

— Mon Dieu ! Pauvre Karen...

— Je sais.
— Tu es où, là ?
— Je suis avec elle.
— Tu n'es pas allée au travail, alors ?
Anna soupire, encore en colère. Une partie de sa rage est due au choc, rien à voir avec Steve.
— Ce serait trop long à te raconter maintenant, je t'expliquerai à mon retour. Je voulais juste que tu le saches.
— Oui… Merde, désolé ! (Anna entend le bruit des draps quand il s'assied dans le lit.) Je suis un peu sous le choc. Tu es où exactement ?
— Dans un café, à Kemptown, en face de l'hôpital.
— Tu comptes faire quoi ?
— Je ne suis pas sûre… Passer du temps avec Karen. Je pense qu'elle a besoin de moi. Elle est dans un sale état, ça se comprend.
— Bien sûr.
— Ils vont transporter Simon dans une chambr spéciale, alors on va y aller d'une minute à l'autr
— D'accord. Euh… et les enfants ?
— Ils sont chez leur nourrice.
— Ils sont au courant ?
— Non, pas encore. On verra ça plus tard.
— Tu veux que je vienne te rejoindre ?
Anna se le demande. Elle aimerait son soutie mais n'est pas certaine qu'il sera d'une aide qu conque. Steve peut devenir franchement lou quand il y a des problèmes affectifs – pas toujou mais parfois. Et ça peut partir en vrille facileme quand il a un verre dans le nez. D'abord, il connaît pas Karen aussi bien qu'elle. Et pu Karen n'a peut-être pas envie d'avoir un cou à côté d'elle en ce moment.
— Non, il ne vaut mieux pas.
— Est-ce que je peux faire quelque chose
Elle réfléchit avant de lui demander de l'a

— Pas pour le moment, je ne vois pas.
— Tu es sûre ?

Il fait de son mieux, elle l'entend bien. Elle se radoucit.

— Non, t'inquiète... Je te rappellerai plus tard. Sois là quand je rentrerai. (Elle ne veut surtout pas qu'il soit au pub quand elle reviendra.) Tu peux peut-être me faire à dîner ?
— Bien sûr... d'accord.

Aussitôt, Anna sent l'affection revenir dans son cœur. Steve n'est pas parfait, mais il est vivant. Elle se sent reconnaissante, et même chanceuse.

— Je t'adore, mon chou, dit-elle.
— Moi aussi je t'aime, ma chérie. Tu le sais, hein ?

C'est vrai. Quand il est en forme et sobre, Steve est un des hommes les plus aimants qu'elle ait jamais rencontrés.

11 h 55

Entre deux séances, la mère de Lou lui téléphone. Elle devrait savoir que sa fille ne dispose que de quelques minutes entre deux patients, mais on dirait qu'elle le fait exprès. Elle veut absolument lui parler et passe même par le standard pour la harponner. Lou est obligée de répondre, cela pourrait être l'un de ses collègues. Elle déteste qu'on la dérange entre deux séances, elle a besoin de ce moment pour se vider la tête. En trois minutes, sa mère est capable de lui pomper toute son énergie. Elle bat les records de névrose en termes d'espace-temps. Elle parle très vite et, en si peu de temps, peut la vampiriser complètement. Aujourd'hui, Lou est complètement saturée, depuis l'épisode du train.

— Ma chérie, dit sa mère, je sais que je te prends au dépourvu, mais je t'appelle pour voir si tu pourrais venir ce week-end. L'oncle Patrick et Tatie Audrey passeront et ils aimeraient beaucoup te voir.

Oh non ! pense Lou. Elle aime beaucoup sa tante Audrey, la sœur de sa mère, mais l'oncle Patrick est tout aussi pénible que sa mère. De toute façon, elle a d'autres projets. Mais sa mère contre-attaque avant qu'elle ait pu placer un mot.

— Bon, tu sais que l'oncle Patrick est plutôt mal en point ces derniers temps…

Lou est au courant. Comment faire autrement ? Il souffre de la maladie de Crohn depuis toujours et son état s'aggrave. Elle sait aussi que sa mère va utiliser cet argument pour la manipuler et parvenir à ses fins. C'est un véritable rouleau compresseur.

— Pour le moment, il ne va pas trop mal, mais il est resté couché pendant plusieurs semaines. Alors imagine un peu, ta tante a vraiment besoin de s'évader. Elle est coincée dans leur petit bungalow depuis une éternité. (Lou hausse les épaules, elle compatit pour sa tante.) Alors je leur ai proposé de venir à la maison. Et ils vont y passer le week-end, puisque j'ai une chambre libre.

Sa mère habite à la campagne, dans une grande maison près de Hitchin qu'elle a transformée en gîte.

— Le problème, c'est que... (Lou connaît déjà la suite.) Je ne peux pas m'occuper d'eux toute seule.

Et quand elle est certaine d'avoir conclu l'affaire, elle ajoute :

— Et avec ma hanche, je n'arrive plus à faire les courses, à sortir avec eux et à m'en occuper à plein temps.

Tout ça, c'est des conneries, pense Lou. Quand elle a besoin de louer ses chambres, sa mère n'a aucun problème de hanche. Elle cuisine très bien, fait les lits et affiche un sourire commerçant. C'est quand même drôle, quand l'argent est en jeu, sa mère pète le feu. Et le manège continue :

— Alors, je me suis dit que tu pourrais peut-être venir, ce n'est pas très compliqué pour toi, ma chérie, si tu viens après ton travail jeudi soir ? Tu peux prendre le train à King's Cross et arriver en un rien de temps.

Lou n'arrive pas à y croire ! Sa mère veut qu'elle vienne trois jours au lieu de deux. *Et ma sœur ?*

Georgia ne peut pas l'aider ? Mais ça ne sert à rien : sa petite sœur a un mari et des enfants, et sa mère ne lui demande quasiment jamais rien.

— Maman, dit-elle finalement, furieuse, tu me préviens à la dernière minute et j'ai déjà des projets.

C'est vrai : elle joue au tennis tous les vendredis matin avant de donner un coup de main dans un centre pour les sans-abri, et elle a été invitée à une soirée le samedi.

— Vraiment ? Je suis déçue... Bon, alors, si tu es trop occupée...

Le silence qui suit est rempli de la frustration de sa mère.

— Laisse-moi y réfléchir, et je verrai ce que je peux faire.

Gros silence. Lou sait que sa mère attend qu'elle parle à nouveau – tactique ingénieuse pour plaider sa cause.

— Je passerai peut-être, finit-elle par lâcher.

La culpabilité, la culpabilité ! Elle s'en veut tellement... elle finit toujours par craquer.

— OK, ma chérie. Bien sûr, si tu pouvais venir tout le week-end, ça serait mieux, alors réfléchis.

Elle ne manque pas d'air, pense Lou.

Juste à ce moment-là, quelqu'un frappe à la porte. C'est l'élève suivant.

— Écoute, maman, il faut que je raccroche.

— Oui, bon, alors, Lou ?

— Ouiiii !

Lou s'efforce de ne pas s'énerver.

— Tu peux me le dire ce soir ? Parce que si tu ne peux pas venir, alors il faudra que j'annule, et ça ne serait pas correct de les prévenir trop tard dans la journée.

Va te faire foutre ! pense Lou. Au lieu de cela, elle se contente de marmonner.

— Oui, d'accord...

Et elle repose le téléphone. Elle est tellement furieuse qu'elle en tremble de partout. Avec une mère comme la sienne, hyper autoritaire, égoïste, bornée, comment pourrait-elle se sentir libre avec sa propre sexualité ?

12 h 06

L'hôpital est un dédale de couloirs et de salles, d'annexes et de cabines amovibles, et ni Karen ni Anna ne parviennent à comprendre ce qui est écrit sur les pancartes. Elles se dirigent vers les urgences et, quand elles arrivent à la réception, on leur demande de patienter. Finalement, une infirmière au visage sympathique apparaît.

— Qui est madame Finnegan ? demande-t-elle.

Karen fait signe que c'est elle.

— Votre mari a été placé dans la salle de présentation. Je vais vous montrer le chemin, si vous voulez.

— S'il vous plaît, dit Anna.

Elles suivent ses talons qui claquent le long de plusieurs couloirs, escaliers, et encore d'autres couloirs. Finalement, elles se retrouvent devant la double porte de la morgue : la pancarte ne laisse aucune place au doute.

L'infirmière appuie sur un bouton et elles entrent.

— C'est Mme Finnegan, annonce-t-elle à un homme en blouse blanche.

— M. Finnegan est dans la salle de présentation, dit-il. Mais attendez une seconde...

Il va vers un placard, l'ouvre et en sort un grand sac-poubelle.

— Qui est madame Finnegan ? demande-t-il.

— Moi, dit Karen.

— Ce sont ses affaires personnelles.

— Oh, merci...

Elle regarde à l'intérieur du sac.

— Ce sont ses vêtements, et aussi sa sacoche, précise l'homme.

— Oui, c'est bien ça.

— Je vais vous montrer le chemin si vous le voulez bien, dit l'infirmière.

Elle les conduit à une seconde porte. Elle l'ouvre et elles entrent.

Simon est étendu sur le dos, les bras le long du corps, sur une couverture de coton blanc. Il porte une chemise fournie par l'hôpital, remarque Anna. La seule source de lumière provient d'une fenêtre partiellement voilée par un store vénitien, qui laisse filtrer une lumière tamisée.

— Vous pouvez rester ici aussi longtemps que vous voudrez, madame Finnegan, dit l'infirmière.

— Vraiment ?

Anna est étonnée. Elle croyait que le temps serait limité.

— Oui, j'ai cru comprendre que votre mari était mort soudainement ? s'enquiert l'infirmière.

— Oui, acquiesce Karen.

— La plupart des personnes ont envie de rester assez longtemps avec leur défunt. Il ne faut rien précipiter. Vous pouvez rester plusieurs heures si vous le voulez.

— Merci, répond Karen.

L'infirmière se tourne vers Anna.

— Vous êtes une amie ?

— Oui.

— On pourrait se parler quelques instants, dehors ?

— Bien sûr.

Elles sortent dans le couloir.

— Ce serait bien de laisser Mme Finnegan seule avec son mari pendant un moment, suggère l'infirmière à voix basse. C'est important pour les gens, car cela les aide à accepter ce qui s'est passé. Ce doit être un choc terrible.

— Oui, bien sûr. (Anna en avait l'intention de toute façon.) Euh... avant que vous partiez, j'aimerais vous demander quelque chose...

— Oui ?

— Mon amie Karen a deux jeunes enfants, et je me demande si... enfin, comment leur expliquer ? Qu'est-ce qu'on va leur dire ?

L'infirmière prend une grande inspiration.

— D'après mon expérience, il vaut mieux ne pas les surprotéger. Alors, dès que votre amie aura vraiment réalisé, on peut l'encourager à être aussi honnête que possible avec ses enfants. En se montrant délicate bien sûr, si les enfants sont petits.

Anna réfléchit.

— Vous pensez qu'on peut les faire venir pour lui dire au revoir ?

— Quel âge ont-ils ?

— Trois et cinq ans, répond Anna.

— Pas facile de vous conseiller, mais ici, en cardio, on voit beaucoup de décès... Alors, je dirais que s'ils veulent venir, il faut les laisser faire. Mais le corps de M. Finnegan sera déplacé en fin de journée, dit l'infirmière.

— Où ça ?

— Comme c'est une mort subite, il y aura une autopsie.

— Quand ?

— Ça dépend de l'emploi du temps du médecin, mais dès qu'il pourra. Ensuite, il sera emmené au funérarium.

— Est-ce qu'on pourra encore le voir là-bas ?

— Oui, bien sûr. Et ne vous en faites pas, on expliquera tout ça à Mme Finnegan avec ménagements. Le médecin aura déjà expliqué l'essentiel, mais souvent il faut le dire plusieurs fois.

— Je vois… Et merci, sourit Anna. Vous avez été très gentille.

— C'est mon métier, répond l'infirmière.

Anna est alors frappée par la futilité de sa profession, en comparaison.

*

* *

Pendant qu'Anna parle dehors avec l'infirmière, Karen se dirige vers la civière où se trouve Simon. La pluie s'est arrêtée et le soleil fait son apparition, filtré par le store ; il projette des bandes de lumière qui s'enroulent autour des bras de Simon, sur la couverture.

Un court instant, Karen croit le voir respirer tout doucement comme lorsqu'il dort.

— Simon ? murmure-t-elle.

Mais il ne répond pas. Elle n'arrive pas à croire qu'il est mort. On lui a dit qu'il l'était, mais il a l'air d'être encore là. Elle scrute son visage pour comprendre. Il y a quelque chose de différent, mais les détails sont les mêmes. Il a les yeux fermés, les cils sont noirs et familiers.

Les sourcils ont besoin d'être un peu retaillés, comme la veille. Il est rasé de près… Il est encore tôt dans la journée, après tout, mais ce soir sa barbe aura sans doute repoussé.

Ses cheveux sont impeccables, épais, lustrés, un peu grisonnants, comme d'habitude. Simon est toujours très fier de ses cheveux. Il se trouve très distingué et s'estime gâté par la nature, alors que son jeune frère est déjà presque chauve. Elle s'en est souvent amusée en le regardant s'admirer devant le miroir, comme le font les hommes mûrs qui veulent rester jeunes.

Simon a toujours son large torse bombé, sous la couverture. Ses bras ont encore des taches de rousseur et des veines apparentes. Ses mains sont grandes et carrées, tellement plus puissantes que celle de Karen, et ses poils brillent au soleil.

Il ne porte plus la chemise qu'il a repassée ce matin pendant qu'elle faisait manger les enfants, celle avec les boutons de manchettes qu'elle lui avait offerts pour Noël il y a deux ans.

On lui a enfilé une espèce de chemise de nuit bleu glacier flippante. Et son alliance a été retirée. Simon ne l'avait jamais enlevée. La marque autour de son doigt indique qu'il avait pris du poids ces dernières années, Karen le sait bien.

La souffrance devant ces détails est tellement insupportable qu'elle a du mal à respirer, et sa gorge se serre comme si elle allait étouffer.

Il y a une chaise près du lit ; elle s'y laisse tomber.

C'est mieux.

Elle rapproche le siège et prend la main de Simon. C'est bizarre. Elle est toute froide, et pourtant, c'est bien la sienne, et c'est bien son visage. Simon n'a jamais les mains froides, même quand il gèle. Karen, elle, a une mauvaise circulation et il lui arrive d'avoir des engelures aux orteils, de temps en temps. Et ses doigts sont souvent froids au toucher. Mais ceux de Simon, jamais.

Ils ont peut-être raison.

Elle regarde à nouveau son visage et ses joues. Il est parfois gris, et n'a jamais les joues roses comme elle et ses enfants. Mais là, ses joues sont plates, ratatinées, comme si une partie de lui avait disparu. La vie est partie. Il n'y a plus d'âme dans son corps. Bizarrement, Karen se souvient quand leur chat, Charlie, est mort. Il était très vieux de toute façon, mais un jour il a rampé sous la table de la cuisine, comme pour chercher un abri. Quand elle l'a trouvé là plus tard, son corps était présent, mais lui n'était plus là. Il avait juste l'air d'un vieux chat mort, tout plat, avec sa mâchoire raide et sa fourrure sale. Il ne ressemblait plus à Charlie. Son esprit, tout ce qui était Charlie, avait disparu.

C'est la même chose avec Simon, une partie de lui a disparu.

— Simon ? l'appelle-t-elle encore une fois.

Mais il ne lui répond pas.

— Où es-tu parti ?

Silence.

Dans un éclair, elle revoit la scène dans le train. Le petit bruit quand il a vomi à côté d'elle. Le son quand sa tête a touché la tablette. Et le sentiment d'un événement irrémédiable lorsqu'il ne lui a pas répondu, que les infirmières sont arrivées.

L'angoisse l'étreint tout à coup.

Elle regarde sa main dans la sienne en espérant qu'il va la serrer fort. C'est une main qui l'a toujours soutenue, qui lui a caressé les cheveux, qui l'a fait jouir. Une main qui a écrit des notes, des cartes de vœux et d'anniversaires, et dessiné des paysages à l'infini.

Une main qui a signé des chèques, tenu des marteaux, scié du bois et, même, rarement il est vrai, étendu du linge. Une main qu'elle a broyée pendant son accouchement. Des mains qui tenaient celle de Molly d'un côté et la sienne de l'autre, pas plus tard qu'hier quand ils marchaient sur la plage. « Un, deux et trois, ouiiiii ! »

Elle entend encore la voix de Simon. Et Molly qui éclate de rire en s'envolant dans les airs avant de reposer ses petits pieds fermement sur le sol pavé.

Simon ne ferait pas ça à Molly, n'est-ce pas ? Elle est trop petite.

— Je veux un gros câlin de mon papa ! s'écrie-t-elle souvent.

Et Luc aussi. Il est moins collant avec son père, mais c'est un petit garçon affectueux qui adore faire semblant de se bagarrer avec son papa.

Non, Karen n'arrive pas à croire que Simon ne reviendra pas.

Juste à cet instant, la porte s'ouvre doucement. Elle croit que c'est lui qui va entrer, il est revenu. Son cœur se décroche, s'envole…

Mais Simon est étendu là, immobile, sur le lit à côté d'elle.

Elle se retourne pour vérifier.

C'est Anna qui arrive en portant deux gobelets en plastique et qui a dû ouvrir la porte tout doucement, pour entrer avec les boissons.

— Me voici, dit-elle. Je nous ai apporté une autre tasse de thé.

*
* *

Du thé, c'est ce dont Lou a besoin avec son déjeuner aujourd'hui.

Elle a eu une matinée chargée parce que c'était le retour des vacances et, comme elle est arrivée en retard, elle n'a pas eu le temps de boire son thé.

Elle a pourtant vraiment besoin d'un truc chaud et réconfortant après tout ce qu'elle a vécu depuis ce matin. Elle va même le sucrer, un plaisir qu'elle s'accorde seulement lorsqu'elle est malade.

Lou a une bouilloire électrique dans son bureau. Il n'y a pas de frigo, alors elle récupère des échantillons de lait longue conservation dans la cuisine de l'école, chaque matin. Il laisse un arrière-goût étrange, mais ça vaut mieux que de se traîner à l'autre bout du bâtiment quand elle en veut un. Et puis, elle aime bien offrir une tasse de thé ou de café à ses jeunes patients quand ils viennent pour une séance. Elle sent que ça les aide à se sentir plus adultes et responsables, car leur échange n'a rien à voir avec les autres activités scolaires.

Pendant qu'elle attend que l'eau bouille, elle regarde autour d'elle. Depuis qu'elle exerce dans cette école, elle a essayé de s'approprier l'espace où elle travaille avec les élèves ; la plupart des patients ont du mal à s'asseoir face à quelqu'un, alors elle a un tas d'accessoires pour qu'ils puissent s'occuper les mains tout en parlant. Le long du mur, se trouve un énorme bambou rempli de haricots secs : un bâton de pluie qu'un des adolescents adore retourner machinalement en discutant.

Dans le coin, elle a posé un gros bloc de pâte à modeler pour les plus jeunes – onze ans – qui la malaxent pour se détendre. Elle a affiché beaucoup de posters sur les murs : des photos qu'elle a récupérées sur le Net parce qu'elle les trouvait intéressantes, ou reposantes pour les yeux. Les merveilles du monde, qui accompagnent les journaux du dimanche. Enfin, au-dessus du canapé, un énorme dessin Pop-Art imprimé en noir et blanc : JE SAIS QUI JE SUIS.

Je me demande si l'homme qui est mort ce matin – comment Anna l'a-t-elle appelé ? Simon ? – savait qui il était, pense-t-elle. Pas grave s'il ne le savait pas, mais Lou croit dur comme fer que c'est important de le savoir quand on est vivant. Elle voit tellement de dégâts causés par des parents dont l'ignorance de qui ils sont se transforme en abus, en violence, ce qui entraîne chez leurs enfants de sérieux dysfonctionnements.

Et en ce qui concerne la femme de cet homme, Karen ? Qu'est-ce qui se passe pour une femme qui perd soudain son compagnon ou son mari ?

Saura-t-elle qui elle est, maintenant qu'il est parti ?

Lou croit que la façon dont les gens se définissent vient en partie de leur entourage, des gens qu'ils aiment. Et elle est très affectée par ce qui est arrivé à Karen, car elle était aux premières loges quand ça s'est produit.

Et puis ça s'est approfondi avec sa rencontre avec Anna dans le taxi.

Une mort soudaine court-circuite toutes les priorités de la vie : Karen buvait un café avec son mari en discutant et, l'instant d'après, elle assistait à ses derniers moments. Lou ne parvient pas à effacer l'image de Simon la tête penchée, la bouche ouverte. Savait-il qu'il était en train de mourir ?

Quelle horreur de ne pas être averti, de ne pas avoir la chance de faire ses adieux à sa femme, de lui dire qu'il l'aimait ! Et c'est encore pire pour Karen, qui se retrouve avec des centaines de questions sans réponse et des millions de non-dits.

La bouilloire chante. Lou prend un sachet de thé, le met dans sa tasse et verse l'eau. Elle se demande si ces événements font écho à ce qu'elle vit. Sait-elle qui elle est ? Et les autres ? Le poster lui fait penser à sa séance avec Aaron. Certes, elle a droit à sa vie privée vis-à-vis des élèves... mais si elle est vraiment honnête avec elle-même, pourquoi n'a-t-elle rien dit à ses collègues ? Elle aurait pu le faire à certains moments, mais elle ne l'a pas fait.

Il y a beaucoup d'avantages à rester discrète comme psychologue, mais doit-elle préserver sa vie privée vis-à-vis de ses collègues ? Elle s'en est bien sortie avec Aaron, mais il a quand même marqué un point. Après tout, comment peut-elle exiger d'eux d'explorer qui ils sont si elle-même reste bien cachée ? Comment exiger qu'ils sortent de leurs recoins si elle-même n'a pas le courage de sortir du placard face à son entourage ?

Jusqu'à présent, il lui était facile de rationaliser sa discrétion. Elle voulait éviter la discrimination ou le rejet. Mais en tant que psy, elle devrait donner l'exemple, en somme. La plupart de ses collègues parlent très librement de leurs compagnons et compagnes ; c'est toujours, plus ou moins, un sujet de discussion, comme ça, en passant.

Elle devrait peut-être mettre la directrice au courant. Dans tous les cas, elle le fera avec son tuteur quand elle lui parlera des provocs d'Aaron.

Quant au reste du personnel, c'est une autre paire de manches. La question est tellement intime, complexe, un gros sac de nœuds de fils de fer barbelé qu'il lui serait impossible de dérouler sans se faire déchirer.

Pas étonnant qu'elle ait besoin de sucre dans son thé.

15 h 10

Anna conduit la voiture de Karen.

Elle avait peur que son amie soit trop choquée pour prendre le volant. Et même si elle l'est aussi, elle est quand même plus concentrée. Et puis, c'est plus simple avec la vieille Citroën de Karen : dans la sienne, il aurait fallu ajouter les sièges auto des enfants. Après avoir pas mal hésité avant de se décider pour cette organisation, vu leur état de choc, il a semblé plus juste qu'Anna aille chercher la voiture : cela donnait à Karen plus de temps avec Simon.

Anna se gare dans le parking de l'hôpital puis y entre pour retrouver son amie. D'habitude, Anna a un très bon sens de l'orientation, et elle sait que Karen compte sur elle ; alors elle se fie à son instinct et finit par dénicher la salle mortuaire, malgré son esprit embrumé.

La pièce est étouffante, et Karen est assise exactement au même endroit que tout à l'heure. Son gobelet en plastique à moitié vide est abandonné sur la table roulante près du lit. Elle tient une main de Simon dans sa main droite.

— Coucou, ma chérie, dit Anna.

— Oh, salut…

— Tu crois qu'on devrait y aller ?

— Y aller ?

Karen se tourne vers Anna, visiblement abasourdie. Elle a l'air encore plus désemparée que tout à l'heure. Elle a les yeux rouges, mais Anna n'est pas sûre qu'elle pleure. Elle semble trop dévastée pour ça.

— Chercher les enfants, lui rappelle Anna, il est presque trois heures et demie.

— Oh oui... bien sûr.

— Alors, tu es prête ?

Anna déteste devoir faire ça. C'est tellement cruel de l'obliger à partir.

— Je ne sais pas...

Longue pause. Anna attend sans bousculer son amie.

— Je ne sais pas si je peux y aller. Je crois qu'il ne sera pas bien sans moi.

Anna sent le cœur de Karen exploser. Le sien est presque dans le même état.

— Oh ! ma chérie...

— Il n'aime pas dormir tout seul.

— Oui, je sais.

Karen l'a déjà dit à Anna auparavant. C'est tellement surprenant de la part d'un grand costaud.

— Je peux aller chercher les enfants toute seule, si tu as besoin de plus de temps, propose-t-elle. *Mais ça risque d'être long s'il faut s'occuper des enfants aussi,* se dit-elle.

— Oh non, je ne veux pas t'embêter ! s'exclame Karen, avec sa générosité habituelle. Je vais venir avec toi. Tu as raison. Les enfants ont besoin de moi.

Doucement, elle se lève tout en gardant la main de Simon dans la sienne.

— Il sera encore là quand tu reviendras, plus tard, suggère Anna.

— Tu crois ?

— Pendant un moment... oui.

Anna se souvient que l'infirmière a dit qu'il y aurait une autopsie avant le transfert aux pompes funèbres ; elle sent que son amie y pense elle aussi.

Karen lâche un gros soupir.

— J'imagine que je vais le revoir au funérarium.

À regret, elle lâche la main de Simon et ramasse son sac.

— OK ! sourit-elle bravement à travers ses larmes. Allons-y !

Anna ramasse le sac-poubelle noir qui contient les affaires de Simon ; son attaché-case pèse lourd. Les deux femmes sortent de l'hôpital pour retrouver la voiture sur le parking. Anna glisse le sac dans le coffre et, leurs ceintures bouclées, elles repartent.

— C'est bizarre de te voir conduire ma voiture, commente Karen.

— C'est bizarre pour moi aussi. Elle est deux fois plus grande que la mienne.

— Désolée, mais elle est très sale, observe Karen.

Anna en a le cœur retourné : malgré son épreuve, Karen reste fidèle à elle-même, toujours aussi prévenante.

Elles roulent en silence le reste du trajet.

Tracy habite à Portslade, à cinq kilomètres à l'ouest de l'hôpital. En temps normal, Anna adore cette petite route toute droite, en bord de mer. Même par le temps gris de février, cet endroit résume tout ce qu'on peut aimer de la côte sud : la diversité architecturale des maisons modernes et anciennes ; l'impression d'être en vacances, même en hiver ; la chance de vivre au milieu des éléments, du vent, de la pluie qui vient de tomber, des nuages qui traînent encore au-dessus de la jetée, avec son parc d'attractions et ses lumières criardes. La mer est forte et la houle blanche court à l'horizon, comme des monstres puissants.

Tous les éléments de la nature y sont présents dans toute leur splendeur. Puis on arrive dans le quartier des hôtels Régence, avec leurs jardinières suspendues et leurs balustrades décrépites, et la salle de spectacle du centre de Brighton, datant des années soixante-dix, mal dessinée, en béton, et qui accueille les séminaires, d'innombrables vaudevilles et des concerts de rock.

Puis, il y a les ruines de la jetée de l'Ouest, un entrelacs de colonnes métalliques rafistolées de tous les côtés ; les mouettes y font leur nid et s'en donnent à cœur joie, s'appropriant le domaine. On passe ensuite devant le kiosque à musique entièrement rénové par la mairie, et enfin c'est Hove, avec ses maisons couleur caramel et ses cabines de plages pastel.

Elles stoppent devant chez Tracy. Une maison des années trente un peu fatiguée, style Tudor, ni belle ni élégante, mais convenant parfaitement à une nourrice dont les enfants sont déjà adultes.

Anna arrête le moteur puis se tourne vers Karen avant de sortir. Son amie est décomposée, ses mains si crispées sur son cabas en liberty que ses articulations en sont toutes blanches.

Anna lui serre le bras en signe de soutien et d'amitié.

— Courage, dit-elle.

Anna a déjà prévenu Tracy, pour épargner Karen. Mais évidemment, elle n'a rien dit aux enfants. Elle garde Luc et Molly depuis qu'ils ont un an. Mais on ne peut pas demander à une nourrice, même la meilleure qui soit, de se charger d'une telle annonce. Et Karen a tenu à ce qu'ils aient quelques heures de sérénité de plus.

Résultat, elle aperçoit par la fenêtre deux petits visages innocents très excités, tandis qu'elles remontent l'allée menant à la maison.

— Maman ! s'écrient Luc et Molly.

Et ils dégringolent du canapé sur lequel ils sont perchés pour les accueillir à l'entrée.

Avant que Karen ait une chance de frapper à la porte, la fente de la boîte aux lettres en chrome s'ouvre et une paire d'yeux les observe.

— C'est toi, Molly ? demande Anna en se penchant.

— C'est ma marraine, Anna ! hurle Molly.

On entend un peu de remue-ménage, et une autre paire d'yeux apparaît à la place de l'autre.

— Qu'est-ce que tu fais ici ? demande Luc.

— Poussez-vous, les enfants ! ordonne une voix.

C'est Tracy. On entend le bruit d'une chaîne et la porte s'ouvre.

— Salut, les choupinets !

Karen s'accroupit et prend les deux enfants dans ses bras. Elle les serre très fort, comme si sa vie en dépendait.

Anna les observe du seuil, c'est insupportable.

— Ouah ! s'exclame Luc après quelques secondes.

Il se sauve et Molly le suit.

— Viens voir ce qu'on a fait, maman ! dit-elle en tirant sa mère par la manche de son chemisier tout le long du couloir.

Anna les suit dans la cuisine, avec Tracy. Sur la table, il y a des petits bonshommes en pain d'épices légèrement brûlés.

— Eh bien ! dit Karen.

— Tu en veux un ? demande Molly.

— Je peux attendre une minute ?

— Ouais...

— C'est juste que je n'ai pas faim pour le moment, je le mangerai quand on sera à la maison avec une bonne tasse de thé. Ça te va ?

Molly acquiesce.

— Est-ce que je peux en avoir un ? demande Anna.

Molly vérifie auprès de Tracy.
— Elle peut ?
Tracy ressemble à sa maison. Elle n'a jamais été une beauté. Maintenant qu'elle approche de la cinquantaine, elle est plutôt pulpeuse et s'habille de façon décontractée. Mais en situation de crise, on peut lui faire confiance.
— Bien sûr ! dit-elle en souriant.
— Merci.
Anna prend un gâteau parmi les moins brûlés. Comme Karen, elle cherche à retarder le moment où il faudra dire à Luc et à Molly que leur papa n'est plus de ce monde.
— Mmm ! délicieux... (Elle en prend une grosse bouchée.) Vous êtes des vrais petits chefs ! Vous les avez faits tout seuls ?
— Tracy nous a aidés, reconnaît Luc.
— Et Austin aussi, ajoute Molly.
Austin est un autre petit garçon dont s'occupe Tracy.
— Bon, les enfants, vous avez vos sacs ?
Karen les bouscule un peu. Ils se précipitent dans le salon pour prendre leurs affaires.
— Il est temps de rentrer à la maison.

*
* *

Karen tourne la clé dans la serrure et elle entre dans le couloir, suivie par Anna et les enfants. Partout, absolument partout, il y a la présence de Simon. L'anorak qu'il a porté le week-end dernier, ses chaussures de foot couvertes de boue au bas de l'escalier, laissées là après son match d'hier. Les photos de Simon avec son père dans un cadre sur la tablette du couloir, avec une dizaine de ses CD favoris. Et même son courrier, qu'il ne pourra pas ouvrir, sur le paillasson.

Une autre crise de panique assaille Karen, mais elle a encore la force de se battre. Elle va dans la cuisine et branche la bouilloire électrique. Elle ne sait pas ce qu'elle va dire à ses enfants, mais elle sait qu'elle doit le faire. Et tandis qu'elle pose son sac sur le plan de travail près de l'évier, elle aperçoit son chaton, Toby ; il sort de sa petite cachette derrière la réserve de légumes, et cela lui donne une idée.

— Coucou, Toby, roucoule-t-elle, prenant le chaton dans ses bras.

Il n'a que dix semaines et c'était le cadeau de Noël de Luc. Sa voisine lui a donné ce petit chat à condition qu'ils attendent la mi-janvier. Grosse épreuve pour un petit garçon.

— Donne-le-moi ! dit aussitôt Luc.

— Et moi, je n'ai pas le droit de lui dire bonjour ? demande Karen.

Elle chatouille le chaton derrière les oreilles. Sa fourrure est exceptionnellement douce, chaude et, après les horreurs de la journée, elle y trouve un bref instant de réconfort.

— OK... cède Luc, grognon.

— Voilà, les enfants, continue Karen, tandis qu'Anna refait du thé. Vous avez soif ?

— Oui, dit Molly.

Luc fait signe que non.

Karen tend un petit pack de jus de fruits à Molly et donne le chat à son fils.

— OK, dit-elle, je veux que vous veniez avec moi dans le salon, j'ai quelque chose d'important à vous dire.

— Tu veux que je vienne ? demande Anna. Je peux aussi attendre ici, si c'est plus facile pour toi.

— Non, ça ira, répond Karen.

Anna la suit en portant la théière. Elle se dirige vers la fenêtre et s'assied dans l'un des fauteuils placés sous la baie vitrée. C'est une grande pièce, et Karen sent que son amie ne veut pas se montrer indiscrète.

Karen prend un siège et se penche vers les enfants.

— Venez sur mes genoux, dit-elle en étreignant ses deux petits. (Le chaton vient les rejoindre.) Écoutez-moi, mes chéris, ce que j'ai à vous dire est très, très triste. Ça va être très dur pour vous. Mais je veux que vous sachiez que maman et papa vous aiment beaucoup, énormémcnt.

Elle peut à peine supporter l'expression du visage de ses enfants. Luc a l'air complètement ahuri ; Molly tète son jus de fruits, cherchant instinctivement un réconfort.

— Qu'est-ce qui s'est passé, maman ? demande Luc

— Eh bien… (Karen reprend son souffle lentement.) Vous vous souvenez de notre vieux chat, Charlie ?

Elle caresse Toby en espérant qu'il va lui donner la force de continuer. Il relève son petit menton et se met à ronronner de plaisir.

Les deux enfants hochent la tête d'un air très sérieux.

— Et vous vous souvenez quand Charlie est mort, et quand je vous ai dit qu'il était parti rejoindre les autres chats, là-haut dans le ciel ?

— Pour qu'il puisse continuer à se battre chaque fois qu'il en avait envie, se souvient Luc.

Même si Charlie avait été castré, il était resté un dominant ; il se bagarrait sans cesse avec les animaux du voisinage, y compris la chatte qui avait donné naissance à Toby. Il aimait aussi provoquer le caniche des voisins de temps en temps.

— C'est ça, continue Karen. Et je vous ai dit aussi que Charlie ne reviendra jamais, mais qu'il est très heureux, là-haut, dans le ciel, avec les autres chats.

— Oui, acquiesce Luc.

Molly ne dit rien.

Karen serre ses deux enfants contre elle et sa voix s'éteint lorsqu'elle murmure :

— Eh bien, aujourd'hui, le cœur de votre papa s'est arrêté de battre, exactement comme celui de Charlie. Charlie était un vieux chat, mais votre papa était encore jeune, alors c'est un grand choc. Papa est parti aussi, tout comme Charlie.

— Ah bon ! c'est pour jouer avec Charlie, alors ? demande Luc.

Il essaie de comprendre.

— Oui, répond Karen, soulagée. Là-haut, papa va aider Charlie à gagner tous les combats. Mais papa ne va pas seulement jouer avec Charlie. Papa va faire des tas de choses qu'il aime faire.

— Est-ce que papa est dans le ciel ? interroge Luc.

— Oui, dit Karen. (Elle ne trouve pas de meilleure explication. Peu importe si c'est vraisemblable ou non, l'important, c'est la vérité de l'émotion et de leur dire la chose aussi gentiment qu'elle peut.) Est-ce que tu comprends, ma chérie ? demande-t-elle à Molly, qui sirote toujours son jus de fruits

Karen le sent, sa petite fille a compris quelque chose.

— En tout cas, là où papa est parti, il peut faire des tas de choses qu'il adore faire, tout le temps. Il pourra jouer au football… il y a des tas de gens au ciel qui adorent jouer au football. Il pourra boire de la bière… je suis certaine qu'il pourra trouver plein d'hommes avec qui il pourra boire une bonne bière bien fraîche là-haut. Il pourra parler avec ses amis, faire une petite sieste l'après-midi, tous les après-midi s'il le veut. Il pourra écouter de la musique, à fond ! Et tu sais quoi ? Il ne sera pas obligé d'aller travailler à Londres, plus jamais. Il pourra dessiner et faire tout ce qui lui chante.

En disant cela, Karen se rend compte que sa voix est beaucoup plus joyeuse que ce qu'elle ressent à l'intérieur :

— Alors, papa n'aime plus vivre avec nous, maman ? s'inquiète Luc.

Karen ne l'a pas vu arriver, celle-là.

— Bien sûr que si, mon chéri.

— Mais je croyais que tu avais dit que papa pouvait faire tout ce qu'il voulait ?

— Eh bien… (Karen cherche une réponse.) C'est juste que, là-haut, les patrons ont besoin de ses conseils et de l'aide de sa part. Tu sais combien papa est apprécié. Hélas, pour le moment ils ont beaucoup plus besoin de lui que nous. Alors il est parti leur donner un coup de main.

Luc fronce les sourcils.

— Alors quand il aura fini, il reviendra avec nous ?

Oh, mon Dieu, elle embrouille tout.

— Non, mon poussin, il ne reviendra pas.

Luc fond en larmes.

— Mon bébé…

Elle le serre fort dans ses bras et pose sa joue sur les cheveux bruns de l'enfant.

— Je suis désolée… (Le voir pleurer l'aide à pleurer elle aussi.) C'est très triste, et ça n'est pas juste. Papa ne voulait pas partir, mais il a dû le faire. Tu sais, parfois on est obligés de faire des choses qu'on n'a pas envie de faire. Comme se brosser les dents et manger des légumes ?

Luc hoche la tête, tout en pleurant.

— Eh bien, quand on meurt, c'est un peu comme ça, on ne veut pas mourir, mais ça arrive.

— Oh !

Maintenant, Molly pleure elle aussi.

— Hé, Anna ! s'exclame Karen en remarquant son amie qui les observe en silence depuis l'autre bout de la pièce, viens nous faire un bisou.

Anna se lève, heureuse de pouvoir se rendre utile. Elle enlace Karen et ses enfants, et tous les quatre pleurent, serrés les uns contre les autres, ensemble.

*
* *

Les séances de Lou se terminent à 15 h 30, elle a ensuite une réunion avec le personnel, puis elle sort vers 16 heures. Le métro est à quelques minutes à pied et, tout en marchant, elle aperçoit Aaron et Kyra assis sur un mur devant le kiosque à journaux. Impossible de les éviter. Trop tard... Alors, elle continue d'avancer. Ils fument, elle se demande si c'est de l'herbe, car Aaron en fume beaucoup trop. Elle observe les cigarettes pour voir s'il y a des filtres. En principe, ils n'ont pas le droit de fumer puisqu'ils sont mineurs, mais ce serait un moindre mal. Elle se demande seulement si elle a intérêt à se mêler de leurs affaires. En l'apercevant, ils se dépêchent d'écraser les joints sur le mur derrière eux, ce qui laisse des grandes traînées noires sur la brique rouge. Lou décide de les ignorer, vu qu'ils sont hors de l'école et qu'elle n'a pas envie de paraître trop autoritaire.

— Bonjour, mademoiselle, lance Aaron.

— Bonjour, Aaron. Bonjour, Kyra. Comment allez-vous tous les deux ?

— Très bien, mademoiselle, dit Aaron. Et vous, comment ça va ?

— Un peu fatiguée, répond Lou en arrivant à leur hauteur.

Et c'est vrai… Le choc de ce matin, le surcroît de travail et le contrecoup de l'excès d'adrénaline sont tels qu'elle n'a envie que d'une chose : dormir.

— Alors, comme ça vous avez fait une nuit blanche, mademoiselle ? demande Aaron.

Lou se renfrogne. Elle voit où il veut en venir.

— Non, dit-elle d'un ton catégorique, c'était dimanche hier.

— Ça ne change rien pour certaines personnes, insiste Aaron.

— Vous étiez avec une femme ? s'enquiert Kyra, d'un ton à la fois curieux et dégoûté.

Lou a envie de partir, mais elle sent que ça va jeter de l'huile sur le feu et se retient.

Elle les dévisage l'un après l'autre, en fixant les yeux d'Aaron ; ils sont d'un brun foncé profond, et ceux de Kyra sont bleu pâle, rapprochés et agressifs. Aaron ne cesse de frotter sa tennis sur le sol, et Kyra de tortiller ses cheveux : les deux tentent d'évacuer un trop-plein d'énergie.

— J'ai regardé plusieurs séries à la télévision, puis une retransmission de pièce de théâtre, et je suis allée me coucher.

— Je parie que la moitié des acteurs sont gays, déclare Kyra.

Décidément, ils ne vont pas la lâcher.

— Oui, confirme Lou.

Elle note que, pendant la prochaine consultation, elle les orientera vers cette préoccupation pour le moins obsédante avec l'homosexualité.

Kyra insiste :

— Vous êtes gay, mademoiselle ?

Dans ces moments-là, Lou regrette d'avoir choisi l'école comme lieu de consultation. Dans son précédent poste, les frontières avec les patients étaient plus distinctes. Elle ne risquait pas de tomber dessus à tout moment, comme ici.

— Aaron dit que vous êtes gay.

Aujourd'hui en particulier, elle n'a plus l'énergie.

— Écoutez, si vous voulez qu'on en parle, nous le ferons dans un lieu et à un moment plus appropriés.

— Pourquoi pas maintenant ?

Lou inspire longuement. Et avant d'aller droit dans le mur, elle réussit à répondre :

— Kyra, je comprends votre intérêt pour ma vie privée, mais vous connaissez les règles : si j'ai envie de garder ma vie privée pour moi, cela ne regarde que moi. S'il y a un sujet dont vous voulez parler, nous le ferons pendant notre séance, ici c'est un lieu public. Voyons-nous demain, d'accord ?

— Mais comment vous pouvez nous demander de vous raconter nos trucs, alors que vous ne voulez pas le faire ?

— Parce que nos rôles sont différents.

— C'est des conneries, tout ça, mademoiselle ! lance Aaron.

Elle admire son culot. Après tout, c'est elle qui leur demande d'être directs et honnêtes pendant la consultation, et elle comprend son point de vue.

— Désolée, mais vous devez respecter mes sentiments aussi, et là, pour le moment, je suis épuisée, alors je rentre chez moi.

Et elle s'en va.

— N'empêche, on est sûrs que vous êtes gay, mademoiselle ! lui balance Kyra.

19 h 57

Quand Anna rentre chez elle ce soir-là, il n'y a pas d'odeur de renfermé, pas de silence. Rien n'est comme d'habitude. Steve a trié son courrier et posé ses lettres sur la table du couloir. La maison est chaude, sans être étouffante. Il flotte des odeurs de cuisine, et le son de la radio filtre par la porte.

— C'est toi ? lance une voix. Tu dois être lessivée !

Anna a un élan de gratitude pour son compagnon. Quel contraste avec le retour de Karen chez elle ! Dans la cuisine, Steve est aux fourneaux et porte un tablier vert pastel, pas vraiment du goût d'Anna. C'est plutôt un tablier de fille, mais elle trouve ça attendrissant pour un homme aussi macho, cela le rend sexy. D'ailleurs, Steve est plutôt bel homme : il est grand, avec des épaules larges, des cheveux blonds en bataille. Le genre d'homme sur lequel les femmes se retournent dans la rue... et certains hommes aussi, surtout à Brighton.

Une grande partie du succès de Steve en tant que peintre et décorateur vient de ce qu'il est particulièrement séduisant, surtout sur une échelle. C'est ainsi qu'elle est tombée amoureuse de lui, après tout, quand elle a emménagé dans cette maison et qu'elle a dû faire faire quelques travaux.

Mais son apparence ne le rend pas antipathique pour autant aux hommes hétéros, car il adore les bars, les sports de plein air et les voitures.

— J'ai fait des spaghettis bolognaise, dit-il en posant sa cuillère de bois.

Anna est rassurée. Elle avait peur que les événements le poussent à boire avant son retour, ce ne serait pas la première fois qu'il réagirait ainsi face aux drames des autres ; mais elle voit bien qu'il n'a rien bu. Vraiment, elle n'aurait pas supporté qu'il ne soit pas là pour elle aujourd'hui. Son attitude la réjouit.

— Oh, miam !

Elle sent les odeurs de tomate, de viande hachée, d'oignon et d'ail. Exactement ce qu'elle avait envie de manger : un truc simple, réconfortant, et une des spécialités de Steve. C'est un excellent cuisinier ; il réussit tout ce qu'il fait avec ses mains. (« Alors ça doit être un bon coup ! », avait rétorqué Karen quand ils se sont rencontrés chez elle.)

— Viens ici !

Il éteint la radio et lui ouvre les bras. Anna se blottit contre lui et retrouve son parfum, la chaleur de son corps, sa force et sa solidité. Elle n'a besoin de rien d'autre, elle expire lentement tout l'air vicié stocké dans ses poumons pour exorciser tout ce qu'elle vient de vivre.

— Quelle journée tu as dû avoir...

Il pose un baiser sur le dessus de sa tête.

— Alors, qu'est-ce que je te sers ?

Anna aimerait un grand verre de vin rouge à cet instant, mais elle demande une tasse de thé, même si elle en a bu toute la journée.

— Tu es sûre ?

Elle hoche la tête.

— Si je commence à boire, je ne vais pas m'arrêter.

Ce n'est pas vrai, et elle le sait ; mais si elle prend un verre, il en prendra un aussi, et il n'a pas de limite.

— D'accord... Le thé arrive. Maintenant, assieds-toi ici.

Soulagée, Anna prend une chaise et s'installe à table tandis que Steve lui masse les épaules. Instinctivement, il détecte les tensions et soulage habilement ses douleurs. Elle tourne la tête, enfin décontractée. Il trouve un nœud musculaire à la base du cou et intensifie la pression avec ses pouces, et elle gémit de soulagement. Elle se retourne, l'embrasse sur la bouche et sent les muscles de son torse sous sa chemise de coton. Elle pourrait presque trouver cela érotique, mais pas encore : elle est trop meurtrie par tout ce qui est arrivé.

— Alors, raconte-moi, dit-il.

Elle soupire à nouveau.

— Ah ! mon Dieu, c'est absolument épouvantable.

Les mains de Steve font d'instinct ressortir les émotions de la journée et elle lui raconte tout : le train, le taxi, le coup de téléphone de Karen, l'hôpital, le corps de Simon, les enfants.

Quand elle a terminé, Steve lui demande :

— Il y avait quelqu'un avec Karen quand tu es partie ?

— Oui, la mère de Simon est arrivée aussitôt, et son frère, Alan, est venu directement de son travail. Il est parti plus tôt pour pouvoir l'accueillir. Tu te souviens de lui ?

Steve opine.

— Bien sûr, un type sympa. Alors, bon, c'est déjà ça, je suppose.

— Ils devaient tous les trois choisir des vêtements pour Simon. Et j'imagine que Phyllis va passer la nuit là-bas.

— Bonne idée... Je crois que Karen ne devrait pas rester seule ce soir, déclare Steve.

Il retourne aux fourneaux pour remuer la sauce bolognaise qui cuit à feu doux. Anna entend le petit bruit qu'elle fait en mijotant.

Puis Steve se dirige vers la table et s'assied sur une chaise. À son tour de soupirer.

— Cette pauvre Karen... (Il se frotte les yeux, passe une main dans ses cheveux emmêlés.) J'imagine qu'elle n'aura plus les moyens de s'acheter la nouvelle maison maintenant.

Anna hoche la tête. Il vient de mettre des mots sur quelque chose qu'elle et Karen ont complètement oublié : l'argent.

Steve continue :

— Simon avait une assurance-vie ?

— Je suppose que oui. Il avait le sens des affaires.

— Pas comme moi, tu veux dire ! s'esclaffe Steve.

Mais il y a un soupçon d'amertume dans sa voix. Il n'assume pas vraiment son manque d'argent.

— Non, pas comme toi, déclare Anna d'un ton tolérant et affectueux.

Elle est tellement contente d'avoir Steve à ses côtés, à cet instant précis, plein de vie et d'énergie, qu'elle n'a aucune envie de mettre sa relation en péril.

Le corps vivant de Steve lui rappelle l'hôpital. Elle se souviendra toujours de celui de Simon. C'était la première fois qu'elle voyait un cadavre, et elle ne s'attendait pas à cela. En réalité, Simon était plus grand que Steve, un homme costaud, et pourtant, cet après-midi, il lui avait paru beaucoup plus petit, tout gris, et tellement immobile.

Elle vient encore plus près de Steve et prend ses mains dans les siennes. Elle est à nouveau frappée par le contraste. Elle se souvient de Karen tenant les mains de Simon. Et maintenant, elle sent celles de Steve, le sang chaud qui palpite dans ses veines, les os solides, les tendons souples, les ongles bien taillés et la peau durcie par des années de travaux manuels. Elle s'accroche à cette main et la serre fort.

Pendant un bref instant, cette sensation l'empêche d'être balayée par le désespoir.

*
* *

— Encore, maman, encore !

Karen referme le livre et le pose.

— Deux fois, ça suffit, Molly. Et maman est très fatiguée aujourd'hui, dit la mère de Simon, Phyllis.

C'est le moins qu'on puisse dire : Karen est presque catatonique. Mais le sommeil ne résoudra pas le problème.

Alan est venu et reparti, pour porter les vêtements de Simon à l'entrepreneur de pompes funèbres. Karen ne savait quoi choisir parmi les vêtements, mais elle a fait de son mieux… et avec l'aide d'Alan et de Phyllis, ils ont choisi un costume gris, une chemise blanche propre et la cravate en soie préférée de Simon.

Maintenant, elle et sa belle-mère mettent les enfants au lit. Ils ont eu du poisson pané et des haricots à la tomate pour dîner, ils ont pris leur bain et sont en pyjama. Elles les ont portés jusqu'à leur chambre sans qu'ils protestent beaucoup. Karen se sent pleine de gratitude envers sa belle-mère, qui partage ce moment avec elle. Si elle avait été seule, elle serait restée dans le salon, accrochée à ses enfants, et ils auraient tous pleuré toute la nuit. Mais pendant le dîner, elles ont distrait Molly et Luc comme si tout était normal. Pourtant, Karen voit bien que Phyllis est elle aussi complètement sous le choc. Perdre un enfant est épouvantable, quelles que soient les circonstances. Mais en perdre un si tard dans sa propre vie, et de façon si inattendue, est une épreuve dont elle ne se remettra peut-être jamais.

Luc interrompt ses pensées.

— Où est Crocodile Bleu ?

Crocodile Bleu est sa peluche préférée, décousue par endroits, et dont le rembourrage sort d'un peu partout. Fait assez incongru pour un reptile, il a une fourrure très fournie, bien qu'abîmée par le temps. Luc l'a délaissé dernièrement, mais il le réclame toujours quand il a besoin de réconfort.

— Il est ici, dit Karen, qui vient de repérer le jouet au pied du lit.

Luc l'attrape et le serre très fort.

— Tu veux que je te borde ?

Il secoue la tête d'un air têtu.

— C'est papa qui me borde quand il rentre à la maison.

Phyllis et Karen échangent un coup d'œil : il n'a pas compris ? Karen croyait que si. Mais c'est peut-être trop lui demander. D'habitude, lorsque Simon rentre du travail, il se précipite dans l'escalier pour monter dans la chambre des enfants et leur dire bonsoir en les bordant.

— Non, mon petit chéri, tu te souviens de ce que je t'ai dit ? Papa ne va pas rentrer ce soir, je le crains

— Oh ! Alors, il viendra demain ?

— Non, je suis désolée. (Karen ne veut pas voir son fils pleurer à nouveau, elle ne le supporterait pas. Elle change de tactique. Pour le moment, elle ne peut donner qu'elle-même, alors elle propose :) Mais je vais te dire un truc : je vais rester assise ici à côté de toi jusqu'à ce que tu t'endormes.

Nous allons éteindre la lumière si tu veux, mais moi je vais rester là sur la chaise, jusqu'à ce que toi et ta sœur soyez endormis.

— D'accord, accepte Luc.

— Je crois que je vais descendre, dit Phyllis en se levant.

— Je vous rejoins dans un instant.

— Prenez votre temps. (Phyllis éteint la lumière.) Je laisse la porte entrebâillée ?

— Oui, répond Karen, ils veulent tous les deux voir la lumière sur le palier.

Karen entend Phyllis descendre doucement les marches. Elle caresse les boucles de Molly et se cale sur la chaise en bois : ce n'est pas très confortable, mais ça ne la dérange pas. Ce qui importe pour elle, c'est de rester avec ses enfants jusqu'à ce qu'ils s'endorment. Tandis qu'ils sombrent dans le sommeil, elle réalise qu'elle n'arrive plus à bouger. Elle reste là pendant des heures dans la pénombre, juste pour les entendre respirer, s'assurer qu'ils sont vivants.

*
* *

Il est presque minuit. Les lumières sont éteintes, les rideaux tirés et le réveil est programmé. Anna, sous la couette, sent le corps de Steve enroulé autour d'elle. D'habitude elle adore cela, être éveillée avec ce sentiment de liberté, combiné à celui d'être attachée à une bouée de sécurité. Steve s'endort immédiatement, mais ce soir son esprit est encore en ébullition.

Pour la première fois, elle peut réfléchir à sa propre relation avec Simon, et à quel point il va lui manquer. Après toutes ces années, elle se rend compte qu'elle l'aime, de façon platonique mais très profonde. C'est quelqu'un d'important dans la vie d'Anna, quelqu'un sur qui elle pouvait compter. Il a soutenu Karen. Karen a aidé Anna. Mais c'est bien plus que ça : son humour, sa gentillesse, son intelligence et sa générosité vont lui manquer. Même quand elle était chez eux et qu'elle discutait avec Karen, devant une tasse de café à la cuisine, le fait de savoir qu'il était là, dans le fond, regardant la télé ou jouant avec les enfants, bref vivant, était important. Même quand il se trouvait au travail, Anna avait conscience de sa présence. Il donnait à chaque instant partagé avec son amie quelque chose d'indéfinissable, quelque chose de plus. Un sentiment de réalité, d'humanité. Anna respectait Simon : il avait des principes, de la morale. Architecte paysagiste, il travaillait pour des villes et sur des grands projets. Et il refusait de s'associer avec ceux dont il sentait que leur esthétique ou leurs opinions étaient trop éloignées des siennes. Simon était une référence qui permettait à Anna d'évaluer sa propre vie de bien des manières.

À la perspective de vivre sans lui, Anna se sent tout à coup fragile. Comme une tente qui n'a plus tous ses cordages, au milieu d'une tempête ; vulnérable, prête à être emportée par le vent... Et même si ce qu'elle ressent n'est rien en comparaison de ce que Karen doit éprouver, c'est quand même horrible.

Pourquoi Simon ? se demande-t-elle, en se blottissant encore plus dans le creux que forme le corps de Steve. *Pourquoi Karen ? Pourquoi maintenant ?* Elle sait bien que tout cela fait partie d'un programme beaucoup plus grand : les choses arrivent pour une raison précise, bla-bla-bla... Mais elle ne comprend pas. Karen et Simon sont tellement merveilleux, si bons, si affectueux. À sa connaissance, ils n'ont jamais fait de mal à personne : ils ne méritent pas une telle punition, ce n'est pas juste. Elle se souvient alors de la voix de sa mère qui, des dizaines d'années auparavant, quand elle était petite, lui disait : « Mais, ma chérie, le monde est injuste. »

Cette phrase lui permettait alors de faire comprendre à Anna pourquoi d'autres enfants avaient plus de choses qu'elle, pourquoi les invités avaient une plus grosse part de dessert, les amis de plus beaux jouets et les copines plus d'argent de poche. C'était une philosophie très simple mais universelle.

*
* *

À quelques rues de là, chez elle, Karen est seule. Allongée sur le dos, les yeux grands ouverts, elle scrute le plafond dans l'obscurité. Au cours des vingt dernières années, Simon et elle ne se sont quasiment jamais quittés, et elle ne parvient pas à réaliser ce qui lui est arrivé au cours des dernières vingt-quatre heures.

Le grand lit est comme un océan rempli de l'absence de Simon. Habituellement, elle s'endort facilement, profondément, en quelques secondes, et huit heures plus tard elle se réveille – réglée comme une horloge. Elle ne saute pas tout de suite du lit pour aller aux toilettes, mais seulement si l'un des enfants pleure et, dans ce cas-là, Simon se lève le premier pour s'occuper de lui.

Mais cette nuit, il n'est pas là, et Karen ne peut pas dormir. Et elle sait qu'elle ne pourra pas dormir. Elle ne peut pas non plus pleurer ni bouger. La seule chose qu'elle peut faire, c'est exister. Et attendre le matin.

Deux heures plus tard, elle est toujours dans la même position. Des petits bruits de pas, le son d'une poignée de porte qui tourne, et la chambre est transpercée par un rayon de lumière et une silhouette familière.

Luc. Qui traîne son Crocodile Bleu.

— Tu n'arrives pas à dormir, mon poussin ?

— Non.

— Moi non plus... tu viens faire un câlin ?

Il fait signe que oui. Elle ouvre le lit et il saute dans ses bras. Il se blottit contre elle, et elle caresse la base de son cou doucement, là où le col du pyjama laisse passer les petits cheveux de soie ; en quelques minutes, sa respiration devient régulière et il s'endort.

Elle réfléchit... Si Molly se réveille et découvre que Luc est parti, elle va avoir peur.

Tout doucement, pour ne pas le réveiller, Karen soulève le drap de l'autre côté du lit, puis marche sur la pointe des pieds.

Molly dort profondément dans son berceau, Karen se penche vers elle pour la sortir délicatement des couvertures et des draps enroulés autour de ses jambes.

Molly fait un petit bruit avec son nez tandis que Karen l'emmène dans sa chambre. Elle la pose sur le lit et s'installe entre ses deux enfants, en tirant la couverture pour les recouvrir tous les trois.

Soudain, Molly demande :

— Où est papa ?

— Papa n'est pas là, ma chérie, dit Karen.

Mais Molly est à moitié endormie ; elle renifle à nouveau et se rendort.

Alors, tout doucement, Karen murmure :

— Papa est parti.

Plus pour elle que pour eux.

*

* *

À trois kilomètres de là, Lou dort sur son futon, dans son studio mansardé. Elle fait un rêve, et il est si intense qu'il semble réel. Elle doit prendre un train. Il est sur le point de partir sans elle, et la foule l'empêche de monter dedans ; les gens la bousculent, lui bloquent le passage, la poussent dans le sens contraire ; d'autres encombrent les quais avec des tonnes de valises ou des bicyclettes, ils avancent trop lentement et ne prêtent aucune attention à Lou.

Mais elle a un rendez-vous urgent et extrêmement important auquel elle ne va pas pouvoir se rendre. C'est une question de vie ou de mort, même si elle ignore le pourquoi et le comment.

Elle se réveille en sursaut, couverte de sueur, à bout de souffle. Désorientée, paniquée, elle reconnaît cependant sa petite fenêtre à travers le store et pousse un soupir de soulagement.

Lou est chez elle. Pas à la gare, finalement.

Alors, tous les souvenirs de la veille lui reviennent en mémoire, et tandis qu'elle est étendue, les larmes coulent sur son visage, par empathie pour une femme qu'elle ne connaît pas, et pour une autre qu'elle a rencontrée brièvement... Elle pleure jusqu'à ce que son oreiller soit trempé.

Mardi

05 h 34

Il fait encore nuit dehors, mais Karen entend le bruit sourd des trains au loin, le jour va donc bientôt se lever.

Ses deux enfants lui ont tenu chaud toute la nuit mais, malgré leur présence réconfortante, rien ne peut calmer le tumulte qui assaille son esprit. Ses pensées sont comme des vêtements dans le tambour d'une machine à laver, ça tourne de façon frénétique dans tous les sens en faisant un vacarme insupportable.

Elle revoit la scène juste avant de prendre le train avec Simon, lorsqu'il dit qu'il a du mal à digérer.

Elle lui propose de prendre un café, parce qu'ils ont encore le temps avant l'arrivée du train.

— Un café ? lui avait demandé Simon.

— Un bon petit café au lait te fera du bien, avait-elle répondu.

Mais c'est elle qui en avait envie. En arrivant, elle lui avait demandé d'aller chercher les billets pendant qu'elle commandait les boissons.

Elle l'avait laissé faire la queue, puis était allée au comptoir. Et si elle l'avait attendu ? Il aurait peut-être eu le temps de lui dire qu'il était vraiment malade : alors ils se seraient assis sur un banc, à l'extérieur, quelques minutes. Ils auraient peut-être même décidé de prendre le train suivant, et alors, s'il avait eu son malaise, ils auraient été plus près de l'hôpital et on aurait pu le sauver ; mais au lieu de cela, elle avait dit : « Tu as peut-être besoin de manger quelque chose ? » pendant que la serveuse saupoudrait le cappuccino de cacao.

— Ça ne me tente pas, avait-il répondu en regardant les pâtisseries derrière la vitrine.

Il l'avait surprise, car c'était un gourmand. Pourquoi ne lui avait-elle pas demandé comment il se sentait ?

Mais non, imperturbable, elle avait insisté :

— Moi, je vais prendre un croissant...

Alors, il avait fait la même chose.

Et si c'était à cause de ce café ? Karen savait pourtant que ça accélérait le rythme cardiaque... Encore une fois, il avait voulu lui faire plaisir ; son instinct à lui, c'était d'acheter un journal et de lire tranquillement ses éditoriaux favoris, tandis qu'elle regardait l'eau bouillante imprégner le grain de café moulu dans le percolateur avec délectation. C'est elle qui avait eu besoin de caféine, pas lui, car au fond il préférait ne pas faire la queue, prendre un thé dans le train, tranquillement, sans stress.

Donc, si c'était à cause du café, c'était de sa faute, assurément.

Et quand Simon était tombé, pendant les secondes qui s'étaient écoulées avant l'arrivée des secours, elle aurait dû essayer de le ranimer. Pourquoi ne l'avait-elle pas fait ? Ça ne lui ressemblait pas du tout. D'accord, elle ne savait pas comment faire le bouche-à-bouche, mais elle aurait pu essayer.

Quant à leur dernière conversation, dans le train, elle était d'une banalité écœurante. Il n'était question que d'elle. Elle s'était plainte de son travail, de son chef, qui avait déplacé son bureau sans lui demander la permission. Elle n'avait plus la même vue de sa fenêtre.

Elle travaille à temps partiel à la mairie ; elle n'aime pas ça et cherche un autre job, en parcourant les petites annonces. Quelle importance, la position de son bureau ? Mais elle n'avait que ses petites préoccupations à l'esprit, et en plus, elle ne lui avait même pas dit au revoir... Et ça faisait longtemps qu'elle ne lui avait pas dit qu'elle l'aimait ! Elle ne se souvient même plus quand elle le lui a dit la dernière fois.

« Gros bisous », avait gribouillé Karen sur la carte de son cadeau de Noël.

Avant la naissance des enfants, elle lui disait « je t'aime » toute la journée.

Pourtant, elle ne l'aimait pas moins après la naissance de Luc.

Elle l'aimait davantage encore, alors pourquoi avait-elle cessé de le lui dire ? Ça n'aurait pris que quelques secondes de le lui dire hier matin.

Si seulement. Si seulement. Si seulement. Au lieu de cela, il est parti. Et Karen est couchée là, toute seule.

Le réveil affiche 6 h 01. C'est bizarre. Le monde s'est arrêté de tourner pour elle, mais les horloges et les réveils continuent d'avancer, et le jour commence à se lever. Une lueur filtre à travers les rideaux, les mouettes sont bien réveillées, et le chaton, Toby, commence à se manifester en bas, dans la cuisine. Il veut son petit déjeuner, et bientôt les enfants vont vouloir le leur. Elle doit se lever : elle a des choses à faire, des décisions à prendre à propos de l'achat de la maison.

Et surtout, ce matin, il va y avoir l'autopsie. L'hôpital doit la pratiquer pour établir la cause officielle de la mort. Karen se demande à quoi ça va servir, et la seule idée de savoir qu'on va ouvrir le corps de son amour est insupportable.

Ensuite, il faudra organiser l'enterrement.

Avant de changer d'avis, Karen se décide à soulever les couvertures, enjambe Molly, recroquevillée comme un chaton, et se lève.

Puis elle cherche machinalement sa robe de chambre accrochée à la porte. Mais pour attraper la sienne, elle doit d'abord enlever celle de Simon : bleu marine, en éponge épaisse, très vieille mais encore soyeuse… Karen plonge son visage dedans pour retrouver l'odeur de son mari. C'est un mélange de parfum, déodorant et lotion après-rasage, son odeur chaque matin après la douche ; et puis, bien sûr, celle qui est propre à Simon. Un parfum unique comme il l'est. Était.

Pourtant, elle n'arrive pas à imaginer qu'elle ne pourra plus sentir cette odeur, plus jamais.

*

* *

Un matin d'octobre, un hôtel à Manchester. Des nuages gris parsèment le ciel, le fond de l'air est frais, mais ça n'a aucune importance parce que Simon et Karen sont à l'abri, dans une chambre, blottis l'un contre l'autre.

— Oh, regarde ! dit Karen en ouvrant l'armoire. Il y a des robes de chambre. Quel luxe !

— Quoi, chérie ?

Simon sort de la salle de bains, une serviette blanche drapée autour de la taille, une autre à la main, et il se sèche les cheveux. Il s'arrête et dit :

— Désolé, je n'ai pas entendu.

Elle lui montre les deux robes de chambres. Elles sont bleu marine, énormes, avec un gros M cousu sur la poitrine pour indiquer le nom de l'hôtel. Il jette sa serviette sur le lit.

— Parfait !

Il prend le peignoir des mains de Karen, puis l'enfile en attachant la ceinture autour de sa taille.

— Elle te va bien, observe Karen.

Le bleu marine fait ressortir le bleu de ses yeux, et le vêtement lui va à la perfection. Il est grand et la coupe semble taillée pour lui. Cela met en valeur ses belles épaules et son torse en V.

— Hmm... ça te donne un air très viril, lui dit-elle.

— On dirait que tu viens de le découvrir. Oui, je suis un homme viril, répond-il en riant.

— Bien sûr, vraiment très viril, s'exclame-t-elle en riant elle aussi.

Karen est très heureuse. C'est si excitant de se trouver dans cet hôtel, surtout tous frais payés. Anna lui a recommandé cet endroit et elle s'y connaît !

Le décor est élégant sans être trop chargé, moderne sans être minimaliste. Les prix sont raisonnables – acceptables, pour l'entreprise de Simon –, et l'endroit dégage une impression d'opulence, de bien-être. La literie est merveilleusement confortable, le dîner offre une série de merveilles spectaculaires et somptueuses. Ils se sont même offert des cocktails à la lumière des chandelles, au bar entièrement lambrissé de chêne massif.

Le gel douche sent bon, un parfum raffiné et non pas l'odeur bon marché du shampoing pour retraités généralement offerts dans les hôtels. Ce sont de tels détails qui donnent à Karen l'impression de faire partie des nantis qui baignent dans le succès et l'abondance. Elle a pris sa journée pour rejoindre Simon, et elle peut faire ce qu'elle veut. Elle n'a pas envie de faire du tourisme, mais du shopping. Anna lui a dit que Manchester était la ville idéale pour le shopping.

Elle s'assied sur le tabouret devant la coiffeuse et prend le sèche-cheveux dans le tiroir. Simon la rejoint, se tient derrière elle et passe ses mains autour de ses hanches.

— Et toi, ma femme, tu es très féminine.

Elle tourne la tête et l'embrasse. Elle ne porte que des sous-vêtements, et cette ambiance coquine, vaguement illicite, l'excite terriblement.

Simon sent si bon, elle le trouve si beau, tellement à son goût, qu'elle ne peut s'empêcher de le contempler avec gourmandise. Il comprend son désir et réagit aussitôt en glissant sa main sous la dentelle de sa culotte.

— Ooh !

Ses doigts trouvent rapidement leur destination, mais il reste doux. Il connaît son corps et ses réactions par cœur.

Elle se retourne pour lui faire face.

— Si tu commences, il faut finir, plaisante-t-elle. Tu ne devais pas partir ?

Il jette un coup d'œil sur l'horloge près du lit.

— Je devrai dans peu de temps, dit-il en grimaçant. On a d'abord un séminaire très barbant, mais si je n'y suis pas, personne ne s'en apercevra.

— Tu as combien devant toi alors ?

Elle dénoue la ceinture de sa robe de chambre et mesure son érection de ses deux mains en murmurant :

— À vue de nez, disons environ quinze centimètres ?

Il éclate de rire en écartant ses mains comme un pêcheur qui raconte ses plus belles prises.

— Moi je dirais, au moins quarante… minutes…

— Seulement ?

Doucement, elle descend son index sous son nombril puis il déclare :

— Bon, peut-être une heure, si c'est le temps dont tu as besoin.

— J'en ai besoin, pour faire les choses correctement.

Joignant le geste à la parole, Karen saisit son pénis dans sa main et le manipule à sa façon, qui interrompt tous les bavardages inutiles.

Quelques minutes plus tard, elle le chevauche sur la table basse. Leur moment de plaisir dure beaucoup plus que d'habitude, parce que le décor se prête aux fantasmes les plus audacieux et que Simon devrait être au travail… C'est un peu comme si tous les dieux de l'Amour avaient concocté ce rendez-vous et s'amusaient secrètement à les regarder en faisant des commentaires salaces.

Un peu plus tard dans la journée, Karen découvre que les robes de chambre bleu marine sont en vente à la réception de l'hôtel, et elle en achète une pour Simon, en souvenir de ce moment d'extrême jouissance ; le soir même, il trouve la robe de chambre sur son lit en gage de reconnaissance. Quelques semaines plus tard, elle découvre qu'elle est enceinte. À quel moment exactement son fils a été conçu, la nuit ou le matin, elle ne le saura jamais, mais c'est assurément arrivé pendant cette escapade amoureuse.

Ça fait maintenant cinq ans, et leur enfant est là, endormi dans son lit, le pouce dans la bouche, exactement à l'endroit où, normalement, son homme à elle devrait être allongé.

06 h 30

Anna entend enfin les derniers soubresauts de son réveil. Elle ne s'est endormie que vers 3 heures du matin. La radio, programmée sur les infos, la propulse dans la réalité. Steve préférerait écouter de la musique, mais elle a gagné la bataille sous le prétexte qu'elle doit être la première levée pour aller gagner le pain quotidien… par conséquent, elle a le choix de la radio. Bien sûr, il participe aux frais du ménage avec ses chantiers, mais c'est son nom à elle qui apparaît sur les contrats de prêts bancaires, et comme en plus elle n'aime pas la musique au réveil, le problème est réglé. Elle ne supporte pas le baratin hystérique des animateurs, en particulier sur les radios de musique pop, et ces chansons la dérangent émotionnellement.

Elles sont trop vagues, trop sentimentales. En principe, les voix un peu rigides et percutantes des journalistes lui donnent envie de partir au travail, de se colleter avec la réalité, ce qui lui assure une stabilité dont elle a besoin.

Aujourd'hui, pourtant, tout est différent. Avant même d'ouvrir les yeux, Anna est déjà branchée sur les événements de la veille : Simon, Karen. À la radio, le journaliste interroge un homme politique d'un ton grave et péremptoire, mais elle ne comprend pas un seul mot de ce qu'ils se racontent.

Sa tête est pleine de tristesse, d'angoisse, de colère, et d'un tas d'autres sentiments et impressions qu'elle ne parvient pas à définir. Avant de s'enliser définitivement, elle essaie de se concentrer : aujourd'hui, elle va travailler. Karen lui a promis que sa belle-mère l'accompagnerait, donc que tout se passerait le mieux possible étant donné les circonstances.

Anna passera la voir dans la soirée. En attendant, elle doit se lever, tout de suite.

Steve, encore endormi, ronfle légèrement. Anna ne comprend pas comment il peut dormir comme une souche malgré le son de la radio. Peut-être est-il fatigué par son travail manuel. Mais ça fait quatre ans que ça dure. Elle lui en veut presque, de rester au lit pendant qu'elle doit se jeter dans la vie quotidienne… mais elle apprécie aussi de ne pas être interrompue pendant sa mise en route matinale.

Au cours de la nuit, Steve a passé son bras autour d'elle. Elle le soulève délicatement, sort de la couette et enfile ses chaussons en daim usés, puis allume la petite lampe de chevet au-dessus de sa coiffeuse. Steve se réveille à peine, grommelle quelques mots et se rendort en ronflant. Anna prend sa douche puis s'habille. Habituellement, elle aime bien réfléchir à ce qu'elle va porter pour être élégante : les chaussures, les collants, les accessoires, les bijoux, tout est déjà préparé la veille au soir. C'est sa routine depuis l'université, et quand Karen et elle partageaient le même logement, son amie était toujours surprise par sa méthode obsessionnelle, à l'inverse de la sienne, qui consistait à attraper n'importe quel vêtement du moment qu'il était propre, au mieux, ou qu'il répondait à son impulsion, pour se rendre à une fête ou à une cérémonie. Alors qu'elle cherche des sous-vêtements propres, Anna peut presque entendre son amie lui dire : « Tu es tellement maniaque ! »

Anna soupire. Aujourd'hui, le choix de ses vêtements va être le cadet de ses soucis : elle se comporte donc comme Karen et attrape ce qui lui tombe sous la main, la jupe et le haut qu'elle portait la veille.

Ensuite, elle se maquille. Mais au moment où elle écarquille les yeux pour appliquer son mascara, elle éclate en sanglots. C'est plus fort qu'elle. Jusqu'ici elle a tenu bon, s'est comportée comme un avion en pilotage automatique. Les larmes jaillissent tant que tout son maquillage est à refaire. Elle a envie de hurler comme un nouveau-né, mais elle ravale ses sanglots.

Elle va devoir recommencer… Zut ! si elle ne prend pas sur elle, elle va rater son train. Elle s'oblige à se concentrer et, quelques minutes plus tard, elle est prête.

Dehors, il fait très froid mais sec, et elle avance courageusement vers la gare en pensant au rythme de ses jambes, sa respiration lui rappelant la fumée d'une locomotive dans un vieux film.

*

* *

Lou adore dormir, et elle a mis au point une stratégie pour faire durer le plaisir le plus longtemps possible. Elle habite à un kilomètre et demi de la gare, mais son réveil sonne plus tard que celui d'Anna.

Pour elle, c'est facile : elle doit se laver, s'habiller, manger, boire, et tout cela le plus vite possible.

Son studio ne possède qu'une douche, et elle aime se débarrasser des miasmes de la nuit sous son jet puissant, et se faire un shampoing à la menthe forte qui la revigore. Elle sèche ses cheveux courts en quelques minutes. Elle n'a pas besoin de voir ce qu'elle fait : il lui suffit d'ajouter une noisette de gel dans ses cheveux et elle est prête. Elle ajuste son soutien-gorge en coton avec la même précision, enfile un slip propre, un tee-shirt, un jeans, et la voilà parée. Ensuite, vient le petit déjeuner : un bol de céréales avec des tranches de bananes, qu'elle mange debout près de la fenêtre de sa mansarde. Elle regarde le soleil se lever et transformer le ciel en champ de bataille. Elle a rarement le temps de boire tout son thé avant d'enfiler sa parka et de foncer avec son sac à dos en descendant les marches quatre à quatre. Sa bicyclette est attachée dans le local commun, un privilège qu'elle a réussi à négocier avec ses voisins. Elle allume la lumière branchée sur un programmateur de quelques secondes pour se repérer avant d'ouvrir la porte donnant sur la rue, car le propriétaire est plutôt radin. Peu importe, elle connaît les lieux par cœur et se repère aussi dans le noir. Elle n'a qu'à ouvrir la porte, descendre quelques marches avec la bicyclette et la voilà dans la rue.

La journée est moins pourrie qu'hier, se dit-elle en fonçant le long de la promenade, *on aura peut-être du soleil dans l'après-midi*. Elle se concentre, la tête bien droite, en suivant le mouvement des pédales, et voilà que, oups ! elle doit freiner brutalement pour éviter de percuter un gros véhicule. C'est une ambulance garée en double file qui bloque le passage. Elle n'a pas mis son éclairage en marche, mais il y a aussi une voiture de police. Il se passe quelque chose de grave.

Elle ralentit pour regarder et voit des ambulanciers remonter de la plage avec un brancard. Elle comprend immédiatement pour quelle raison l'ambulance n'a pas allumé ses feux. Une couverture recouvre le visage du corps ; il n'y a plus d'urgence.

Oh là là ! se dit-elle. *Pas encore.*

De toute façon, elle n'a pas le temps de s'arrêter, et ce serait déplacé. Alors elle tend son bras droit en direction du Théâtre royal.

Sa cadence lui permet de mettre de l'ordre dans ses pensées... *Je vais devoir trouver une solution avec Aaron. Je ne peux plus laisser cette situation pourrir. Il faut que j'appelle ma mère, et merde ! il faut que je prévienne Vic que je ne pourrai pas aller à sa soirée.*

Sa mère. L'acte de rébellion le plus osé qu'elle s'est autorisé a été de ne pas lui téléphoner hier soir comme elle le lui avait promis. Mais elle va quand même lui rendre visite.

Elle arrive bientôt à la gare, en prenant des raccourcis et en actionnant les braquets. Le bâtiment se trouve au sommet de la colline, et la route pour s'y rendre est bordée de maisons blanches, construites un siècle auparavant pour les pêcheurs et les ouvriers. Ces petites maisons très simples, sans jardin ni fioritures, ont été rachetées par les jeunes familles bobos qui donnent des prénoms comme Atlas ou Apollon à leurs enfants, mais aussi par des étudiants au visage clouté de multiples piercings, ou encore par des artistes au talent douteux qui peinent à payer le loyer.

Lou se dirige vers le local réservé aux vélos à l'arrière de la gare. Elle verrouille le cadenas, ôte son casque et se dirige vers le quai numéro quatre.

Comme c'est étrange ! se dit-elle, en se rappelant les événements de la veille. *Tout semble normal aujourd'hui, comme si de rien n'était. C'est triste de voir à quel point la vie d'une personne a si peu d'impact sur les autres. Et ce cadavre qui vient d'être ramené de la plage à l'instant ?*

C'était peut-être quelqu'un qui dormait sur la plage, il y a beaucoup de sans-abri à Brighton et l'hiver est très dur pour eux. Si c'est le cas, sa mort risque d'avoir un impact encore plus faible sur son entourage. La plupart des gens préfèrent ne pas penser aux sans-abri, encore moins s'impliquer dans leurs problèmes.

Lou soupire et regarde sa montre. Bon ! Elle se dirige vers l'avant du train pour se trouver près de la sortie à Victoria, tout en jetant un coup d'œil vers les fenêtres des wagons au cas où elle reconnaîtrait Anna.

Elle aimerait la revoir. Elle se sent liée à elle par ce qu'elles ont partagé la veille. Mais ou bien Anna n'est pas encore là, ou bien elle ne travaille pas aujourd'hui. Lou n'a pas ses coordonnées, c'est elle qui lui a donné sa carte, c'est donc à Anna de la contacter. *J'espère vraiment qu'elle va bien*, se dit-elle, *et que son amie Karen aussi.*

*
* *

Comme d'habitude, Anna s'achète un petit déjeuner complet au comptoir Marks & Spencer puis se dirige vers le quai numéro quatre pour prendre le train de 7 h 44... juste à temps. Elle réussit à trouver une place dans un wagon : c'est une chance que Brighton soit au départ de la ligne.

Elle retire son manteau et le dépose sur l'étagère au-dessus de sa tête, puis s'installe près de la fenêtre, dans le sens de la marche, comme d'habitude. Un bref instant, elle pense à Lou et se demande si elle va lui téléphoner ou lui envoyer un texto. Mais elle n'a pas envie de parler à qui que ce soit aujourd'hui, sauf si elle y est obligée. Plus tard peut-être, quand elle aura moins mal.

Un grand coup de sifflet, et le train démarre. Il s'arrête d'abord à Preston Park. Quelqu'un s'assied à côté d'elle, et la routine s'installe comme toujours depuis qu'elle prend ce train de banlieue. Mais lorsqu'ils arrivent à l'endroit fatidique, là où Simon a eu sa crise cardiaque, il y a exactement 24 heures, Anna panique.

De façon inexplicable, elle fond en larmes et ne peut plus s'arrêter. Des ruisseaux coulent inexorablement de ses yeux et diluent toutes les couleurs de son maquillage.

Qu'est-ce qui lui arrive ?

Les gens à côté d'elle, en face d'elle, et qu'elle ne reconnaît pas, étaient probablement dans le train eux aussi, hier, mais ils ne savent pas qu'elle connaissait cet homme-là en particulier, celui qui est mort.

Ils doivent penser qu'elle est folle, de pleurer comme ça. C'est gênant, ces sautes d'humeur que les gens peuvent avoir. Anna fouille dans son sac à main à la recherche d'un mouchoir en papier. L'homme assis en face d'elle la dévisage, elle s'efforce alors de lui sourire et surtout de ne plus pleurer. Mais ça ne marche pas, elle ne parvient à faire que des grimaces.

Tout en pleurant, elle réfléchit : au fond, elle a trahi Karen de bien des manières. D'abord, hier, elle était à plusieurs wagons d'écart de ses amis. S'ils s'étaient rencontrés à la gare, ils se seraient retrouvés dans le même wagon, et alors, se dit Anna en ruminant sa culpabilité, elle aurait pu les aider et changer le cours des événements. En tout cas, elle aurait pu faire quelque chose.

Et moi là-dedans, se dit-elle, *j'étais là en train de lire mon magazine, complètement dans le gaz.*

Elle se souvient du modèle de veste qu'elle avait envie de s'acheter, elle avait même corné la page pour la retrouver. Quelle femme superficielle elle était !

08 h 56

Lou aperçoit Aaron à quelques mètres. Elle sent son odeur. Ou plutôt son pétard, le mélange écœurant de shit et de skunks qui le caractérise.

Ils sont à moins de deux cents mètres de l'école, il n'est pas 9 heures du matin. Lou a un haut-le-cœur.

Va-t-elle le laisser passer, ou bien le rattraper et l'affronter ? Comme il ne se trouve pas dans l'enceinte de l'école, elle n'a aucune autorité. De plus, elle est sa psychologue, pas son professeur. Elle ne peut donc se permettre d'avoir des relations extraprofessionnelles avec lui. Entre eux, la situation est carrément insupportable. Elle ne veut pas lui paraître snob, pompeuse ou intrusive. De plus, elle n'a pas rendez-vous avec lui aujourd'hui, et le fait qu'il soit défoncé ou pas ne doit pas l'affecter. L'ignorer serait beaucoup plus facile. Mais s'il est toujours défoncé, il ne pourra pas agir correctement, ce n'est pas dans son intérêt. À long terme, il devra retourner dans le système d'éducation traditionnelle. Donc, fumer du skunks avant d'aller en cours, ça ne va pas l'arranger.

Finalement, Lou accélère le pas et, en quelques secondes, se retrouve à côté de lui.

— Salut, Aaron !

Elle l'a pris par surprise, il n'a pas le temps de jeter le joint.

Il joue les nonchalants :

— Oh ! bonjour, mademoiselle.

Il la fixe de ses yeux endormis, rapprochés, injectés de sang.

— Vous en voulez ?

Il lui tend le pétard habilement pour qu'elle puisse l'attraper.

— Non, merci.

Alors, il écrase le joint sur un poteau de lampadaire en béton mais, au lieu de le jeter, le remet dans sa poche pour le finir plus tard, d'un air provocateur.

Lou inspire profondément.

— C'est intéressant de voir que tu fumes avant d'aller en cours.

Il fixe le sol en marmonnant :

— Qu'est-ce que ça peut vous faire ? On se voit pas aujourd'hui...

— Oh, ce n'est pas vraiment le sujet. Je me demande juste pourquoi tu as besoin de fumer avant d'aller en cours.

Il se tourne vers elle en souriant :

— C'est quand même plus drôle comme ça, mademoiselle.

— Mais comment peux-tu te concentrer quand tu es dans cet état ?

— C'est pas un problème pour moi.

— Essaie, et tu verras la différence.

— Alors vous aussi vous avez essayé ?

Elle doit bien le reconnaître : il est vraiment rapide, même dans cet état.

— Aaron, il ne s'agit pas de moi mais de toi. C'est bien à cause de la drogue que tu es ici, n'est-ce pas ?

Ses yeux sont encore plus rapprochés, il est très en colère.

— Alors, vous allez me dénoncer ?

— Je n'en sais rien.

Lou considère que c'est le rôle de ses professeurs d'instaurer la discipline, pas le sien. Si elle veut gagner la confiance d'Aaron, elle ne peut pas le trahir systématiquement.

Ils continuent de marcher en silence l'un à côté de l'autre, ils sont presque arrivés à l'école.

Finalement, il reprend la parole.

— Alors, comme ça vous avez vos secrets, et moi j'ai les miens.

Elle comprend à quoi il fait allusion, sa remarque est pleine de sous-entendus et de chantage. Mais il fait preuve d'une certaine logique pour un gars complètement drogué. Il a l'air habitué à cet état de brouillard semi-comateux.

— Tu connais pourtant les règles de base, lui rappelle-t-elle, au moment où ils entrent dans le bâtiment. Il ne s'agit pas de ma vie privée ici, dans notre travail, moi je suis là pour t'aider et te soutenir.

— Si vous le dites...

Mais il sourit, persuadé de l'avoir désarmée, pour le moment du moins.

— À plus ! lance-t-il, et il disparaît dans le couloir.

Lou monte l'escalier et se dirige vers son bureau, les sourcils froncés. Même si Aaron et Kyra prolongent ce petit manège, même s'ils continuent à l'intimider, elle ne changera pas d'attitude : elle ne doit rien révéler de sa vie privée, et ils doivent apprendre les règles de la bienséance en société. Cependant, ces incidents ont changé quelque chose pour elle. Elle éprouve le besoin de se confier à une collègue, pour que la direction soit au courant, et elle a besoin de provoquer cette discussion rapidement.

*
* *

Juste après 9 heures, Anna sort de l'ascenseur et entre dans l'agence de marketing de Chelsea où elle travaille comme rédactrice free-lance.

La plupart de ses collègues ne savent pas ce qui s'est passé, et elle essaie de mettre de côté tout ce qui concerne Karen et Simon. Sans doute seuls son chef, à qui elle a téléphoné la veille, et Petra, la femme chargée d'organiser son emploi du temps, sont au courant. Mais ils ont aussi leurs propres préoccupations et sont très peu concernés.

Évidemment, son entrée ne déclenche qu'un « Ça va mieux ? » de la réceptionniste. Anna ne cherche pas à se justifier. Si ses collègues pensent qu'elle s'est absentée parce qu'elle était malade, cela lui convient parfaitement.

— Oui, merci, répond-elle.

Et elle ouvre les doubles portes qui donnent dans le bureau bruyant où elle passe sa journée de travail.

Le bureau d'Anna est séparé de celui des finances par une petite cloison à hauteur d'épaule. Elle entend clairement la jeune femme assise juste de l'autre côté, qui tapote sur son clavier avec ses faux ongles.

Dans le département des directeurs artistiques, ses collègues se comportent comme d'habitude : à sa gauche se trouve Colin, le petit nouveau tout juste sorti de la fac, qui lit à voix haute des scénarios d'annonces publicitaires pour la radio afin de les minuter avec un chronomètre. Il a rédigé plusieurs textes, et elle se rend compte à quel point il est anxieux de bien faire. Elle se sent presque coupable. À sa droite, il y a Bill, directeur artistique, et Ian, un autre rédacteur : ils parlent de ce qu'ils ont vu à la télé la veille. Elle se sent plus proche d'eux : ils ont de la bouteille, sont un peu blasés, revenus de tout, sarcastiques, et elle les aime beaucoup tous les deux. Mais avant qu'elle ait l'occasion de bavarder avec eux, Petra est déjà sur son dos.

— Anna, tiens, salut ! dit-elle rapidement. Ça va mieux ?

Alors, son chef n'a rien dit à Petra. Anna ignore si c'est par discrétion ou par indifférence, mais ça rend les choses plus faciles. Si on est trop gentil avec elle, elle va se remettre à pleurer.

— Oui, merci, répond-elle.

Et Petra lui confie des courriers à rédiger pour une compagnie d'assurances. D'abord pétrifiée à l'idée de ne pas pouvoir travailler, Anna s'oblige à se concentrer, et très vite commence à écrire. Une demi-heure plus tard, elle se sent plus normale, c'est bon de retrouver la routine. Finalement, elle trouve la force d'aller dans le couloir pour téléphoner tranquillement à Karen.

*
* *

Debout dans la cuisine, Karen regarde par la fenêtre sans rien voir de particulier, tandis que sa belle-mère, Phyllis, est assise devant le comptoir du petit déjeuner, un stylo à la main. Les enfants regardent *Dora l'exploratrice* à la télévision ; généralement, Karen hésite à les laisser devant la télé si tôt, mais aujourd'hui rien n'est normal.

Elle a réussi à enfiler des vêtements mais, de mémoire, elle serait incapable de dire ce qu'elle porte ; elle a aussi réussi à faire déjeuner les petits, mais elle-même n'a rien pu avaler. Elle se sent dans un état étrange, physiquement. Elle a l'impression que ses jambes flottent comme des plumes, ne touchent pas le sol. Elle pense ressembler aux personnages de Chagall, qui ont l'air de voler et de défier les lois de la gravité. Et puis, des crises de panique la laissent pantelante, hors d'haleine, avec des palpitations cardiaques terribles. Elle et Phyllis essayent d'établir une liste de tous les amis et relations à qui elles ont envie d'envoyer un faire-part. Phyllis prend note, et Karen essaye de se rappeler les noms. Mais c'est terriblement difficile. Tout est à l'envers, en vrac, y compris sa mémoire.

Accroche-toi, se dit-elle. *Les gens ont besoin de savoir ce qui s'est passé.*

Elle regarde la pendule

— Je vais devoir téléphoner maintenant, j'imagine. C'est le bon moment.

Phyllis hoche la tête.

— Avant de téléphoner, je me disais… Je crois que j'aimerais aller aux pompes funèbres pour voir Simon.

— D'accord, dit Karen, c'est normal.

La voix de Phyllis se brise.

— Ça ne me paraît pas normal. (Elle fond en larmes.) Mon fils…

Pauvre Phyllis… Même dans son chagrin, Karen ressent la douleur intolérable d'une mère pour son fils. Qu'est-ce que ça lui ferait si elle perdait Luc ?

L'âge de l'enfant ne change rien. Karen va vers sa belle-mère, pose ses mains sur ses épaules courbées par la vieillesse et sa tête sur ses cheveux gris. Elles restent serrées l'une contre l'autre, la tendresse qui les unit n'a pas besoin de mots.

— On va les appeler, alors, suggère Karen. Il faut voir quand ils vont libérer Simon après l'autopsie, ça devait avoir lieu très tôt ce matin.

— Vous voulez venir avec moi ?

Karen hésite. Elle veut saisir toutes les occasions d'être avec Simon. Elle a failli retourner à l'hôpital hier après-midi, mais elle est restée pour les enfants. C'est ça le problème : il faut penser aux enfants.

— Je ferais mieux de rester ici. Ce serait trop pour les enfants.

— Comme vous voudrez. Mais moi, il faut que j'aille lui dire au revoir.

Juste à ce moment-là, une petite voix les interrompt.

— À qui vous allez dire au revoir ?

Luc les regarde toutes les deux d'un air inquiet.

— À ton papa, lui répond Karen.

— Mais tu nous avais dit que papa n'allait pas revenir.

Et voilà ! Elle s'est de nouveau plantée.

— Mon lapin, je suis désolée, il ne va pas revenir.

— Alors, comment Mamie va pouvoir lui parler ?

— Elle va dire au revoir à son corps, pas à ton papa.

— Je ne comprends pas…

— Le corps de papa ne fonctionne plus. (Karen prend une grande inspiration.) C'est très triste et il va nous manquer beaucoup.

Luc a l'air interloqué. Alors Karen continue :

— Tu te souviens de ce que je t'ai dit hier ? C'est un peu comme pour Charlie : tu te rappelles quand le corps de Charlie était encore là, après qu'il est mort, et quand on l'a enterré dans le jardin. Mais Charlie, son esprit, était déjà parti.

— Alors, on va enterrer papa dans le jardin ?

Karen ne résiste pas et rit malgré elle :

— Non, mon chéri, c'est impossible. Comme ton papa est une personne très spéciale, dans quelques jours il va y avoir une cérémonie, un enterrement. C'est comme une grande réunion de famille, même si les gens sont un peu tristes ; et certains vont pleurer, et là on va dire au revoir à papa comme il le mérite.

— Mais moi, je veux parler avec papa aujourd'hui ! (Il tape du pied.) Pourquoi je peux pas y aller avec Mamie ?

Karen et Phyllis se regardent. Elles ne savent ni quoi dire ni quoi faire. Phyllis prend son petit-fils sur ses genoux et murmure à voix basse :

— Ce n'est peut-être pas une mauvaise idée, vous savez, s'il le veut. Moi, j'ai vu mon grand-père quand j'avais à peu près le même âge que lui.

Karen est perdue. D'un côté, elle veut protéger Luc, de l'autre, elle veut être honnête avec ses enfants, et pour elle-même le fait de passer du temps avec le corps de Simon a été bénéfique.

Que voudrait Simon ? se demande-t-elle.

Voudrait-il que ses enfants le voient dans un cercueil, tout froid et sans vie ? Elle n'en est pas certaine. Pourtant, quand son père était mort, elle se rappelle qu'ils en avaient parlé tous les deux : Simon lui avait dit que ce n'était pas une bonne chose de dissimuler la mort et tout ce qui s'y rapporte. Il était Irlandais, catholique pratiquant et, à sa mort, Simon et sa mère avaient tout fait pour respecter ses traditions. Donc le cercueil était resté à la maison la nuit précédant l'enterrement.

— Papa aurait aimé que ce soit ainsi, avait déclaré Simon.

Mais il y avait un véritable écart entre les deux générations. Simon serait-il d'accord pour faire la même chose en ce qui le concernait ?

Les idées de Karen tourbillonnent dans sa tête. Luc, très attentif, attend sa réponse. Elle ne peut plus reculer.

Après tout, le mieux dans cette situation est de faire ce dont il a envie. Elle s'approche de lui doucement, le prend par les épaules et plonge son regard dans le sien.

— Luc, mon chéri… Si tu veux aller dire au revoir à ton papa, alors bien sûr que tu peux y aller avec Mamie. Mais ton papa va te sembler différent.

Luc semble un peu effrayé.

— Différent comment ?

— Rien d'inquiétant, lui assure-t-elle.

— Tu verras, dit Phyllis. Il sera immobile.

— Comme s'il dormait ?

— Oui. Mais encore plus immobile.

Il hoche la tête, lève les yeux vers Phyllis et déclare :

— Je viens avec toi

Karen est si fière de son courage qu'elle se sent prête à fondre en larmes, mais à ce moment-là le téléphone sonne. Elle se lève vivement et, à son grand soulagement, la voix d'Anna résonne dans le combiné.

*

* *

Ce n'est pas le moment des formules de politesse.

— Comment te sens-tu aujourd'hui ? demande Anna

— Épouvantable, dit Karen, avec un petit rire sec.

Anna est soulagée, c'est bon de l'entendre rire.

— En réalité, on allait prendre une décision importante quand tu as appelé, dit-elle. Attends une seconde, je sors pour te parler tranquillement. J'ai besoin de ton avis.

Anna entend le glissement des portes coulissantes qui s'ouvrent et se referment.

— C'est juste que Phyllis veut aller voir Simon, continue Karen à voix basse.

— Ah, oui, bien sûr, répond Anna, qui ne voit pas où est le problème. Il est toujours à l'hôpital ?

— Il doit être à l'entreprise de pompes funèbres, pas très loin, là où ils l'ont emmené après l'autopsie ce matin.

— Alors elle peut y aller, n'est-ce pas, puisqu'elle conduit ?

— Oui, bien sûr. Le problème n'est pas là. C'est juste que Luc veut y aller aussi.

— Luc ?

Anna a du mal à suivre. Elle n'arrive pas à imaginer le petit garçon à côté de Simon. Instinctivement, elle veut le préserver du choc. Voir Simon a été une rude épreuve pour elle, alors pour un petit garçon de cinq ans…

Karen explique :

— Il a entendu Phyllis dire qu'elle allait lui dire au revoir, et maintenant il veut y aller aussi.

— Ah !

— Qu'est-ce que tu en penses ?

— Karen, moi je ne sais pas… Ce sont tes enfants. Et Molly, alors ?

— Je pensais qu'elle resterait ici avec moi.

— Je ne sais pas…

Anna essaie de trouver la solution qui lui semble le plus en phase avec ce qu'elle ressent.

— Si tu donnes cette permission à Luc, alors je crois que tu dois le faire aussi pour ta fille.

— Mais elle n'a que trois ans ! Tu ne crois pas que ça va être un peu trop pour elle ?

Alors, Anna se souvient.

— Pour tout dire, la gentille infirmière d'hier m'a suggéré de les emmener pour le voir… s'ils veulent venir.

— Vraiment ?

— Oui, j'avais oublié de te le dire, et je m'en veux de ne pas l'avoir fait avant.

Encore une fois, elle a trahi Karen

— Oh, ne t'en fais pas ! Nous étions tous sens dessus dessous... et aujourd'hui aussi d'ailleurs.

— Tu peux toujours lui téléphoner et le lui demander, mais elle a dit ça. (Anna s'arrête, et ajoute :) Ce n'est pas comme si Simon avait été abîmé dans un accident, dans ce cas, je dirais non, ça pourrait les choquer de le voir comme ça. Mais il a vraiment l'air paisible.

— Oui, c'est vrai... Tu as peut-être raison... Mais je ne veux pas la forcer non plus...

— Non, bien sûr.

— Je sais comment faire. Je vais lui demander, à elle aussi.

— Cela me semble une bonne idée, admet Anna. Je suis certaine que tu trouveras les mots pour qu'elle comprenne. À mon avis, dans quelques années, elle te remerciera.

Mon Dieu ! pense-t-elle en raccrochant quelques secondes plus tard. *Qui suis-je, pour encourager une telle chose ? Je suis toujours très secrète sur ma vie privée. Aucun de mes collègues n'est au courant de mes problèmes, n'est-ce pas ? Quelle tête feraient Bill et Ian si je leur disais de quoi Steve est capable quand il est soûl ? Ils seraient probablement horrifiés.*

Anna soupire. Ce n'est pas bon de garder toutes ces choses. Et face à la mort de Simon, cela lui semble encore plus malsain. Elle retourne à son bureau et à son courrier, noyer ses soucis dans le travail, une fois de plus. Et pourtant, ils sont là, tous, prêts à la dévorer : les secrets, les mensonges... Simon vivait d'une façon si exemplaire que son départ lui montre à quel point elle dissimule tout ce qui ne va pas. Elle n'est plus sûre de pouvoir continuer ainsi, car elle voit désormais les choses d'une autre manière.

10 h 51

— C'est toi, Lou ?

Zut ! Cette fois, sa mère lui a coupé l'herbe sous le pied. Elle fait semblant d'être enthousiaste.

— Oui, c'est moi, maman, bonjour !

— Je pensais que tu allais m'appeler hier soir.

Exactement la phrase qui culpabilise Lou.

— Désolée, oui, je sais. Je, euh… je devais téléphoner à une amie avant de te rappeler, mais je t'avais dit que je devais annuler quelque chose si je venais.

Voilà ! La réponse du berger à la bergère. Tu veux me culpabiliser, je fais de même. C'est la bonne tactique.

Mais sa mère veut savoir si sa fille va se plier à sa volonté.

— Bon, alors, tu viens ?

— Oui, oui, je viens.

— Tu viens jeudi ?

— Ah non ! J'arriverai samedi matin.

— Ah bon, pas avant ?

— Ça ne va pas être possible, dit Lou d'un ton sec.

C'est un mensonge : elle est libre vendredi après le tennis, mais elle n'arrive pas à affronter la perspective de passer autant de temps avec sa mère.

— Finalement, je n'irai pas à cette soirée de samedi.

Cette partie-là est vraie, mais Lou n'a pas envie de se soumettre complètement à la volonté de sa mère.

— C'est bien, ma chérie… Merci. (La mère de Lou a compris qu'elle n'obtiendrait rien de plus et se radoucit, car elle a quand même remporté une petite victoire.) Ton oncle Patrick et ta tante Audrey vont être tellement contents de te voir !

Oui, très bien, pense Lou en tripotant le fil du téléphone pour calmer ses nerfs. Elle décide d'interrompre sa mère.

— Bon, alors maman, c'est tout ? Parce que j'ai deux autres coups de fil à passer, et je n'ai que quelques minutes avant mon prochain étudiant.

— Oh, d'accord…

Sa mère semble déçue, mais Lou l'ignore. Œil pour œil, après tout.

— Alors, au revoir !

Bien que brève, cette conversation l'a épuisée. Lou en profite pour donner un coup de pied dans la bibliothèque, ça soulage.

Il lui reste quelques minutes pour téléphoner à sa vieille copine, Vic.

— Vic, c'est Lou.

— Bonjour !

— Je crois que j'ai un truc un peu embêtant à te dire.

— Et c'est quoi ?

— Je ne peux pas venir à ta fête.

— Merde alors ! Et pourquoi ?

— À cause de ma mère.

— Oh non ! Pas encore…

— Si, malheureusement.

— Et pourquoi, cette fois-ci ?

— Elle veut que j'aille lui donner un coup de main pour accueillir ma tante Audrey et mon oncle Patrick. Mon oncle est malade, et comme ils ne sortent plus de chez eux, je vais leur servir de gouvernante, infirmière et aide-ménagère pendant le week-end.

— Et elle n'a personne d'autre pour l'aider ? Et elle ne peut pas s'en occuper ?

— Elle a mal à une hanche, et ma sœur Georgia a de bonnes excuses : si elle vient, ce sera en coup de vent, et avec ses enfants, et de toute façon elle se débrouille toujours pour botter en touche.

— Qu'est-ce que tu attends pour en faire autant ? Je veux dire, notre soirée était prévue depuis très longtemps.

— Je sais, je sais... Je suis désolée.

Lou transpire la culpabilité, de toutes parts et de tous les côtés. Et pourtant, elle aurait vraiment aimé aller à la fête de sa copine. Il y a toujours des gens très drôles dans ses soirées, et Dieu sait qu'elle aurait bien besoin de s'amuser en ce moment !

— C'est mon anniversaire dimanche, c'est rare que ça tombe pendant un week-end.

Encore plus de culpabilité.

— Vic, franchement, tu sais très bien que j'aimerais mieux être avec toi ! Ça va de soi... mais je ne peux pas dire non. Si je n'y vais pas, elle va me pourrir la vie pendant des mois.

Vic soupire.

— Oui, certainement... Quel dommage ! Il y avait une autre raison pour que tu viennes absolument.

— Dis-moi vite !

— Je voulais te présenter quelqu'un.

Lou arrête de tortiller le fil du téléphone.

— Tu déconnes ?

— Pas du tout.

— Qui ?

Vic n'est pas lesbienne, mais elle travaille dans le milieu du théâtre et elle a des tonnes d'amis gays, même si la plupart sont des hommes.

— Il s'agit d'une fille adorable que j'ai rencontrée récemment en coulisses.

— Oh ?

— Oui. C'est une copine d'un des acteurs. Et exactement ton genre de nana.

— Comment elle s'appelle ?

— Sofia.

— Elle est Italienne ou Espagnole ?

— Oui, elle est Espagnole, mais elle habite ici depuis des années.

— Et elle est comment, alors ?

— Elle me paraît très sympa. Drôle et intelligente, et franchement adorable.

— Et physiquement ?

— Je t'ai dit, tout à fait ton genre. Jolie.

— Jolie comment ?

— Elle a les cheveux courts et bouclés, les yeux bruns… elle est franchement craquante. Si j'étais gay, elle me plairait.

— Elle a l'air super. Et qu'est-ce qu'elle fait dans la vie ?

— Elle travaille pour une compagnie sur Internet. Elle est directrice, je crois. Et puis, elle est brillante, et bosseuse apparemment.

Lou en a ras le bol des boulets, et c'est presque tentant.

— Elle a quel âge ?

— La trentaine, je dirais.

Environ deux ans plus jeune que Lou, mais pas trop non plus.

— Elle habite où ?

— Acton, pour le moment. Mais elle travaille à Croydon.

Lou fantasme déjà sur une relation idyllique :

— Oh ! Alors si nous sortons ensemble, elle pourrait prendre le train !

— Ça tombe sous le sens.

Soudain, Lou se souvient qu'elle a des obligations. Elle donne un coup de pied dans le bureau.

— Merde ! Merde !

— Dommage pour toi...

— Et je pourrai la rencontrer plus tard ?

Vic pousse un long soupir théâtral, elle n'a pas choisi son métier par hasard. C'est une vraie comédienne.

— Si tu le veux vraiment.

— Ouah ! Vic, allez, tu sais bien que je n'ai pas fait l'amour depuis des mois. Arrange-nous une rencontre.

— Comment tu vois la rencontre ?

— J'ai pas envie du truc cyber-annonce... Je préfère un truc à trois, à l'ancienne, classe, quoi ! D'accord ?

— Je ne te la présenterai pas si c'est juste pour le sexe.

— Alors, toi, tu peux vraiment me donner des leçons !

— Non, je sais... Mais pour moi, c'est une fille bien, Sofia, et je ne veux pas que tu lui brises le cœur.

— Qu'est-ce que tu crois ? Je ne vais pas être dégueulasse, proteste Lou.

Elle est pourtant flattée que Vic la prenne pour un bourreau des cœurs. Ce n'est pas dans ses habitudes de traiter les femmes ainsi. Généralement, c'est elle qui encaisse les déceptions et se fait avoir, pas le contraire.

— Très bien, admet Vic, je verrai ce que je peux faire. Mais il faut que tu me dises quand tu es libre, alors.

— Vendredi soir ? propose Lou, qui ne croit pas sa copine capable de lui organiser un rendez-vous en si peu de temps.

— Hmm ! il se trouve que je peux, éventuellement, me libérer vendredi…

Vic s'amuse avec elle, Lou pourrait le jurer. Elle adore la faire marcher.

Merci, mon Dieu ! Lou a dit à sa mère qu'elle ne pourrait pas aller chez elle avant samedi.

— Et si vous veniez toutes les deux à Brighton ? suggère-t-elle, pleine d'enthousiasme. Nous pourrions sortir.

— Eh bien… Je devais repeindre mon appartement, j'ai envie que ce soit beau pour la soirée. Mais comme tu me laisses tomber, je me demande si je devrais céder, je suis trop bonne poire avec toi…

— Oh, Vic, arrête ! Depuis quand tu fais passer la déco avant tout le reste ?

Tout le monde sait que l'appartement de Vic est une écurie : ça fait dix ans qu'elle habite là et elle ne l'a quasiment jamais nettoyé, encore moins repeint.

— De toute façon, tu ferais mieux de le peindre après la soirée, vu le chantier que tu vas retrouver après.

— Tu as peut-être raison, reconnaît Vic. En tout cas, pas d'alcool : je bosse le lendemain.

— Non, non, promis ! la rassure Lou, sachant que Vic boira de toute façon.

— Et toi, il va falloir que tu invites quelqu'un d'autre pour moi. Je ne vais pas jouer les chaperons avec mon petit costume vert juste pour vous deux. Je n'ai pas envie de me barber toute la soirée.

— D'accord…

Lou se creuse les méninges. Ce n'est pas si facile : la plupart de ses amis sont en couple, et il n'y a rien de tel qu'un couple pour renforcer votre sentiment d'exclusion... De plus, Vic a une forte personnalité, facilement envahissante, voire abrutissante.

— Que penses-tu d'Howie ? Tu l'as déjà rencontré pendant un jeu de rôles, tu te souviens de lui ?

Howie habite dans le coin et il sera peut-être libre, surtout qu'il vient de laisser tomber son mec.

— Je vais demander à Sofia avant que tu lui parles. Même si elle est libre, elle n'a peut-être pas envie d'aller jusqu'à Brighton.

Lou apprécie la franchise de son amie.

— D'accord. Je ne confirme rien avant que tu me rappelles. Il faut que j'y aille maintenant, mon prochain étudiant va arriver d'une seconde à l'autre.

*
* *

— Bon, les enfants, dit Karen en se dirigeant vers la télévision.

Luc et Molly sont assis sur le divan, les jambes pendantes, car ils sont trop petits pour toucher le sol, apparemment fascinés par les exploits de Dora.

— Cet épisode est terminé, alors on va arrêter la télévision pendant un moment.

Karen joint le geste à la parole, et Luc pousse un « Oh ! » de déception.

— Ma poupée chérie, Luc et Mamie vont bientôt aller dire au revoir à papa. Et nous pouvons y aller aussi, seulement si tu en as envie. Alors, il faut que tu ouvres grand tes oreilles avant de te décider.

Mais Molly reste assise, les yeux écarquillés. Son visage ressemble tant à celui de Simon avec cette expression perplexe que cela brise le cœur de Karen, qui ne sait pas si la petite comprend ce qu'elle lui dit ou si c'est trop pour elle.

— Papa va être enterré bientôt, explique Karen.

— Mais pas dans le jardin, rappelle Luc, sobrement.

— Non, pas dans le jardin. Et quand il sera enterré, ce sera dans une boîte spéciale qu'on appelle un cercueil.

— Comme Charlie ?

Ils avaient enterré le chat dans une grande boîte à chaussures.

— Oui. Un cercueil, c'est une grande boîte comme ça... Quand nous verrons papa dans cette boîte spéciale, il ne sera pas le même qu'avant. Il sera un peu comme était Charlie quand il est mort. Alors, même si tu lui parles, il ne pourra pas te répondre, parce que papa est parti au... (Karen hésite avant de trouver le seul mot qui lui semble approprié :) Il est parti au ciel.

— Tout là-haut dans le ciel, affirme Luc.

— Oui. Alors, ce que nous verrons, c'est seulement une partie de papa...

Molly a l'air anxieuse.

— Il lui manque des morceaux ? Comme la princesse Aurore ?

La princesse Aurore est son jouet préféré, mais elle n'a plus qu'une jambe depuis bien longtemps.

— Non, non... rectifie Karen. Son corps est intact, il ne lui manque rien. Mais son esprit, son caractère ne sont plus là.

Dès qu'elle a fini de parler, Karen sait qu'elle est allée trop loin pour la petite.

Pourtant, Molly semble comprendre l'essentiel.

— Moi aussi, je veux lui dire au revoir, proclame-t-elle.

— Tu veux vraiment ? Nous ne sommes pas obligées d'y aller. Toi et moi, on pourrait juste rester ici et... oh, je ne sais pas. (Il vient une idée à Karen.) On pourrait faire des gâteaux. Pour que Luc et Mamie puissent en manger quand ils reviendront.

Molly secoue la tête.

— Je veux aller avec Luc et Mamie.

Visiblement, elle a compris.

— D'accord, ça marche. C'est qui, ma poupée d'amour ?

Karen soulève Molly du divan et lui fait un gros bisou en la serrant fort dans ses bras.

Mais tandis qu'elle caresse les cheveux de Luc, elle voit qu'il semble perturbé.

— Qu'est-ce qui se passe ? Tu n'as plus envie d'y aller maintenant ?

— Maman... Papa va tenir dans une boîte à chaussures ?

Elle comprend sa logique. Elle aussi a du mal à imaginer Simon, seul, dans un carré de terre gelée.

Luc continue :

— Quand on a enterré Charlie, on lui a mis sa couverture préférée.

Ah, oui ! Mon Dieu, Luc est branché sur l'enterrement de Charlie et il va droit à la conclusion.

— Tu crois qu'on pourrait donner quelque chose de doux à papa pour lui tenir compagnie, mon poussin ?

Karen essaie de trouver une solution raisonnable, si cette idée a encore un sens.

Mais Luc saute du divan en disant :

— Je sais !

Et il sort de la pièce en courant.

Molly se dégage des bras de Karen, passe entre ses jambes et suit son grand frère. On entend des petits pas dans les escaliers... Un conciliabule entre le frère et la sœur ; une minute ou deux plus tard, ils sont de retour en bas.

Lorsqu'elle voit ce qu'ils apportent, Karen doit faire un effort pour ne pas éclater en sanglots : c'est Crocodile Bleu et Princesse Aurore

12 h 26

— Le directeur des pompes funèbres dit qu'on doit lui laisser encore une heure, prévient Phyllis en reposant le téléphone.

— Oh ?

Luc essaie d'attacher ses lacets tout seul. Molly, déjà emmitouflée dans son manteau fourré, peut à peine bouger les bras, elle est prête à partir.

Phyllis parle tout bas pour que les enfants n'entendent pas.

— Ils viennent tout juste de recevoir le corps après l'autopsie. Je suppose qu'ils vont l'habiller.

— Ah... dit Karen.

Ils ont dû ouvrir le magnifique torse de Simon, et probablement son ventre aussi. Cette pensée la rend malade, lui donne envie de vomir

— Ma chérie... (Phyllis caresse son épaule.) Je sais, c'est horrible. Venez vous asseoir ici.

Elle lui avance une chaise.

— Merci. Désolée...

Karen met sa tête dans ses mains en attendant que son malaise s'atténue. Lorsqu'elle la redresse, elle voit le regard anxieux de la petite, posé sur elle.

— Je vais bien, mon poussin, lui sourit-elle.

Molly serre Princesse Aurore sur sa poitrine, pour se rassurer.

Immédiatement, Karen comprend que Molly a besoin de sa Princesse Aurore. Et Luc, lui aussi, a besoin de Crocodile Bleu, même si pour le moment la peluche traîne sur le sol de la cuisine, les pattes en l'air : il n'est pas question de laisser tomber ces objets de réconfort. Ils ont besoin, et elle aussi, de tous les outils possibles et imaginables pour tenir le coup.

— Les enfants, j'ai réfléchi, dit-elle aussitôt. Mon petit doigt me dit que Crocodile Bleu et la Princesse Aurore préfèrent rester ici, avec vous.

— Mais tu avais dit qu'il fallait trouver quelque chose pour que papa puisse faire un câlin avec ?

— Oui, je l'ai dit.

Ce n'est pas la première fois que Karen s'emmêle les pinceaux dans les explications qu'elle leur donne.

— C'est juste que... Princesse Aurore et Crocodile Bleu vont probablement vous manquer beaucoup. Et vous, qu'est-ce que vous allez câliner ?

— Moi, je vais me débrouiller, dit Luc d'un ton assuré.

Mais Karen sait qu'il veut seulement ne pas avoir l'air d'un bébé.

— Eh bien moi, il me manquerait, dit Karen. Et à toi aussi, juste un petit peu. Tu te souviens comme tu étais triste quand on a cru qu'on l'avait perdu à l'aéroport de Gatwick ?

Triste est un faible mot : les hurlements de détresse de Luc ont retenti dans tout le terminal Sud.

— Oui, mais je n'avais que quatre ans.

Phyllis se souvient en riant.

— Je sais ! dit-elle. J'ai une idée. Molly, ma chérie, enlève ton manteau.

Elle déboutonne le manteau de sa petite-fille, et Molly écarquille les yeux.

— Nous allons rester ici pour le moment, parce que vos doudous ne sont pas prêts à voir papa... Alors, vous allez faire un beau dessin pour papa, d'accord ?

Quelle bonne idée ! pense Karen.

Phyllis ouvre le tiroir de la table où Karen range le matériel de dessin et demande :

— Vous préférez les crayons de couleur ou les feutres ?

— Les feutres ! déclare Molly, déjà concentrée sur son prochain objectif.

— Mais moi, je veux donner Crocodile Bleu à papa, s'entête Luc.

— Écoutez, les enfants... continue Phyllis. Pourquoi on n'emmènerait pas Crocodile Bleu et Princesse Aurore pour qu'ils puissent dire au revoir à papa, eux aussi ? Qu'est-ce que vous en pensez ?

Karen la remercie du fond du cœur :

— Quelle bonne idée, Phyllis !

Luc leur jette un regard noir à toutes les deux, il peut être têtu comme une mule.

Karen essaie de négocier, et suggère une alternative :

— Tu sais ce qui était bien avec la couverture de Charlie ?

— Quoi ? grommelle Luc.

— C'était pour lui tenir chaud, n'est-ce pas ? Alors, je me disais que Crocodile Bleu et Princesse Aurore n'allaient pas tenir vraiment chaud à papa, en tout cas pas autant que la couverture de Charlie. Surtout dans une grande boîte. Alors... si on apportait à papa sa belle robe de chambre bleu marine ? Comme ça, s'il a froid, il aura ce qu'il lui faut.

Luc, silencieux, essaye d'assimiler l'information. Finalement il hoche la tête prudemment.

— Je vais la chercher, dit Karen.

Et avant qu'il change d'avis, elle fonce dans la chambre et la décroche du portemanteau derrière la porte.

*
* *

Quelqu'un gratte avec ses ongles sur le bois de la porte.

— Oui ?

Une tête aux cheveux gris frisés apparaît dans l'entrebâillement : c'est Shirley, la directrice.

— Je peux entrer ? Je me suis dit que ce serait plus facile si nous pouvions discuter ici.

— Bien sûr, dit Lou en se levant immédiatement, puis en se rasseyant. C'est elle qui a sollicité ce rendez-vous, elle sait qu'elle a raison de le faire, mais ça la rend nerveuse.

— Ça vous dérange si je mange ma salade pendant que nous parlons ? demande Shirley.

Elle n'attend pas la réponse et prend la chaise juste en face de Lou. Puis elle ouvre sa boîte Tupperware et -commence à manger son taboulé au maïs et aux poivrons.

— Pas du tout, répond Lou.

Elle en profite pour attraper son sandwich, puis enlève le papier et commence à mordiller dans le triangle. Le pain, trop mou, lui colle au palais. Elle n'a pas envie de manger, son estomac refuse la nourriture ; alors elle remet le sandwich dans sa boîte et prend son courage à deux mains.

— C'est au sujet d'Aaron.

— Ah, Aaron... enchaîne Shirley. (Ce « Ah » est lourd de sens.) Nous savons toutes les deux que ce garçon est perturbé. Je comprends le problème et cela ne me surprend pas.

Lou est prise de court, car elle ne veut pas s'enliser dans les problèmes d'Aaron.

— En réalité, ce n'est pas seulement Aaron, c'est de moi qu'il s'agit, corrige-t-elle.

La fourchette de Shirley stoppe au beau milieu de son élan. Le cœur de Lou bat la chamade, elle ne trouve pas les mots, bafouille, rougit et, malgré tout son savoir, n'est plus qu'un être humain vulnérable, timide, déboussolé.

— Ah... dit Shirley.

Le ton a changé et Lou sait que Shirley devine la suite, mais elle a besoin de lui donner des explications. Même si elle préférerait être ailleurs.

— Je suis lesbienne, avoue Lou.

Une nouvelle pause. Le cœur de Lou bat plus vite, elle a les joues en feu.

— Vous n'étiez pas obligée de me le dire, vous savez.

— Je sais.

— Ce ne sont pas mes affaires.

— Je vous remercie.

Lou est encore rouge, mais le pire est passé.

— Ce que vous faites en dehors de l'école ne nous regarde vraiment pas.

— Non, je viens de le réaliser.

Lou comprend que c'est la bonne réponse, et que Shirley a pesé le pour et le contre afin d'être en règle avec ses responsabilités, tout en l'épargnant.

Lou veut croire que sa directrice est une femme tolérante, en phase avec ce qu'elle dit.

Pourtant, ce n'est pas vrai : la vie privée de Lou interfère énormément avec sa vie professionnelle en fait, et pas seulement dans ses rapports avec Kyra et Aaron. Mais sur un plan plus profond, et plus large. C'est justement grâce à – ou à cause de – sa sexualité qu'elle fait ce travail ici. Depuis qu'elle est toute petite, elle a toujours su qu'elle était différente, avant même de savoir pourquoi. En luttant avec sa sexualité, elle a compris beaucoup de choses sur la vie et sur les relations entre les gens. En saisissant le pourquoi et le comment, avec toutes les souffrances et les peurs liées à sa différence, elle a acquis une meilleure connaissance d'elle-même : elle sait qui elle est, comme le proclame son affiche en noir et blanc.

Et, qui plus est, cela lui a donné une tolérance et une empathie particulière envers toute personne elle aussi marginalisée par la société, d'une manière ou d'une autre. À sa façon, elle est connectée avec tous les adolescents comme Aaron et Kyra, du fait qu'ils sont eux-mêmes déconnectés.

Pourtant, ce n'est ni le moment ni le lieu pour expliquer ces nuances à Shirley. Cela ne ferait que rendre les choses plus confuses et contre-productives.

— En principe, je n'en aurais pas parlé, poursuit Lou. Le problème, c'est qu'Aaron a compris, et Kyra aussi.

— Je vois.

Shirley continue de mastiquer tranquillement.

— Je ne vous aurais pas ennuyée avec ça, mais leur comportement est devenu plutôt agressif. Et ce n'est pas sain, ni pour eux ni pour moi. Jusqu'ici, j'ai réussi à garder ma vie privée secrète, et je vais continuer quoi qu'il arrive, avec eux en tout cas. Mais je voulais vous en informer.

— Je suis contente que vous l'ayez fait. (Shirley lui adresse un petit sourire d'encouragement.) En fait, je suis honorée que vous m'ayez fait cette confidence.

— Oh !

Lou est surprise et soulagée. Finalement, ça se passe mieux que prévu.

— Je ne veux pas que le personnel ici ait l'impression de devoir tout assumer sans l'aide de personne. Ce n'est pas le but de cette école… Les enfants nous donnent assez de fil à retordre comme ça, et nous avons tous besoin de nous aider les uns les autres.

— C'est vrai.

Lou n'en revient pas : elle ne s'attendait pas à un soutien aussi chaleureux.

— Alors, comment voyez-vous la suite des événements, maintenant ? demande Shirley.

Lou réfléchit : jusqu'à présent, son intention était d'être honnête avec sa directrice.

— Je préférerais que vous ne le disiez pas aux autres membres de l'équipe, si ça ne vous gêne pas.

Elle ne se sent pas prête pour le grand déballage en public, ni pour la dramatisation et l'embarras que cela signifierait pour elle.

Shirley récupère les dernières graines de couscous avant de répondre :

— Je n'en vois pas l'intérêt. Ça ne les regarde pas. Quant à ces deux ados, qu'attendez-vous de moi ? Vous voulez que je leur parle ?

Lou réfléchit.

— Je n'ai pensé à rien en particulier… Je crois qu'il vaut mieux que je traite avec eux, face à face, au cours de nos séances. Mais j'ai réalisé que personne ici n'était au courant de rien et…

— Vous vous êtes sentie agressée, enchaîne Shirley.

— En quelque sorte, oui. Je reste persuadée que les enfants sont ouverts et honnêtes dans leurs émotions, et je les encourage à se plaindre aux personnes responsables lorsqu'ils se sentent intimidés, harcelés. Et j'ai senti que je ne mettais pas en pratique ce que je leur enseigne.

— Eh bien, maintenant vous le faites, la rassure Shirley. Et, je vous en prie, n'hésitez pas à venir me parler si vous avez le moindre souci.

— Je vous le promets.

Lou lui sourit. Tout s'est passé de façon très simple.

— Très bien ! (Shirley se lève.) Je ferais mieux de partir maintenant, dit-elle.

— Merci.

Lou se lève elle aussi. Au moment où elle referme la porte derrière Shirley, elle se dit que si tout le monde avait la chance de pouvoir annoncer son homosexualité aussi facilement, ce serait une bénédiction. Et elle en sait quelque chose.

*

* *

Lou se retrouve chez ses parents, à Hitchin. Elle a déjà son appartement, mais elle est retournée dans sa famille parce que son père est très, très malade. Le cancer a démarré dans ses poumons, puis s'est généralisé rapidement. Le diagnostic est établi depuis six mois et ça a été terrible. Bien que personne n'en parle ouvertement, l'hôpital l'a renvoyé chez lui pour mourir. Aujourd'hui, il a demandé à voir ses deux filles, en privé. Georgia est dans la cuisine, les yeux rouges à force d'avoir pleuré : il vient de lui parler. Maintenant, c'est au tour de Lou.

— Bonjour, papa, dit-elle en entrant dans la chambre.

Son père est calé contre les oreillers. Une intraveineuse de morphine s'écoule goutte à goutte dans une veine sur le dos de sa main.

— Bonjour, ma fille...

Il parle dans un râle. Il a peu d'énergie. On lui a fait une trachéotomie et il a du mal à parler. Ses doigts, maigres et tremblants, ressemblent à des pattes d'oiseau. Il tient le tube pour pouvoir parler par le trou creusé dans son cou.

— Assieds-toi, lui demande-t-il.

Elle s'assied sur une chaise près de lui.

— Ma petite Loulou, dit-il, utilisant son surnom de petite fille.

La jeune fille est dévastée. Elle a beaucoup de points communs avec son père : le sport, la vie en plein air, fabriquer des choses – avec le temps, ils se sont découvert des passions partagées. En fait, Lou s'est souvent demandé, en secret, si elle n'était pas la préférée de son père. Elle l'aime d'un amour inconditionnel, sa relation avec sa mère est beaucoup plus compliquée.

— Papa…

— Je sais que ça n'a pas été facile pour toi, continue-t-il.

Lou est surprise, elle ne s'attendait pas à ce qu'il lui dise cela.

— Surtout avec ta mère.

Il a du mal à parler, et il articule lentement, douloureusement. Elle souhaite presque qu'il se taise, et en même temps elle est désespérée et n'attend que cela : l'écouter parler

— Voyons les choses en face…

Il rit, mais son rire dégénère en toux rauque.

Lou se lève et se penche vers lui, puis lui tapote le dos doucement pour qu'il se calme. Il retombe sur ses oreillers.

— Excuse-moi…

— Ne t'inquiète pas

— Ta mère n'est pas une femme facile… Dieu le sait ! Je le sais.

Lou hoche la tête, elle a compris depuis longtemps que la relation entre ses parents n'était pas évidente. Ils sont si différents. Son père est un optimiste, plein d'humour et libre-penseur. Sa mère est parano, nerveuse, cassante, et se compare constamment aux autres. Son père a fait des efforts inimaginables pour pouvoir rester avec elle, d'après Lou. C'est un homme bon qui a le sens du devoir, comme beaucoup d'hommes de sa génération. Il ne quitterait jamais sa femme, malgré leurs différences de caractère. Au contraire, il a fait tous les efforts et, de compromis en compromis, s'est plié comme le bois d'un archet dont on tend la corde jusqu'à ce qu'elle casse. Lou le sentait arriver depuis des années, et voilà : à soixante ans, son tabagisme, qui s'était aggravé avec les tensions de la vie en couple, avait pris le dessus. Il est quand même injuste que son père en paie le prix, car chacun a caché ses émotions et ses ressentiments sans en parler pour maintenir le mariage coûte que coûte. Et pourtant, plus d'une fois, Lou aurait préféré que ce soit sa mère qui tombe malade, mais elle refoulait cette pensée tout en se sentant terriblement coupable.

— J'ai l'impression que ça n'a jamais marché entre vous deux, continue son père.

Lou confirme d'un signe de tête.

— C'est vrai.

Il inspire profondément, puis tend sa main libre vers elle. Elle pose sa main sur la sienne, plus froide que d'habitude.

— Tu peux penser le contraire, mais je t'assure que ta mère t'aime, tu sais.

Lou est prise au dépourvu. Elle n'a jamais cru que sa mère l'aimait vraiment, mais jamais pensé non plus que son père savait ce qu'elle ressentait. C'est comme si sa mère avait toujours mis des conditions pour donner son affection ; et Lou n'avait aucune idée de ce qu'elle devait faire pour la satisfaire.

— Il y a beaucoup de choses qu'elle ne comprendra jamais en ce qui te concerne.

Lou ne dit rien, mais pense qu'il a complètement raison.

— Tu vois ce que je veux dire…

Il la regarde droit dans les yeux. Des yeux larmoyants et injectés de sang. Mais derrière le masque de la maladie, il y a la perspicacité. Aussitôt, Lou sait qu'il sait. Depuis combien de temps ? Elle a vingt-trois ans et ses amis sont au courant, mais elle ne le lui a jamais dit. Elle n'a jamais voulu le mettre dans une situation où il devrait mentir à sa femme. Elle est sûre que sa mère ne pourrait pas le supporter. Elle n'arrivait même pas à lire un chapitre érotique dans un roman que sa sœur lui avait prêté récemment. Elle avait immédiatement interrompu sa lecture. Et elle déteste parler de sexualité.

— Je voulais seulement te dire, c'est mieux de ne pas lui en parler. (Le regard de son père est suppliant.) Je sais à quel point c'est dur pour toi, crois-moi. Mais cela la tuerait.

Lou acquiesce. Elle est sous l'emprise de trop d'émotions, de colère, de chagrin, mais savoir que son père connaît la vérité lui apporte un immense soulagement.

— Alors, je veux seulement que tu saches que je suis au courant, et que quoi que tu choisisses de faire, ça me va.

Lou avale sa salive avec effort.

— Je n'ai pas la prétention de tout comprendre mais, honnêtement, ce que tu es ne regarde que toi et une seule chose compte pour moi : que ma Loulou soit heureuse.

— Oh, papa ! (Lou fond en larmes.) Merci !

— Ne pleure pas maintenant. (Il lui tapote la main.) Ça va aller.

— Vraiment ?

— Oui… (Il lui sourit.) Quelque part dans l'univers, il y a toujours une personne faite pour en rencontrer une autre. J'en suis certain.

Lou lui rend son sourire. Ce n'est pas la perspective de se retrouver seule qui la fait pleurer, mais le fait qu'elle va le perdre.

— C'est tout ce que je voulais te dire, dit-il, lui faisant signe de s'en aller. Je suis fatigué maintenant et je vais dormir.

Il ferme les yeux. Lou se lève et quitte la chambre sans bruit.

Vingt-quatre heures plus tard, son père s'était endormi pour toujours.

14 h 05

— Zut ! C'est une femme qui s'occupe des pompes funèbres ici, s'exclame Phyllis en regardant l'enseigne au-dessus de la vitrine.

« Entreprise de pompes funèbres – Directrice Barbara Reed et Fils ».

— Oui, dit Karen. Mais ce sont les plus proches de chez nous. Je suis passée plusieurs fois devant, et ils m'ont fait bonne impression. Je me suis souvent demandé ce qui se passait derrière ces rideaux, mais je ne pensais pas me retrouver là un jour.

Dans la vitrine, un étalage d'objets disparates. Au centre, une grande croix en marbre gris, sombre, affreuse. De chaque côté, des arrangements floraux symétriques. Karen a remarqué qu'ils changent régulièrement les fleurs : cette semaine, des lys entourés de lierre et de feuilles de palmier sortent de deux vases géants en forme d'urne. Majestueux mais traditionnel.

Mais ce qui a décidé Karen à choisir ce magasin, c'est le reste de la décoration : des coquillages de toutes les formes et de toutes les tailles, des étoiles de mer géantes et des galets multicolores usés par la mer, éparpillés dans la vitrine.

Et le plus important c'est, à gauche, une maquette miniature du Pavillon Royal de Brighton, dans toute sa splendeur baroque et, à droite, la grande jetée, avec toutes ses attractions foraines, ses machines à sous et ses lumières kitch. Le résultat est vraiment décalé, mais pas déprimant... C'est mieux que rien en tout cas.

— Oh, c'est ici que nous allons ? demande Luc.

— Oui, dit Karen, et elle pousse la porte.

La sonnette tinte, et ils se retrouvent dans un univers de chintz rose et d'acajou verni. L'intérieur du magasin est dans le même style extravagant que la vitrine : du néo-victorien, avec de la dentelle partout sur les tables et les chaises, même les abat-jour sont juponnés comme des poupées en crinoline.

— Ah, madame Finnegan...

Une femme en chemisier couleur abricot et jupe droite noire se dirige vers eux pour les accueillir. Elle est bronzée, plantureuse, avec des cheveux colorés plus rouges que roux, ce qui fait d'elle une hybride, mi-tomate, mi-citrouille. Elle est chaleureuse, souriante, et Karen apprécie d'être en face de quelqu'un qui ne ressemble pas à un vampire.

— Oui, confirme Karen.

— Mon nom est Barbara Reed, et je suis entrepreneur de pompes funèbres. J'ai parlé avec votre beau-frère hier soir. (Alan lui avait téléphoné juste avant la fermeture.) Il a apporté les vêtements de votre mari à la première heure ce matin.

— Je m'appelle Karen, dit-elle en lui serrant la main. Et voici ma belle-mère, Phyllis Finnegan.

— Bonjour, dit Barbara. Toutes mes condoléances.

— Merci, répond Phyllis, au bord des larmes.

— Alors, ce sont les enfants ? (Barbara leur sourit.) Comment vous appelez-vous ?

— Luc, dit Luc.

Molly ne répond rien et se cache derrière la jupe de Karen en mettant son pouce dans sa bouche.

— Désolée... Voici Molly. Elle est un petit peu timide parfois, s'excuse Karen. Tu peux dire bonjour, Molly.

— Ce n'est pas grave, dit Barbara. J'imagine que c'est un petit peu trop pour toi, ma chérie.

— Je peux aller voir ce qu'il y a dans la vitrine ? demande Luc.

— Bien sûr... Veux-tu que je tire les rideaux pour que tu puisses mieux voir ?

— Oui, je veux bien.

— Ne touche à rien surtout, le prévient Karen.

— Le corps de votre mari est arrivé ici il y a environ deux heures, l'informe gentiment Barbara.

— Bien...

— Et il se trouve actuellement dans une de nos petites chapelles

— Merci.

— Il va falloir que nous parlions des dispositions que vous souhaitez prendre pour le service funéraire, mais je pense que cela peut attendre.

— En effet, j'aimerais mieux que les enfants ne soient pas là.

— Absolument. (Barbara cherche Luc du regard et se penche derrière la jupe de Karen pour attirer l'attention de Molly.) Alors, vous êtes venus tous les deux pour voir votre papa...

— Oui, on lui a apporté un dessin, dit Luc en se détachant de la maquette de la jetée et de ses attractions.

— Est-ce que je peux le voir ? demande Barbara.

Karen ouvre son sac à main et donne son dessin à Luc, qui le brandit fièrement.

— C'est magnifique ! s'exclame Barbara. C'est toi qui l'as fait ?

— Oui. C'est moi, là c'est maman, et ici papa, et là c'est Molly.

— Je le vois bien, dit Barbara. (Elle se tourne vers Karen.) Il dessine vraiment très bien.

Karen sourit. Ce n'est pas la première fois qu'on lui fait remarquer que Luc a hérité du talent de son père. Ce qui la touche vraiment, c'est qu'il est très précis dans le dessin et a le sens du détail. Par exemple, il a dessiné les fleurs mauves de son chemisier de façon si ressemblante qu'elle reconnaît aussitôt ses vêtements. Et il a ajouté les patchs sur les genoux du pantalon de Simon, comme dans la réalité.

— Et toi, tu as fait un dessin aussi ? demande Barbara à Molly.

La petite fille sort des jupes de sa mère. Karen lui donne l'autre dessin pour qu'elle le montre elle-même.

— Lui, c'est Toby, précise-t-elle.

— Toby est notre chat, explique Karen. (Il est très difficile de voir un chat dans le gribouillis de l'enfant, mais Barbara la félicite :) C'est magnifique, je suis certaine que votre papa va adorer vos dessins. Alors, vous êtes prêts ? (Elle se tourne vers Karen.) Vous leur avez expliqué un peu ce qui va se passer ?

— Oui, confirme Karen.

— Très bien. Alors, suivez-moi.

Elle passe devant et les conduit dans la chapelle.

Le cercueil est devant, sur une bière. Mais on ne peut pas voir ce qui se trouve à l'intérieur.

— J'ai peur, dit Luc.

Karen est surprise de sa réaction : jusque-là, il n'a montré aucun signe d'inquiétude. Mais elle sait d'instinct comment réagir.

— Tu veux que je te porte ?

— Oui...

Luc lui fait signe de la tête. Karen pose ses sacs et le prend dans ses bras.

— Moi aussi, j'ai peur, dit Molly.

— Tu veux que je te porte ? lui propose Phyllis.

— Oui, répond Molly.

Alors, sa grand-mère la prend dans ses bras.

Puis ils avancent tous les quatre en direction du cercueil. Karen s'est préparée, mais le mélange des odeurs de fleurs et des produits chimiques utilisés pour l'embaumement, sucrés, écœurants, lui donne la nausée. L'odeur, combinée à l'angoisse d'avoir amené les enfants, est si puissante et révoltante qu'elle lutte de toutes ses forces pour ne pas vomir. Elle déglutit pour refouler son trouble : elle doit se montrer forte.

Simon est étendu sur du satin de couleur crème, et son visage est encore plus gris qu'à l'hôpital. Il ne subsiste aucun signe de l'autopsie, mais c'est comme si le véritable Simon était encore plus absent de son corps. C'est étrange pourtant, car il ressemble encore à celui qu'elle connaît. Mon Dieu, s'il pouvait parler ! Il porte le costume, la chemise blanche et la cravate que Phyllis, Alan et elle ont choisis la veille au soir ; ces vêtements lui donnent un air sobre et rigide auquel Karen n'est pas habituée. La première chose qu'il faisait en rentrant du travail, c'était de déboutonner le col de sa chemise et de desserrer sa cravate – il ne supportait pas d'être engoncé. Il semble à Karen qu'il a très envie de faire ça en ce moment.

Elle s'était demandé s'il valait mieux choisir un autre costume ce matin, mais elle ne savait pas lequel. Finalement, celui-ci est tout à fait convenable, et ils l'ont choisi ensemble, avec Alan et sa belle-mère ; et même si, personnellement, elle a toujours préféré le voir dans des vêtements décontractés, l'idée qu'il soit enterré dans un survêtement ou un sweat-shirt est insupportable. En tout cas, elle est là avec sa robe de chambre maintenant, et à côté d'elle Phyllis sursaute, incapable de cacher sa stupeur.

Ce doit être terrible pour elle, pense Karen. Elle soulève Luc sur sa hanche, pour pouvoir le tenir avec un seul bras, et de l'autre elle agrippe l'épaule de sa belle-mère dans un geste affectueux.

Ils restent tous les quatre un moment en silence devant ce mystère.

— Je peux le toucher ? demande Luc.

Karen regarde Phyllis pour savoir ce qu'elle en pense ; elle acquiesce.

— D'accord... Tu lui fais une petite caresse sur la joue ?

Elle avance pour que Luc puisse voir dans le cercueil.

— Est-ce qu'il est froid ? demande Karen.

— Oui. Pourquoi ?

— Parce que le sang s'est arrêté de couler dans le corps de papa. Quand tu te coupes, le sang coule, n'est-ce pas ? C'est parce que ton cœur le fait circuler partout dans ton corps. Tout le long de ton bras... (Karen caresse ses bras jusqu'aux doigts.) Et partout là, et en remontant dans l'autre sens et en redescendant dans tes jambes... (Elle le caresse sur le dessus de ses chaussures.) Mais le cœur de papa s'est arrêté, voilà pourquoi il est tout froid.

— Je peux le toucher moi aussi ? demande Molly.

— Bien sûr, ma chérie, répond Phyllis.

Molly touche à son tour la peau exsangue de Simon, de ses petits doigts potelés.

— Alors, papa est mort ? demande Luc

— Oui. Ça c'est seulement le corps de papa. Ton vrai papa est parti au ciel maintenant.

Karen fait son possible pour être aussi claire que possible, car elle sait que des réponses évasives ne peuvent que les perturber davantage.

— Mais comment il a fait pour sortir d'ici puisqu'il est encore là ?

Karen s'efforce de rester simple :

— Son corps est ici, mais son esprit est parti là-haut. (Elle prend une grande inspiration.) Alors... Vous aimeriez placer vos images dans la boîte spéciale de papa ?

Tous deux font signe que oui, et leurs petites mains serrent très fort les dessins.

— D'accord. Si on les posait ici ? suggère-t-elle en prenant le dessin de Luc et en le posant juste sous le couvercle.

Puis elle prend celui de Molly et fait la même chose.

— Maintenant, est-ce que vous voulez aller chercher vos doudous pour qu'ils puissent dire au revoir, eux aussi ? Ils sont dans le grand sac posé près de la porte, si tu veux bien y aller, Luc.

Il revient avec le sac et Karen lui donne Crocodile Bleu.

Luc se mord la lèvre d'un air hésitant.

— À moi !

Molly désigne sa Princesse Aurore.

Karen lui tend sa poupée.

— Si tu veux, tu peux te pencher avec Aurore pour qu'elle donne un petit bisou à papa... Papa adore les bisous, tu le sais.

Karen a conscience qu'elle s'embrouille dans la notion de corps et d'esprit, comme s'ils étaient séparés, mais elle est bien obligée d'improviser au fur et à mesure parce que rien ne l'a préparée à cela.

Solennellement, Molly tapote Aurore sur la joue de Simon, en faisant des bruits de bisous avec sa bouche.

— Luc, pourquoi tu ne demandes pas à Crocodile Bleu de lui faire un bisou sur l'autre joue maintenant ?

Karen guide gentiment Luc par l'épaule jusqu'au cercueil. Il hésite encore un peu, mais il n'a pas envie de faiblir devant sa petite sœur : alors, il obéit.

— Maintenant, on va donner sa robe de chambre à papa, dit Karen en la sortant du sac. Je crois que nous allons la laisser là pour le moment, à côté de lui, comme ça.

Elle arrange la robe de chambre comme elle le peut sur le corps de Simon. Sans doute ne restera-t-elle pas ainsi... mais Karen en parlera avec Barbara, en privé.

— Il va être bien comme ça ? demande Molly.

Karen hoche la tête.

— Oui, ma chérie. Regarde, papa est bien installé comme ça.

Sa voix défaille. Les souvenirs de Simon lui reviennent... ces matinées innombrables, quand il enfilait sa robe de chambre pour aller infuser le thé ; le week-end, quand il préparait le petit déjeuner dans la cuisine ; ou quand il se précipitait dans la chambre des enfants parce qu'il avait entendu des pleurs.

Si les dessins des enfants sont leur cadeau, aujourd'hui, la robe de chambre est le sien... C'est lui donner tellement peu, et en même temps, c'est un geste si intime, si fort et chargé de sens. Évidemment, ça détonne avec l'environnement : le satin brillant à l'intérieur du cercueil, la laine grise respectable de son costume de travail.

Karen n'a même pas eu le temps de laver le vêtement et ça la gêne.

— Karen ?

Phyllis interrompt ses pensées.

— Oh ! désolée, oui... (Karen soupire lentement et lutte pour se concentrer sur le moment présent.) Dites-moi, les enfants, vous voulez lui dire autre chose ?

Et, les voyant perdus, elle leur souffle :
— Vous aimeriez lui dire au revoir ?
— Au revoir, disent-ils à l'unisson.

Le cœur de Karen défaille à nouveau. C'est beaucoup pour ces bambins. Elle-même trouve la situation insupportable.
— Voyons, je crois que Mamie aimerait passer un petit moment toute seule avec papa… Alors, moi, je propose de rentrer à la maison, et elle nous rejoindra plus tard, conclut-elle en jetant un regard à sa belle-mère pour vérifier si c'est bien ce qu'elle souhaite.
Phyllis porte Molly dans ses bras et pleure sans bruit dans les boucles blondes de sa petite-fille. Elle acquiesce d'un petit signe de tête rapide.
— Oui, on va se retrouver à la maison. Barbara vous appellera un taxi, si vous êtes d'accord.
Quelques minutes plus tard, Karen attache Luc dans son siège auto.
— Maman ?
— Oui ?
— Tu vas mourir aussi ?
Tant de questions ! Pourtant, ça aide Karen de se concentrer sur les besoins de ses enfants, et non sur les siens. Elle réfléchit un moment puis elle leur dit :
— Toutes les créatures vivantes meurent un jour, mon chéri. Mais la plupart des gens vivront probablement beaucoup plus longtemps que ton papa. Ce qui lui est arrivé est très triste, parce qu'il était encore très jeune, il avait cinquante et un ans, et nous ne savions pas qu'il était malade, alors c'est un grand choc pour nous tous. Mais la plupart des gens vivent jusqu'à soixante-dix ou quatre-vingts ans, alors moi, je vais certainement être avec vous encore très longtemps. Je vous le promets.

Elle se demande comment elle va pouvoir tenir sa promesse.

— Vous savez que je suis beaucoup plus jeune que papa n'est-ce pas ?

— Quel âge tu as ?

— Quarante-deux ans seulement. Alors, quand j'aurai quatre-vingts ans, vous serez des grandes personnes.

— Et grand-mère alors ?

— Ça, c'est plus compliqué. Pourtant, je ne crois pas qu'elle ait décidé de mourir pour le moment.

Luc fronce les sourcils.

— Bon, alors, pourquoi papa est mort ?

Mon Dieu ! pense Karen. *Si seulement je le savais.*

21 h 33

Les enfants sont endormis. Phyllis est partie. Il ne reste plus que Karen et Anna, assises sur le même canapé, un verre de vin rouge à la main, comme elles le font depuis plus de vingt ans.

Anna repense à la maison que Karen et Simon avaient prévu d'acheter. Elles n'en ont pas encore parlé, et Anna réfléchit à la manière la moins brutale d'aborder le sujet.

— Ma chérie, vous aviez mis une option chez le notaire, mais vous n'aviez pas encore signé de contrat, n'est-ce pas ?

Karen marque une pause.

— Nous devions le faire hier matin.

Anna soupire.

— Je vois... (La question suivante lui semble plus ardue.) Je me demandais... Tu as toujours envie de signer ?

— Oui, j'y ai pensé.

Karen s'assombrit. Anna sent qu'elle essaye de considérer les différentes options. Une grande maison, dans la banlieue de Hove. Avec des mensualités très lourdes. Ou bien une maison plus petite, sans l'être trop, plus proche de la gare de Brighton... Facile à entretenir, du moins avec des traites beaucoup plus raisonnables. La réponse est évidente, même si Simon a souscrit une assurance-vie. Mais Karen, encore en état de choc, a besoin de temps pour se connecter à la réalité.

— Je ne crois pas.

— D'accord.

Anna hoche la tête, mais elle sent la peine de Karen ; une perte de plus juste après la première. Ce qui faisait tellement envie à Karen dans la nouvelle maison, c'était le jardin : ici, le patio est minuscule. Elle avait tellement envie d'un endroit où les enfants puissent jouer, et de faire pousser des fleurs et des légumes.

Simon adorait les plantes, et cette grande maison avec son grand jardin à l'arrière semblait un paradis. Dire adieu à ce rêve aurait déjà été difficile dans n'importe quelle autre circonstance. Mais maintenant, d'un point de vue pratique, il fallait y renoncer. Finalement, telle qu'elle était, leur maison actuelle leur convenait très bien.

De nouveau, le silence s'installe, seulement interrompu par les petits bruits de souffle du chauffage au gaz dans la cheminée. Devant l'âtre, le chaton est allongé, profitant de la chaleur.

— Une des raisons pour lesquelles nous voulions acheter cette maison était que Simon puisse avoir son bureau sur place et ne passe plus autant d'heures dans les transports en commun. C'est quand même ça, l'ironie du sort, tu ne trouves pas ? ajoute Karen

— Je sais...

Anna soupire en évoquant les années passées avec Karen à peser le pour et le contre à propos du désir de Simon de s'installer à son compte en tant qu'architecte paysagiste. Karen ne se montrait pas favorable à cette décision. Ce n'était pas la bonne période, vu la conjoncture économique, et l'idée de le voir tourner en rond toute la journée dans la maison la rendait folle. D'un autre côté, il avait envie de passer plus de temps avec elle et les enfants. Ce n'était plus un tout jeune papa, et il ne les voyait que trop peu. D'autant qu'il passait plus de vingt heures par semaine dans ces maudits transports. Quelle ironie !

Anna serre fort la main de son amie, et ce contact la bouleverse. Elle est tellement chamboulée qu'elle en a l'impression d'être sa sœur siamoise et de ressentir tout ce que Karen éprouve.

Puis elle pense à Steve. Que ferait-elle sans lui ? Comment supporterait-elle une telle épreuve ? Elle imagine son lit, vide, son absence, sa vie sans leur intimité sexuelle. Qu'est-ce qui se passerait si elle ne pouvait plus parler avec lui, rire avec lui, faire des blagues et le taquiner ?

Elle frissonne. Elle est si heureuse de le savoir vivant.

Alors, de façon un peu perverse, elle se demande si la mort de Steve aurait provoqué moins de souffrance autour de lui. Bien sûr, ce serait épouvantable, surtout pour elle, alors que la mort de Simon a des conséquences sur tant de personnes.

Bien entendu, Steve a en Nouvelle-Zélande des parents qui l'aiment, des sœurs et des amis aussi. Et elle-même l'adore, n'est-ce pas ? Sinon, elle ne supporterait pas tout ce qu'il lui fait endurer. Mais ils sont ensemble depuis beaucoup moins de temps que Karen et Simon, ils sont moins enracinés. Elle a eu une vie avant de le rencontrer : sa maison, ses amis, son travail… et elle pourrait retrouver tout cela sans un traumatisme aussi profond que celui de Karen. La vie de Simon et Karen est cimentée depuis plus de vingt ans, et leurs liens sont tressés de mille manières. Il a joué tant de rôles pour elle : il n'a pas été seulement son amant, son ami et son confident, mais aussi son compagnon de vacances, son directeur financier, son homme à tout faire, son jardinier, son compagnon de jeux, son mécanicien, celui qui faisait les courses au supermarché... La liste est interminable.

Et Karen n'est pas la seule à être perdue à cause de son départ : il y a Phyllis, et Alan aussi. Les collègues et les amis de Simon. Et il y a surtout Luc et Molly, qui ne reverront plus jamais leur papa.

Anna pense à son père, qui a dans les soixante-dix ans...

Pendant les premières vingt années de sa vie, il a joué un rôle essentiel. Sa tête est pleine de souvenirs : les œufs de Pâques qu'il cachait pour elle et ses frères, la maison de poupée qu'il avait construite spécialement pour elle, les discussions sur les matières qu'elle devait étudier, les vêtements qu'il préférait, les petits copains qu'il n'appréciait pas.

Molly et Luc n'y auront pas droit.

Karen rompt le silence.

— C'était ma faute, dit-elle, pour la troisième fois de la soirée. J'aurais dû savoir...

— Tu ne savais pas, je ne savais pas, Phyllis ne savait pas. Même le médecin de Simon ne savait rien non plus.

— Mais moi je suis sa femme ! insiste Karen, comme si en se culpabilisant davantage, elle voulait porter tout le poids du remords sur ses épaules.

— Oui...

Anna tire sur un fil qui sort d'un des cousins, essayant de trouver des mots de réconfort, un moyen de soulager cette souffrance insupportable, car elle sait le lourd poids que la culpabilité peut faire peser sur quelqu'un.

— J'aurais dû lui faire du bouche-à-bouche aussitôt, pour le ranimer, continue Karen. J'étais tellement stressée.

— Moi, je ne saurais pas faire ça, et toi ?

— Non, pas vraiment... mais j'aurais dû essayer.

— Alors, tout le monde aurait pu faire la même chose dans le wagon, souligne Anna. Mais personne ne l'a fait. Et, de toute façon, d'après ce que j'ai compris, les infirmières sont arrivées très rapidement.

Elle pense aussitôt à Lou. Elle n'a pas encore parlé à Karen de leur rencontre dans le taxi. Hier, elle craignait que ça ne lui cause encore plus de souffrance. Mais elle est incapable de garder un secret, tout comme Karen, du moins dans leur relation : elles n'en ont aucun l'une pour l'autre. Elles se sont toujours tout raconté depuis qu'elles se connaissent. Anna n'a pas envie de lui cacher la moindre chose, alors elle lui dit gentiment :

— Je ne t'ai pas dit, hier, quand le train s'est arrêté à Wivelsfield, j'ai partagé un taxi pour aller à Londres avec une femme.

— Ah bon…

Karen n'a pas l'air intéressée, elle a l'impression qu'Anna lui parle de choses insignifiantes pour la distraire, et ça ne marche pas.

Anna va droit au but.

— Elle était assise juste à côté de toi et de Simon.

— Oh ! (Karen pâlit.) Ç'a dû être affreux pour elle.

Typique de Karen : faire constamment passer les autres avant elle.

— Il ne s'agit pas de ça ! Elle s'appelle Lou et a été adorable, vraiment gentille. Tu te souviens peut-être d'elle, des cheveux courts bruns, un anorak, un petit visage pointu, de taille moyenne, mince.

Karen secoue la tête.

— Je ne crois pas.

Anna réalise qu'elle dit n'importe quoi. Comment Karen pourrait-elle se souvenir de sa voisine ? De toute façon, ce n'est pas ce dont elle voulait lui parler.

— Lou m'a raconté ce qui s'est passé, dans le taxi, avant que je sache qu'il s'agissait de Simon, et elle a insisté sur le fait que personne n'aurait pu faire quoi que ce soit.

— Oh, dit Karen, comprenant peu à peu le message. Tu as peut-être raison...

Mais Anna voit bien qu'il lui faut encore du temps avant de se laisser convaincre.

*

* *

Doucement, Karen referme la porte d'entrée derrière Anna. Maintenant que son amie est partie, elle se retrouve toute seule pour la première fois de la journée. Anna lui a proposé de rester, mais Karen savait que c'était compliqué pour elle. Partager en copines un studio leurs années de fac, et même après, c'est une chose. Mais elle la connaît trop bien. Anna aime prendre soin de son look, et elle serait mal à l'aise sans ses affaires de toilette ou ses vêtements, sans parler de son lit. Il y a aussi Steve. Alors, elle l'a renvoyée gentiment chez elle à une heure raisonnable.

Elle retourne dans le salon. La fausse flamme au gaz lui rappelle que Simon avait été très impressionné par la cheminée dans la maison d'Anna, à Charminster Street : voilà pourquoi il avait installé lui-même un modèle de chauffage simple, propre, et l'avait intégré dans l'emplacement de leur ancienne cheminée.

Tandis que les flammes s'agitent comme des petits serpents de feu teintés de gris, Karen a soudain envie d'une cigarette. Il y a un paquet dans son sac, sur la table basse... Elle ne fume pas souvent, une ou deux cigarettes quand elle est seule, dehors, sans les enfants, ou quand elle est trop stressée. Alors, elle ouvre la fenêtre, inspire profondément, et se dit que, finalement, même si c'est mauvais pour sa santé, ça lui fait du bien. Et elle laisse la fumée toxique emplir ses poumons, passer dans les alvéoles pulmonaires puis dans son sang, et dans les capteurs de son cerveau. L'impression d'être plus proche de la mort, donc de Simon, est agréable.

Karen perd l'équilibre d'un seul coup. Peut-être est-ce la nicotine, ou tout simplement parce qu'elle se retrouve seule. Elle se sent comme une poupée de chiffon à qui on a fait croire qu'en la tenant dans les bras elle était réelle. Molly, Luc, Phyllis, Anna, l'ont aidée à tenir toute la journée, mais là elle n'est plus capable de tenir droit toute seule. Elle s'assied sur le canapé pour ne pas tomber.

Ce que Karen veut – a besoin de – faire, c'est pleurer, mais elle ne peut pas. Elle y parvient quand elle est avec les autres, comme s'ils lui en donnaient la permission. Mais là, toute seule, elle en est incapable. Ce n'est pas par peur de réveiller Molly et Luc. Mais elle sent que si elle se laisse aller, elle va perdre pied complètement. Et si elle s'effondre, elle ne pourra plus s'occuper de ses enfants, ni organiser les funérailles, ni prendre soin de sa belle-mère ou de qui que ce soit. Si elle s'écroule, comme une maison emportée par un tremblement de terre, elle va tomber dans un abîme profond et noir d'où elle ne pourra plus jamais remonter.

*

* *

La porte d'entrée est fermée à double tour lorsqu'Anna rentre chez elle : Steve n'est pas à la maison. De plus, il ne lui a pas dit où il allait ;

ça signifie qu'elle sait exactement où il se trouve. Au bar probablement, celui au bas de la rue, ce qui ne fait aucune différence. Ce n'est pas bon signe, en tout cas. Avec un peu de chance, ça ira. S'il est complètement soûl à son retour, il s'écroulera sur le canapé et ronflera tout habillé jusqu'au lendemain. Mais s'il est seulement éméché, il va vouloir parler et s'énervera. Elle ôte son soutien-gorge quand la porte d'entrée claque. Elle suspend son geste pour écouter ses pas lourds et hésitants : boum, stop, boum, stop. Il arrive en haut de l'escalier, et son pas est de plus en plus lourd. Très vite, elle enfile sa chemise de nuit : toute nue, elle se sent plus vulnérable. Il ouvre brutalement la porte de la chambre, la poignée de cuivre heurte le mur, déjà creusé à cet endroit par les chocs répétés.

Quand il est ivre, Steve ne mesure pas sa force physique. Il ne va pas se mettre en colère tout de suite, Anna le sait bien. Elle connaît la musique, c'est toujours le même refrain. La descente est rapide, et le pire c'est qu'elle peut anticiper tout ce qui va suivre.

Tout son corps se raidit, même les muscles de son estomac se tendent. Il va bientôt l'agresser verbalement, elle se prépare déjà à encaisser cette violence, ces paroles au vitriol. Mais là encore, peut-être, si elle a de la chance, elle s'en tirera à bon compte. Elle a déjà eu sa part aujourd'hui, et elle implore Dieu que ça s'arrête là. Elle a tant donné à Karen qu'elle n'a plus d'énergie pour cette épreuve supplémentaire. Steve va peut-être la comprendre.

Elle essaie de trouver son point faible, l'angle par lequel il va l'écouter :

— Je reviens de chez Karen…

Elle espère que le nom de son amie va lui rafraîchir la mémoire.

— Ah bon ?

Mais il a déjà oublié. Son visage s'assombrit. C'est étonnant comme Steve peut changer quand il a bu. Sa beauté semble disparaître dans un brouillard qui alourdit ses proportions, efface ses pommettes et ternit son regard. Même son corps est différent, il peine à se tenir droit : son ventre est ballonné, ses épaules voûtées.

Il s'avachit plus qu'il ne s'assied sur le lit, comme un sac de plomb. Mais il la surprend. Au lieu de délirer en bredouillant des accusations, des récriminations, des critiques, il reste silencieux et sa bouche esquisse un rictus de clown triste. Il fond en larmes.

Anna est surprise, touchée, carrément soulagée. Elle s'assied près de lui.

— Qu'est-ce qui se passe ?

Il essuie ses larmes du revers de son poing, comme un petit enfant.

— Je ne suis d'aucune utilité à personne, gémit-il en haussant les épaules.

— Non, ne dis pas ça ! s'écrit-elle, indignée.

Elle ne supporte pas qu'il boive, elle sait très bien que c'est par dégoût de lui-même.

— Je suis nul, réplique-t-il. Regarde-moi !

Il lève ses mains couvertes de peinture et les retourne pour les lui montrer en disant d'un ton désespéré :

— Je suis quoi, moi ? Un simple peintre de...

Elle l'interrompt :

— Mais un très bon peintre.

Et c'est vrai. Steve est un perfectionniste. Et il travaille très vite, ce qui est plutôt rare. Les clients le redemandent fréquemment et le recommandent toujours.

— Oui, mais... je n'ai pas de carrière !

Il parvient malgré tout à être cohérent et, finalement, il a raison. Mais Anna s'en fiche, elle n'est pas le genre de femme à avoir besoin de se faire valoir en ayant un homme à qui tout réussit. Le problème, c'est que Steve n'est pas heureux dans son travail. Il a une trop haute idée de lui-même, se trouve trop brillant pour ce qu'il fait.

— Simon avait une vraie carrière, ajoute-t-il d'une voix morne.

Il recommence à pleurer. Et même si c'est déjà arrivé plusieurs fois, Anna a beaucoup de mal à supporter de voir un homme pleurer ainsi. Alors, finalement, il arrive à exprimer ce qui le perturbe, malgré le brouillard de la bière et de l'alcool, et il se donne des coups de poing sur la tête, de toutes ses forces… ça doit lui faire mal.

— Ça aurait dû être moi.

— Pardon ?

Elle ne s'attendait pas à ça.

— Moi, moi ! C'est moi qui aurais dû mourir !

Et il se frappe la poitrine, comme un fou furieux.

— Hé, là, voyons…

Anna passe un bras autour de ses épaules.

— Ne dis pas de bêtise !

— C'est pourtant ce que vous voulez tous, non ?

Il rejette son bras, et sa colère monte, ce qu'elle redoute.

— Qu'est-ce que tu racontes, ce que nous voulons tous ?

En disant cela, elle réalise qu'elle n'a pas pris la bonne direction. De toute façon, il n'y a pas de bonne réponse à cette question.

— Tu aurais préféré que ce soit moi. Karen aussi.

Il se tourne vers elle, et la haine envahit ses yeux froids et rapprochés.

— Mais pas du tout, c'est ridicule !

Elle n'a aucune envie de continuer cette conversation, surtout à ce moment. C'est d'autant plus énervant qu'il a un peu raison. Il a deviné ses pensées quand elle en a parlé un peu plus tôt, et maintenant elle se sent coupable d'avoir ne serait-ce qu'effleuré par cette idée. Mais Steve comprend qu'en s'acharnant sur elle verbalement, il ne la rassure pas, et il ne se fait pas de bien à lui non plus. C'est ce qui la rend folle : quels que soient ses démons, l'alcool les déchaîne, au lieu de les endormir.

— Tu aimerais mieux que je sois mort.

— Stevie, mon chéri...

La voix d'Anna est ferme, elle s'efforce d'adoucir le ton en l'appelant par son surnom.

— Mais il n'en a jamais été question, comment peux-tu penser une chose pareille ?

D'un coup, comme si Dieu ou un esprit quelconque avait entendu sa prière, Steve s'arrête, semble l'écouter et réfléchir.

— C'est bien vrai ?

— Oui, murmure-t-elle.

— Oh !

— Je t'aime, mon amour.

— Moi aussi.

Et presque instantanément, il s'effondre de tout son long sur le matelas. En quelques secondes il ronfle, endormi.

Tendrement, Anna lui retire ses chaussures, défait sa ceinture, lui ôte son pantalon avec douceur. Il se retourne en marmonnant sans se réveiller pendant qu'elle remonte la couette et le borde comme un bébé. Il a toujours son slip, sa chemise et ses chaussettes, mais ça n'a pas d'importance.

Soulagée, elle va s'asseoir.

Dans la demi-pénombre, la lumière de la lampe de chevet lui dessine un nouveau visage. C'est un autre Steve qu'elle observe. Sa bouche est plus douce, ses longs cils lui donnent un air angélique, ses joues portent des traces de larmes, on dirait un petit garçon épuisé par sa crise de nerfs. Elle peut entrevoir l'enfant qu'il a été quand il était innocent et joyeux, au lieu d'être autodestructeur et méchant. Elle se demande à quel moment il a changé, entre la période où il était un adolescent agressif – elle sait qu'il l'a été, il l'a confessé –, et le moment où les premiers troubles se sont aggravés et où il s'est mis à boire.

Il sent l'alcool, pas seulement son haleine, mais aussi chaque pore de sa peau. Il a bu de la vodka. Qui assure qu'elle n'a pas d'odeur se trompe. Pour elle, la vodka a des relents acides, toxiques, l'odeur de la cuite clandestine et du mensonge. Elle déteste ces effluves qui la dégoûtent et l'effraient. Pourtant, elle apprécie d'en boire un petit verre de temps en temps avec Karen. Mais Steve est un véritable ivrogne, il ne sait pas s'arrêter. Pour elle, l'alcool est seulement un petit remontant. Parfois, elle se demande ce qui se serait passé si elle avait su dès leur rencontre que Steve était alcoolique... Serait-il là avec elle en ce moment ? Elle n'en est pas certaine. C'est comme si elle était partagée par deux Steve différents. Un homme charmant, doué, séduisant, et un autre, hostile, rancunier, agressif : l'alcoolique invétéré. Oui, elle se sent coupée en deux. Bien sûr, elle a envie de rester avec lui, mais elle a peur chaque fois que le docteur Jekyll se transforme en Mister Hyde. Elle a peur aussi de ce qui arriverait si elle le quittait. Et elle a peur pour elle : elle n'a pas envie de se retrouver seule. Elle a dépassé la quarantaine et, comme le lui a dit une de ses collègues en plaisantant le matin même, elle est périmée depuis un bon moment. Anna est un peu plus âgée que Steve, et encore très amoureuse de lui : leur alchimie amoureuse est magnétique quand Steve est sobre. Elle adore son odeur aussi. Steve a une odeur naturelle qui la fait craquer parce qu'elle est délicieuse, unique au monde.

Elle sourit malgré elle en se remémorant les grands moments de leur couple.

*

* *

— Je vais te présenter notre peintre, lui annonce Karen un après-midi où Anna arrive à l'improviste. Il est trop beau, lui dit-elle en la conduisant à l'étage.

Steve est debout devant la fenêtre. Il est couvert de peinture : il en a sur ses shorts en jean, ses tennis en toile, son tee-shirt, sur les bras et sur ses cheveux dorés par le soleil. Il se retourne au moment où elles entrent et il garde la pose, le pinceau dégoulinant d'émulsion blanche à bout de bras, comme dans une pub pour les laques tendance.

— Steven, voici mon amie, Anna, dit Karen.

— Salut, sourit-il, ravi de faire votre connaissance.

Sa voix est grave et séduisante, avec un accent charmant. Anna apprendra par la suite qu'il vient d'une famille fortunée qui habite en Nouvelle-Zélande.

— Alors, comme ça, tu viens de la haute ? lui avait-elle demandé un jour.

— Tu veux dire… pour un peintre en bâtiment ?

Et, en effet, c'est un peu ce qu'elle pensait. Finalement, comparé aux autres peintres qu'elle a connus, il est à l'aise de ce côté-là.

Avec le recul, elle aurait pu se demander pourquoi un homme issu d'un tel milieu faisait des petits boulots d'artisan ; mais ce jour-là, c'est la différence d'âge qu'elle remarque. Par rapport à elle et à son amie Karen, il a l'excuse de la jeunesse : normal, donc, qu'il se cherche encore professionnellement.

Elle se demande sur le moment si c'est un artiste qui fait ces petits jobs pour gagner un peu d'argent. Il y a des tas de gens plus ou moins artistes à Brighton, et ce ne serait pas étonnant.

— Anna a des gros travaux à faire chez elle, dit Karen.

Vraiment ? s'interroge Anna.

Elle vient d'emménager dans sa nouvelle maison, mais elle avait prévu de faire elle-même les peintures.

— Ah, oui ! enchaîne-t-elle. Vous pourriez passer pour me faire un devis.

— Avec grand plaisir, lui dit-il en souriant d'un air coquin qui devient carrément appuyé.

Anna se sent déjà des papillons dans l'estomac : l'attirance est réciproque, visiblement.

C'est aussi simple que ça. Le devis conduit à prendre un verre le soir même, mais là il ne se soûle pas : visiblement, il veut lui faire bonne impression. Une chose en amène une autre, et ils se retrouvent à discuter autour d'un dîner. Anna ne mange quasiment pas, elle se nourrit de ses paroles. Ensuite ils passent la nuit entière à baiser comme des fous.

Voilà comment Karen résume la situation pour elle le lendemain.

— Pas exactement, proteste Anna.

— Excuse-moi, la taquine Karen. Vous avez fait l'amour.

— Oh, non ! Pas ça non plus.

Anna s'énerve. Après une seule rencontre, ça sonne un peu trop sérieux.

Et finalement, en très peu de temps ils ont fait l'amour au lieu de baiser. Et quelques semaines plus tard, il emménageait chez elle.

*

* *

Eh bien, pense Anna, allongée sous la couette à côté de Steve, *il y a des jours avec et des jours sans, comme dans toutes les relations, non ?*

Quelques minutes plus tard, elle aussi dort à poings fermés, épuisée par trop de fatigue et d'émotions.

Mercredi

07 h 37

Lou attache son vélo avec le cadenas quand son téléphone sonne à deux reprises. Elle fouille dans son sac et l'ouvre. Elle a deux messages.

Le premier texto est de Vic, et le second vient d'un numéro qu'elle ne reconnaît pas, alors elle ouvre d'abord celui de Vic.

« C'est bien parti pour toi, lit-elle. Vendredi soir, ça va être ta fête à Brighton. Je vais inviter les gens plus tôt pour mon anniversaire, et je débarquerai plus tard chez toi. Promets-moi juste de ne rien faire que je puisse entendre, tu me dois bien ça. V. x »

Lou rit de l'humour très direct de Vic, mais elle a raison de s'inquiéter de la logistique : elle ne peut pas faire dormir sa meilleure copine dans la salle de bains.

Peu importe ! À ce stade, ce n'est encore qu'un détail. Elle peut très bien n'avoir aucune envie de cette femme, et vice versa. Pourtant, l'idée de la rencontrer l'excite déjà. Il faut qu'elle invite Howie aussi, ça pourrait être une super soirée.

Lou remet son sac sur son dos et se dirige rapidement vers la garc tout en lisant le message qui s'affiche aussitôt.

« J'espère que vous aurez mon message. C'est Anna. Vous prenez celui de 7 h 44 aujourd'hui ?

Je suis dans le wagon du milieu, juste après la pendule. Je veux rembourser ma petite dette. »

Lou est contente. Elle a souvent pensé à Anna, et à Karen, son amie. Et stimulée par les bonnes nouvelles – son rendez-vous avec Sofia –, elle a envie de bavarder. Elle rappelle Anna et entend la sonnerie.

— Je viens tout juste de monter, dit-elle.

— Je vais essayer de vous garder une place.

Quelques secondes plus tard, Anna tapote à la vitre pour attirer l'attention de Lou, et elles se retrouvent aussitôt côte à côte dans le train ; le sac à dos est sur l'étagère, et les mobiles, sur la tablette devant elles.

Lou se tourne vers elle.

— Alors, comment ça va ?

Anna a l'air fatiguée, ses cheveux sont défaits, ce qui n'a rien de surprenant après l'incident.

— Ça va, j'imagine. Et avant que j'oublie, voici l'argent.

— Ce n'est pas la peine.

Lou fait un geste pour dire que ça n'a pas d'importance.

— Non, j'insiste.

Anna ouvre son porte-monnaie et pose un billet froissé devant elle. Lou remarque le très beau cuir et le fermoir en cuivre.

— Lou voit bien qu'il n'y a pas moyen de discuter. Mais elle la remercie, moins pour l'argent que pour le plaisir de la revoir. Lou aime bien l'idée d'avoir une copine de train de temps en temps. Et Anna a brisé le tabou des usagers du train en parlant avec une étrangère.

Ce n'est pas l'endroit approprié pour établir des contacts.

— Comment va votre amie… Karen, c'est bien ça ?

— C'est l'horreur, répond Anna.

Lou acquiesce : comment qualifier de telles circonstances ?

Anna soupire.

— Je crois qu'elle est en état de choc. Mais c'est un truc abominable.

Anna regarde par la fenêtre. Lou voit qu'elle retient ses larmes.

— Elle et son mari étaient ensemble depuis longtemps ?

Lou ne veut pas paraître curieuse, mais elle a l'habitude de s'intéresser aux autres.

— Presque vingt ans.

— Alors, vous l'avez bien connu aussi ?

Anna acquiesce et se tamponne le coin des yeux avec un mouchoir en papier.

— Je suis vraiment désolée, dit Lou.

— Merci, soupire Anna en tentant de sourire.

— C'est horrible… pour n'importe qui.

— Ils ont deux enfants, balbutie Anna.

Et ça rouvre la blessure : elle éclate en sanglots.

— Oh, mon Dieu ! gémit Lou.

Elle n'y avait pas pensé, mais c'est plutôt logique.

— Ils ont quel âge ?

— Molly a trois ans. Luc en a cinq. Je suis leur marraine, ajoute Anna.

Lou est navrée pour elle et pour eux. Elle se penche, passe son bras autour de l'épaule d'Anna et l'enlace gentiment.

Même si elle ne la connaît pas très bien, ce geste lui semble évident et nécessaire. Anna se laisse aller à cette marque de réconfort. Les gens en face regardent discrètement, mais l'un d'eux a ses écouteurs et l'autre tapote son clavier d'ordinateur. Au-dehors, le paysage du Sussex se déroule devant eux : des prairies vallonnées et des bosquets charmants s'étalent sous leurs yeux comme des cartes postales idylliques.

— Ils doivent tous avoir besoin de vous en ce moment, j'imagine, dit Lou. Est-ce que quelqu'un prend soin de vous au moins ?

— Oui… Je suppose, répond Anna.

Lou comprend que la vie privée d'Anna n'est pas si simple. Sa réponse indique que son compagnon n'est pas du genre hyper protecteur. Elle reconnaît très vite les signes dans ce genre de scénario ; sa mère n'est pas vraiment d'un grand soutien pour elle non plus. Mais ce n'est pas le moment d'y penser.

— Je suis désolée…

Anna renifle et se détend un peu.

Lou retire son bras.

— Il ne faut pas vous excuser, c'est dur comme épreuve.

— Et puis, surtout, Karen se sent tellement coupable. C'est affreux, continue Anna. Elle croit qu'elle aurait pu faire mieux. Qu'elle aurait pu sauver Simon. Elle croit que si elle lui avait fait du bouche-à-bouche, elle aurait pu lui sauver la vie… Et moi, j'ai beau lui dire que ça n'aurait rien changé, elle ne veut pas m'écouter.

Lou se rembrunit.

— Elle n'aurait rien pu faire, j'en suis sûre. Je l'ai vu, il est mort instantanément.

— Je sais, je n'arrête pas de le lui dire. Mais vous savez ce que c'est. On croit toujours que si seulement… Et Karen est du genre à se sentir coupable pour tout, elle prend sur elle toute la misère du monde.

— Elle a l'air d'être une femme super, fait observer Lou.

— Elle est adorable

— Mais toute cette culpabilité n'aide pas non plus.

— Non.

— Pourtant, c'est très fréquent.

— Vraiment ?

— Oh, oui…

— Je n'ai pas beaucoup d'expérience en matière de deuil, admet Anna.

— Je n'ai pas perdu quelqu'un brutalement comme votre amie, commence à expliquer Lou. Mais mon père est mort il y a quelques années.

— Je suis désolée.

— C'était il y a longtemps. Et puis, j'ai aussi exploré le processus de deuil dans mon travail.

— Et que faites-vous exactement ?

— Je suis psychologue scolaire. Je travaille avec des enfants en échec scolaire.

— Très intéressant. Racontez !

Et Lou est ravie de trouver un moyen de détourner l'attention d'Anna et de lui changer les idées.

*
* *

Les enfants sont chez Tracy. Karen ne veut pas qu'ils entendent les détails des obsèques, ni les conversations téléphoniques avec les amis, les collègues et la famille.

Elle veut garder un semblant de normalité, aussi ténu soit-il, pour protéger Molly et Luc. Et Tracy, qui connaît bien les petits, est la personne idéale pour cela.

La partie de Karen qui fonctionnait à peu près a mis les enfants dans la voiture, bouclé les ceintures de sécurité, puis les a conduits chez leur nourrice à quarante kilomètres à l'heure.

Ils sont arrivés, comme convenu, à 9 heures exactement. Puis Karen est revenue à la maison, a verrouillé la voiture, et mis la bouilloire à chauffer. Elle devrait siffler d'une seconde à l'autre.

Pourtant, Karen a conscience d'un décalage, comme si sa tête était coupée en deux.

Une partie peut marcher, parler, faire du thé et conduire les enfants chez Tracy. C'est elle qui a été capable d'enfiler des vêtements corrects et de se coiffer. Cette partie voit tout ce qu'il faut faire : parler avec un prêtre qu'elle n'a jamais vu, envoyer des e-mails à des gens qu'elle ne connaît pas en utilisant le carnet d'adresses Outlook du portable de Simon...

Karen reconnaît bien cette part d'elle-même : celle qui s'occupe du syndic, n'est jamais en retard pour aller chercher les enfants à l'école ou chez Tracy, dresse une liste avant d'aller au supermarché avec les enfants dans le double Caddie.

Mais l'autre partie de Karen ne fonctionne pas bien du tout. Celle-là est un chantier inextricable, comme les dessins de Molly : des coups de crayons et des couleurs partout. Seule différence : dans les dessins de sa fille, on voit l'exubérance de la vie et de la joie – du moins, Karen l'a toujours pensé. Mais chez elle, le rouge et le noir, le gris et le violet n'expriment rien d'autre que l'enfer. Il lui semble que sa culpabilité est enracinée si profondément qu'elle ne peut l'arracher. Il y a un trou béant dans sa poitrine, comme après un séisme ou un bombardement, et les dégâts sont irréparables. Mais il y a pire : elle a l'impression qu'on a scié son crâne en deux et versé de l'acide directement sur les nerfs et la matière grise.

Karen fait tout son possible pour repousser cette souffrance infernale, écraser et enterrer ces pensées négatives et les soumettre à sa volonté.

Elle ferait mieux de s'organiser et de se concentrer. Elle y arrive pourtant parfois. Elle a vu le corps de Simon, a parlé avec des gens, a reçu de la sympathie, a vu des gens pleurer. Pourtant, elle sent qu'elle peut encore se retirer de cette expérience, se couper de la réalité, comme si tout cela n'avait pas existé, n'était pas réel.

Elle s'attend à ce que Simon revienne. Sans cesse, elle l'entend glisser la clé dans la serrure et lui lancer : « Salut ! » Elle l'entend marcher dans le couloir. Elle l'aperçoit en train de travailler sur son ordinateur, assis à la table de la cuisine, ou allongé sur le canapé et regardant la télé.

Mais non.

C'est bientôt l'enterrement.

Cela va avoir lieu à l'église, elles sont d'accord toutes les deux, Phyllis et elle.

Comme ils n'en avaient jamais parlé avec Simon, elles font tout instinctivement, en essayant d'imaginer ce qu'il voudrait. Tout se décide en un éclair ! Qui doit-on prévenir ? Qu'est-ce qu'il aimerait, lui ? Et tout se met en place.

L'autopsie a montré que son artère coronaire gauche était complètement bouchée, ce qui avait provoqué un infarctus et une rupture de son ventricule gauche. Autrement dit, c'était purement et simplement une attaque cardiaque.

— Mais cela ne répond pas à nos questions, dit Phyllis.

Et elle a raison : ce qui les crucifie, c'est qu'elles veulent savoir pourquoi la vie est si injuste. Pourquoi leur Simon ? Aucun rapport médical ne peut répondre à cette question.

De même, pour les funérailles, Karen avait d'abord suggéré un rituel moins traditionnel ; mais le cercueil en matière recyclable qu'on enterre dans les bois leur a semblé trop païen, trop austère pour Simon. Ce n'est pas comme s'il était bûcheron ou herboriste, même s'il faisait partie de ceux qui achètent des légumes bio et recyclent les déchets de façon très citoyenne dans cette ville.

En réalité, Karen est plus attachée à ces détails que lui, et elle ne se verrait pas dans un cercueil en carton recyclable. Alors, pourquoi en imposer un à Simon ?

Elles auraient pu choisir l'incinération ; ça ne l'aurait peut-être pas dérangé : il adorait les feux de joie, les barbecues, et il avait fabriqué leur foyer de cheminée. Mais ni Karen ni Phyllis n'admettaient l'idée de voir un grand gaillard comme Simon réduit à un petit tas de cendres !

Alors, elles se sont mis d'accord : il serait enterré sous une belle pierre tombale au cimetière de Brighton. Cela fait des siècles que les gens sont enterrés de cette manière, avec ce protocole, et Simon le serait comme son père. Surtout, Karen et Phyllis avaient besoin de la solidité de la pierre tombale. Karen ne peut se projeter dans le futur qu'en lui rendant visite sur sa tombe avec leurs enfants. De plus, elle se demande si Molly et Luc se rappelleront leur père plus tard s'il n'y a plus que des cendres éparpillées. Ils sont si petits... Elle veut avoir un endroit où aller avec eux pour cultiver le souvenir.

Et voilà que la douleur revient quand elle pense à l'avenir.

Karen repousse mentalement cette image, puis elle prend son stylo et commence à rédiger la liste des commissions qu'elle doit faire pour préparer le repas. Il faut penser à nourrir celles et ceux qui vont assister aux funérailles.

15 h 04

Au moment où Karen éteint le moteur de la voiture, elle entend des hurlements.

— Je veux un câlin de papa ! Je veux un câlin de papa !

Son estomac se soulève. Cela fait des mois que sa fille n'a pas fait de crise de nerfs. Simon et elle avaient noté ce progrès avec fierté et soulagement, le week-end précédent, mais Karen comprend ce que Molly exprime ainsi. D'habitude, elle réclame un câlin de maman ; maintenant, elle veut son père. Une demande simple. Karen aimerait tellement lui faire ce plaisir ; elle aussi a besoin de ce câlin plus que de toute autre chose au monde.

La voix de Molly monte encore d'un cran.

— Je veux un câlin de papa !

Oh, mon Dieu ! pense Karen en remontant le chemin jusqu'à la porte de Tracy. Si on entend Molly de l'extérieur, qu'est-ce que ça doit être à l'intérieur ! Elle appuie sur la sonnette.

Tracy ouvre la porte aussitôt.

— Je suis désolée, dit Karen, ça fait combien de temps qu'elle crie comme ça ?

Tracy lève les yeux au ciel.

— Depuis le déjeuner, avoue-t-elle.

— Oh, Tracy ! Vous auriez dû m'appeler.

Tracy fait généralement déjeuner les enfants vers midi et demi.

— Je pensais que vous aviez besoin de temps pour vous-même.

Elle se passe la main dans les cheveux.

— Je sais, et je vous remercie, j'avais tellement de trucs à faire, mais vous êtes une sainte, et vous avez des journées tellement longues.

— Je veux un câlin de papa ! Je veux un câlin de papa !

Molly crie si fort qu'elle n'a pas entendu sa mère arriver.

— D'habitude, j'arrive à la calmer, dit Tracy, criant pour se faire entendre. Ou plutôt, je l'ignore, et elle finit par s'arrêter toute seule.

— Je veux un câlin de papa ! Je veux un câlin de papa !

— Oui, c'est la meilleure solution, approuve Karen.

Tracy conduit Karen dans le séjour pour avoir un peu de répit.

— Mais aujourd'hui, elle est partie pour un bon moment.

Karen lâche un gros soupir et se mord la lèvre.

— Où est-elle ?

— Dans la cuisine, sous la table.

D'habitude, Karen ne se laisse pas atteindre par les pleurs. Elle a appris qu'il fallait leur laisser exprimer leurs émotions. Mais aujourd'hui, la souffrance de Molly est insoutenable.

— Je veux un câlin de papa ! Je veux un câlin de papa !

Karen n'en peut plus.

— Elle s'est également fait dessus aujourd'hui.

— Oh, non ! Molly est propre depuis l'automne dernier et n'a pas eu de ratés depuis Noël. Un pipi, je suppose ?

— Les deux.

Karen grimace.

— C'est pas grave...

Tracy sourit, mais Karen voit bien qu'elle est épuisée.

— J'ai complètement oublié de vous donner des vêtements de rechange, se reproche-t-elle.

Décidément, elle n'arrive plus à rien.

— Je lui ai mis des vieux vêtements de Lola, dit Tracy.

Lola, sa fille, a sept ans maintenant.

— J'ai tout ce qu'il faut pour les autres enfants quand il y a des petits incidents.

— C'est tellement gentil à vous.

— C'est normal. Ils sont un peu trop grands pour elle.

Karen se précipite vers la cuisine. Molly est recroquevillée comme un petit hérisson en colère sous la table en bois.

— Ta maman est ici, dit Tracy, en élevant la voix.

Karen se penche sous la table.

— Coucou, ma chérie.

Elle rampe pour l'attraper, mais Molly est très énervée et il n'y a pas moyen de l'arrêter. Elle continue à hurler la même litanie en tapant sur le sol en lino avec ses petits poings.

Karen ne sait plus quoi faire. Alors, elle s'assied par terre et caresse le dos de sa fille en disant :

— Papa n'est pas là...

Son âme hurle de douleur en disant cela, mais elle trouve la force de murmurer :

— Tu veux un petit câlin de maman ?

Molly ne la repousse pas. C'est déjà ça. La crise s'estompe peu à peu et, finalement, la fillette s'effondre dans le giron de sa mère comme un insecte foudroyé.

Elles restent assises l'une contre l'autre pendant plusieurs minutes, sous la table où Karen l'a ramenée à l'abri des regards. Il y a une odeur rassurante de pin et de toile cirée autour d'elles, et Karen comprend pourquoi sa fille a choisi comme refuge cette niche pour petit chien perdu sans son maître.

— Là, là... Ça va aller, mon poussin. Je suis désolée, je ne suis pas ton papa. Mais moi aussi je sais faire de gros câlins à ma petite princesse.

Karen l'entoure de ses bras comme pour lui créer un cocon. Elle caresse ses cheveux doucement, et Molly ravale enfin ses derniers sanglots, sa respiration devient plus calme, tranquille.

Puis Karen lui demande :

— Ça va mieux ?

— J'ai bobo partout, répond Molly en relevant la tête.

— Où as-tu mal ?

— Là.

Molly se redresse et frotte son ventre

— Ah, pauvre petit ventre !

Karen la caresse.

— Et là aussi.

Molly touche son front.

— Pauvre petite tête !

Karen l'embrasse sur le front.

— Et là aussi. (Molly montre sa poitrine.) Ça fait bobo partout.

Karen sait que cette douleur extérieure manifeste la souffrance intérieure.

Elle aussi a mal partout ; elle se redresse pour caresser le petit torse de Molly et aperçoit Luc debout à côté d'elle. Il a relevé la toile cirée pour les regarder toutes les deux.

— Coucou, mon amour, dit-elle en tendant les bras vers lui.

Elle se demande depuis quand il les observe.

— Tu veux venir avec nous ?

Luc secoue la tête.

— Je crois qu'il faudrait qu'on parte maintenant. (Karen change de position.) Allez, viens Molly, c'est l'heure de partir.

Molly se recroqueville en couinant comme un chaton apeuré.

— Allez, viens, il faut partir.

Karen se relève tout doucement en la faisant glisser gentiment pour l'extraire de leur cachette sous la table.

— Luc, mon poussin !

Et elle lui fait un grand sourire pour lui donner l'attention dont il a besoin lui aussi.

Il ne dit rien.

— Tu vas bien ?

Luc se contente de la fixer en faisant la moue ; en temps normal, il lui ferait un petit signe de tête. Mais là, il ignore complètement sa question.

— Allez, rentrons à la maison ! insiste-t-elle. On va faire un petit goûter avec des jus de fruits et des petits gâteaux, et si vous êtes très gentils, je vous laisserai regarder un DVD à la télé. Pourquoi pas *Shrek ?* Ça vous plairait ?

— Oui, dit Molly sans hésitation.

Luc reste silencieux, il s'ouvrira peut-être plus tard...

Karen ne les laisse jamais regarder un film à cette heure de la journée, mais ils ont l'air si désespéré qu'elle veut absolument les consoler d'une manière ou d'une autre. Et vu la situation, qu'est-ce que ça peut faire ? La mort de leur père est quand même plus traumatisante que le fait de trop regarder la télévision.

— N'oubliez pas ça ! s'exclame Tracy en lui tendant les vêtements mouillés de Molly. Je les ai lavés, mais ils ne sont pas secs.

— Vous êtes un ange.

Karen passe la bandoulière du sac sur son épaule et prend chaque enfant par la main pour les guider dans le couloir vers la sortie. Molly ressemble à un clown avec une robe dix fois trop grande pour elle, et Luc traîne les pieds, maussade et inconsolable.

*
* *

Sur les bords de l'estuaire, là où les eaux sont enrichies en minéraux et où soufflent les brises marines, se dresse la distillerie. Et cela fait deux cents ans que nous maintenons la tradition pour vous offrir un des meilleurs scotchs d'Écosse, concocté avec les malts les plus raffinés. Emplissez un verre et regardez sa couleur à la lumière ; vous avez toutes les nuances qui vont de l'or blond au brun le plus profond, les couleurs de notre royaume des Highlands.

Anna apprécie son travail, car elle y oublie ses soucis.

Elle peine à se concentrer, mais elle a l'habitude. Elle est devenue une vraie pro dans l'art de passer à la trappe les souvenirs torturants de la veille, concernant Steve notamment, et de pouvoir écrire le lendemain.

Elle décide qu'elle traitera le problème un peu plus tard et se jette dans le travail.

Mais il ne s'agit pas de Steve aujourd'hui : il faut oublier momentanément Karen et les enfants, un exercice qu'elle effectue comme un athlète bien entraîné. Anna se sent presque déloyale, tellement il lui est facile de passer d'une énergie à une autre.

— Du thé ? demande Bill en rapprochant sa chaise de la sienne.

— Oh ! oui, merci.

Anna lève la tête. Autour d'elle, le bureau est comme une ruche.

Il y a de la musique en sourdine, des téléphones sonnent, les collègues discutent. Mais Anna est dans son monde à elle.

Elle est en Écosse, et son visage inondé de soleil respire les embruns et les algues dans le cri des mouettes.

Elle adore son travail d'écriture descriptive. Il lui permet de s'évader dans un autre monde, presque par magie.

Au moment où Bill apporte une tasse de thé, son mobile sonne et la magie s'évanouit.

Il est temps de faire une pause et de regarder ses textos, car elle a déjà perdu le fil.

« Je n'en peux plus. J'aimerais parler avec toi, mais je sais que tu es occupée.

K xxx »

Anna se sent mal, car Karen, elle, n'a aucun refuge, aucune porte de sortie.

Elle va dans le couloir et l'appelle.

— Allô ? dit Karen.

Anna entend les larmes dans sa voix. Depuis combien de temps pleure-t-elle comme ça toute seule ?

— Oh, ma chérie, tu aurais dû m'appeler plus tôt.

— Je ne voulais pas te déranger.

— Je ne réponds pas quand je suis occupée, mais je peux quand même parler quelques instants. Alors, la prochaine fois, appelle-moi s'il te plaît. C'est vrai, c'est moi qui aurais dû t'appeler... Je suis désolée.

Karen déglutit en essayant d'arrêter ses larmes :

— Je suis désolée, je suis désolée... C'est tellement dur de pleurer tout le temps comme ça. Mais maintenant, je n'arrive plus à m'arrêter. Les enfants sont dans la pièce à côté, ils regardent *Shrek*, et moi, je ne sais pas, je devais appeler les pompes funèbres pour parler des fleurs et tout ça, mais là j'ai craqué... Je n'y arrive plus. Molly a fait une terrible crise de nerfs cet après-midi chez Tracy, la pire crise que j'aie jamais vue, elle a réclamé son père pendant presque trois heures... Et Luc refuse de me parler. Il s'est refermé comme une huître. Il ne décroche pas un mot, pourtant hier il allait à peu près bien, mais tu sais, je lui ai bien parlé et il a pleuré, mais j'ai senti que je ne pouvais pas être leur papa, je ne pourrai jamais le remplacer et... Oh, Anna... pourquoi ça m'est arrivé à moi ? Je veux seulement que Simon revienne ! Je veux qu'il soit là avec nous, je veux qu'il m'aide à me débrouiller avec tout ça !

Karen éclate en sanglots encore plus forts.

— Je viens de rentrer à la maison. J'ai essayé de faire des choses, mais quand j'ai ouvert le sèche-linge, il y avait des vêtements à lui, il les avait mis lundi matin... sa chemise pour le bureau. Je n'ai pas eu le temps de faire de lessive depuis et j'avais oublié son linge. J'ai commencé à pleurer, et Luc est entré. Tu aurais vu l'expression sur son visage ! Atroce... il avait l'air complètement hagard.

Anna se contente d'écouter ; dès que Karen se calme un peu, elle se reprend courageusement et lui dit :

— Je suis tellement désolée de te déranger à ton travail. C'est juste que, aujourd'hui, je n'arrive pas à m'y faire. Excuse-moi...

— Ma chérie, arrête de t'excuser et d'être aussi dure avec toi-même ! lui ordonne Anna. Tu n'es pas obligée de t'y faire. Mais tu y arrives quand même et je trouve même que tu te débrouilles très bien, même si tu es trop dure avec toi. C'est normal de pleurer, et personne ne te le reprochera, surtout pas moi.

— Moi, je me le reproche, dit Karen.

— Bon d'accord, si tu veux. (Anna sourit.) En tout cas, personne d'autre que toi n'y voit d'inconvénient, je t'assure.

— C'est grave pour les enfants.

— Non, c'est normal. Ce qui ne serait pas normal, ce serait de voir une mère qui prétendrait que tout va bien. Je suis certaine que c'est bien pire.

— C'est vrai ?

— Oui. Ça fait du bien de pleurer, c'est pas une marque de faiblesse.

Anna en est persuadée : d'instinct, elle sent que Karen s'enlise dans le chagrin, et qu'elle amorce une vraie dépression en ne s'autorisant pas à pleurer. Mais de son côté, finalement, elle fait la même chose. Bon, d'accord, la situation est différente : elle n'a pas perdu son compagnon. Elle doit gagner sa croûte et, en plus, qu'elle soit forte pour son amie Karen qui, de son côté, doit être forte pour les enfants.

Anna a de nouveau l'impression qu'elles sont en miroir toutes les deux. Même maintenant, leurs réactions sont similaires : elles veulent toutes les deux être fortes pour les autres.

Elles sont partenaires dans le même jeu de dominos en sucre et, si l'une d'elles en fait tomber un, toute la construction s'écroule. Le truc, c'est de savoir qui va souffler sur l'édifice.

— Mais tout est de ma faute, gémit à nouveau Karen. J'aurais dû...

Oh, non ! pense Anna. Le décès est survenu moins de quarante-huit heures auparavant, mais entendre Karen se flageller ainsi est particulièrement insupportable.

— Karen...

— J'ai l'impression de l'avoir tué, continue Karen calmement.

— Oh, ma chérie...

— Je sais... je ne peux pas m'en empêcher.

C'est idiot. Anna aimerait être face à Karen. Et elle a envie de la prendre dans ses bras. C'est si frustrant de ne pas pouvoir la raisonner, la secouer, lui faire comprendre qu'elle n'a rien à se reprocher ; mais Anna a beau tout essayer, elle sent bien que rien ne pourra changer la façon dont son amie encaisse un coup d'une telle violence.

19 h 09

Anna rentre chez elle après son travail quand son téléphone sonne à nouveau. Bizarre, elle vient juste de transférer ce numéro dans son carnet d'adresses.

— Bonsoir, c'est Lou.

— Je sais, je viens de noter votre numéro dans mon mobile.

— Marrant...

— Quelle coïncidence !

— Vous êtes dans le train ? demande Lou.

— Oui, et vous ?

— Oui.

— Double coïncidence... Mais je suis arrivée à la dernière minute et je suis en queue de train

— Moi je suis en tête, alors ça ne vaut peut-être pas la peine de nous rejoindre maintenant, on approche de Brighton. Je voulais vous demander... Comment ça va ? Ça s'est bien passé aujourd'hui ?

— Oui, j'ai l'impression. (Anna ricane bêtement.) Mais je me moque de mon travail en ce moment.

— Je comprends...

Un silence, puis Lou demande :

— Comment va Karen ?

— Oh, euh...

Anna ne parvient pas à mentir à Lou, qui était présente quand Simon est mort, après tout ; mais elle déteste avoir une conversation privée dans le train, où tout le monde peut entendre.

Elle réfléchit rapidement. Steve travaille sur un chantier qu'il doit terminer pour un client, il rentrera tard à la maison. Karen va passer la soirée avec Alan, le frère de Simon. Alors, Anna est libre.

Ça fait un moment qu'elle a envie d'être seule, et elle avait prévu un bon bain chaud avant d'aller se coucher de bonne heure. D'un autre côté, ça lui ferait du bien de parler à quelqu'un...

— Ça vous tente de prendre un verre avec moi ? demande-t-elle sans réfléchir. Du côté de la gare ?

Un autre silence, puis Lou répond :

— Oui, pourquoi pas ?

— On pourrait aller dans ce pub à Trafalgar Street. J'ai oublié son nom, mais c'est un endroit très sympa.

— Celui qui se trouve tout au bout ? Moi aussi, j'ai oublié son nom.

Elles sont synchrones, elles oublient les mêmes choses.

— Oui. À droite quand on descend.

— Ça serait bien. Je vous attends à la sortie du tourniquet.

Le train freine et les wagons scintillent dans la lumière fluorescente. Il ralentit au passage des signaux lumineux et s'arrête le long du quai dans un vacarme métallique.

*

* *

Lou a téléphoné à Anna sur un coup de tête, parce qu'elle pensait à elle et à Karen, se demandant ce qu'elle pourrait faire pour les aider. Bien sûr, elle ne peut rien changer à ce drame, et elle sait qu'elle devrait se protéger, parce qu'elle a tendance à trop donner – ce qu'elle fait déjà dans son travail.

Pourtant, elle éprouve tant d'empathie pour les deux femmes qu'elle ne peut s'en empêcher... Anna est déjà là, au milieu de la foule qui se presse vers les barrières. Lou lui fait un signe de la main.

— Salut ! lance Anna en arrivant à la grille.

Elle embrasse Lou sur les deux joues.

Anna est de plus en plus chaleureuse à chaque fois que je la rencontre, pense Lou.

C'est drôle, ça. Il y a des personnes qui nous paraissent sympathiques à la première impression et que, finalement, on trouve superficielles et décevantes, et d'autres, distantes parfois, comme Anna, se révèlent affectueuses et loyales.

Lou récupère son vélo et elles marchent ensemble. Il fait un peu froid, et le vent qui s'engouffre sous le pont derrière la gare décoiffe le brushing d'Anna. Elle porte des bottes vertes en cuir verni, à talons hauts qui font un petit « Clac ! clac ! » quand elle descend la colline à petits pas.

Lou a les cheveux en bataille quel que soit le temps qu'il fait et porte des vieilles baskets confortables.

Nous formons un duo très improbable, se dit-elle.

— Ah ! voilà le nom que je cherchais, constate Anna quand elles arrivent à la porte du pub : The Lord Nelson.

Au bar, Lou se faufile entre un groupe d'hommes âgés au visage rouge et un couple de jeunes gens.

— Qu'est-ce que vous prendrez ?

Anna consulte la carte des vins.

— Un verre de celui-ci. (Elle désigne un point rouge au bas de la page.) Mais ne vous inquiétez pas, c'est pour moi.

Lou remarque qu'Anna a des goûts de luxe. Pourtant, elle lui conseille :

— Non, prenez celui d'après.

La serveuse leur sourit. Elle est mignonne, habillée de façon excentrique avec des mèches de cheveux de toutes les couleurs. Plus jeune que Lou, probablement une étudiante, elle devine aussitôt que celle-ci est gay. Lou commande le vin rouge pour Anna et un demi de bière blonde pour elle. Un des vieux clients s'impatiente parce qu'il attend sa commande depuis plus longtemps, mais elle l'ignore. Après tout, pour une fois qu'elle passe avant les autres...

Lou regarde autour d'elle. La salle est divisée en petits boxes, l'air est rempli de bière, de voix et de rires.

Anna fait écho à sa pensée.

— J'aime bien cet endroit. Exactement ce dont j'avais besoin.

— On va là-bas ?

Lou désigne une alcôve, une petite table étroite et deux banquettes en cuir au dossier très haut.

Anna retire son imperméable avant de s'asseoir. Lou réalise qu'elle la voit sans manteau pour la première fois. Elle est habillée simplement : jupe noire et pull ras du cou. Mais son collier de grosses pierres polies donne de la classe à l'ensemble. *Il faut se sentir bien dans sa peau pour porter ce genre de vêtements*, se dit Lou, et cette femme force le respect, étant donné ce qu'elle vient de vivre. En face d'elle, Lou se sent comme une clocharde. Elle a enfilé n'importe quel vêtement au hasard avant de partir. Mais ce n'est pas le moment de penser aux apparences et, de toute façon, Lou s'intéresse beaucoup plus à la personnalité des gens.

Pourtant, elle n'a pas envie de lancer la conversation sur les problèmes d'Anna : ce serait manquer de tact. Elle attend que l'autre femme parle et se contente de répéter :

— Alors, le travail ; c'était comment ?

— Je ne peux pas me plaindre. Je ne suis pas épuisée par le travail en ce moment.

— Bon...

— Et les gens avec qui je travaille sont très gentils, mais je trouve ça plus pratique de ne pas leur dire ce qui se passe. Ça me permet de décompresser, si vous voyez ce que je veux dire...

Lou sourit.

— Je vois.

Si seulement Anna savait à quel point je m'identifie à ce qu'elle dit ! pense Lou. Pourtant, elle ne voit pas l'intérêt de lui expliquer tout ce qui s'est passé pour elle cette semaine : Anna a d'autres chats à fouetter. Alors, elle dit simplement :

— C'était une très bonne idée.

— Hmm... C'est super de venir dans un pub et de ne penser à rien d'autre, avoue Anna.

Lou sent qu'Anna pourrait se confier davantage, alors elle tente un autre angle d'attaque.

— Alors, dites-moi, comment vous êtes-vous retrouvée à Brighton ?

— Oh, c'est une longue histoire... (Anna recule sur son siège.) Mais je vais essayer de résumer.

Elle prend une grande inspiration.

— Eh bien, ça faisait déjà longtemps que je vivais avec le même type, Neil. Nous habitions à Londres, et c'était bien, peut-être trop bien. Tranquille, si vous voyez ce que je veux dire.

— Oui.

Lou comprend parfaitement.

— Enfin, Neil était adorable, je vous jure. Et il réussissait tout ce qu'il entreprenait. En fait, j'étais incroyablement gâtée avec lui. J'avoue que ça me manque.

Un court instant, Anna a l'air d'un chien abandonné.

— Je dois dire que, du point de vue matériel, j'avais tout ce que je voulais : un bel appartement, une voiture de luxe, un bon job...

Voilà d'où vient son goût pour les belles choses, se dit Lou.

— Mais je crois que j'ai fini par m'ennuyer... Pour être honnête, ce n'est pas tout à fait ça. J'ai commencé à avoir des crises de panique. Je ne sais pas si vous en avez déjà eu vous-même...

— Non.

Lou secoue la tête.

— Au début, je ne savais pas de quoi il s'agissait. C'était très alarmant. Je n'arrivais plus à respirer, j'avais des vertiges, et un jour je me suis évanouie dans le métro.

— C'est terrible !

— Oui, mais ce qui me faisait le plus peur, c'est que je n'avais pas de signes avant-coureurs. Finalement, j'étais tellement mal que je suis allée voir mon médecin généraliste, et il m'a envoyée chez un thérapeute.

— Ça vous a aidée ?

— Un peu, oui. Je ne veux pas vous ennuyer avec tous les détails, mais nous avons travaillé sur le fait que j'étais claustrophobe, au sens large. Ma vie, mon travail, mes relations, tout me paraissait contraignant. Alors, j'ai décidé de faire de grands changements dans ma vie. Je ne voulais pas avoir d'enfant avec Neil, ce qui était déjà un signe, alors que lui voulait vraiment en avoir avec moi... Mais je n'arrivais pas à imaginer ma vie dans cette grande maison bourgeoise, impeccable, travaillant dans la pub, et tout le reste. (Elle frissonne.) Ça me semblait insupportable.

Ouah ! pense Lou. *Alors, j'avais raison. Anna n'est pas ce qu'elle paraît.*

— Alors, je l'ai quitté.

Anna secoue la tête comme si elle n'en revenait pas d'avoir pu faire ça.

— Il vous a fallu du cran.

— Oui, j'imagine. Mais j'avais l'impression que j'allais devenir cinglée si je restais. Je suis certaine que je serais devenue folle. Vous voyez ce que je veux dire ?

— Tout à fait…

Lou se sent de nouveau complètement en phase avec Anna.

Mais elle en parlera avec elle plus tard. Pour le moment, elle veut en savoir plus. Elle se penche vers la femme, qui poursuit.

— Alors, je me suis demandé ce que j'allais faire et où aller. J'ai fait une liste de tous les paramètres. J'en avais marre d'habiter à Londres : tout le monde est obsédé par le désir de gagner plus que le voisin, quitte à ne plus avoir de vie. Donc, j'ai quitté mon job et je suis devenue free-lance. J'avais aussi envie de changer de décor. J'étais allée à l'université ici il y a des années, et j'adorais cet endroit. Et puis, Brighton n'est pas très loin de Londres, comme vous le savez. Donc, on peut continuer d'y travailler en se levant un peu plus tôt. Mais surtout, c'est le fait d'avoir Karen et Simon comme amis ici qui m'a décidée, et ils n'ont eu aucun mal à me persuader de venir. Karen habite à Brighton depuis la fac, elle n'est jamais partie. C'est là que nous nous sommes rencontrées, et elle et Simon se sont mis ensemble peu de temps après. Alors, j'ai acheté une petite maison près de chez eux, et voilà toute l'histoire.

Maintenant qu'Anna lui a fait ces confidences, Lou est encore plus curieuse de savoir qui est son compagnon actuel. *Quel est son genre d'homme ?* se demande-t-elle. Mais elle ne veut pas forcer les confidences. De toute façon, c'est probablement à son tour de se confier, Anna pourra en dire davantage par la suite. Pour le moment, c'est à son tour de poser des questions.

— Et vous, comment êtes-vous arrivée à Brighton ? J'ai l'impression que vous n'avez pas vécu ici toute votre vie ?

Elle a été très franche avec moi, pense Lou, *je dois lui rendre la politesse.*

Mais elle a terminé son verre et aimerait bien en prendre un autre, si elle doit aborder le passé.

— C'est toute une histoire, je suppose, dit-elle. Je peux commander une autre tournée d'abord ?

— Volontiers, dit Anna, mais c'est moi qui vous invite. J'aime bien les petits amuse-gueules qui vont avec, et vous ?

*

* *

Quelques minutes plus tard, Anna est de retour. Lou repose son téléphone, elle vient d'envoyer un texto à Howie à propos de vendredi.

— J'ai l'impression qu'on ne me sert pas aussi vite que vous, constate Anna. Alors, vous disiez ?

Lou inspire profondément.

— Moi, pour faire court, je crois que je suis venue ici pour fuir ma famille.

— Ah...

— C'est peut-être un peu condensé, mais disons que c'était pour échapper à ma mère, après la mort de mon père...

— Ça fait longtemps ?

— Presque dix ans. Cancer.

— Je suis désolée.

Anna regrette d'avoir amené Lou sur ce sujet, elles semblent entourées par la mort.

— En tout cas, j'ai grandi à Hitchin, dans la région de Hertfordshire. Vous connaissez ?

— Non.

— C'est une petite ville typique d'Angleterre. Avec un marché, sympa. Mais, pour reprendre votre expression, on peut y devenir très vite claustro… surtout quand on est gay comme moi.

Allons bon ! pense Anna. Mais elle est contente que Lou ait lâché le morceau. Elle le savait depuis le début, mais ça va être plus facile maintenant.

Lou se gratte la tête comme si elle allait trouver l'inspiration, et les mots justes, et elle soupire.

— Mon père était très malade les derniers mois de sa vie. Alors je suis retournée à la maison pour aider ma mère à prendre soin de lui. Et je suis restée quelques mois après sa mort, pour aider ma mère à remonter la pente. Finalement, je lui ai suggéré de faire un gîte, un Bed & Breakfast, dans sa maison pour l'occuper et lui changer les idées.

— Elle vous a écoutée ?

— Oui, et elle le tient encore maintenant.

— C'était très gentil de votre part de vous occuper de vos parents pendant toute cette période, dit Anna. Vous avez des frères ou des sœurs ?

— J'ai une sœur plus jeune, Georgia.

— Elle ne vous a pas donné un coup de main ?

— Bonne question !

Lou rit amèrement.

— Elle est mariée et elle a des enfants. Je suis l'aînée, donc celle qui porte cette responsabilité, c'est bibi. La fille célibataire doit assurer… C'est très fréquent. Il fallait que je parte. Après avoir vécu pendant six mois avec ma mère, je pétais les plombs. Comme vous, je suis partie. Je n'avais pas exactement les mêmes raisons que vous pour choisir Brighton. J'avais des amis ici, et je voulais vivre dans un endroit où je me sentais à l'aise.

Je ne me suis jamais sentie chez moi, là d'où je viens.

Anna veut en savoir plus.

— Et comment êtes-vous devenue psychologue ?

— Je me suis d'abord occupée bénévolement des sans-abri. J'avais affaire à toutes sortes de drogués, surtout à des alcooliques.

Anna devient blême en entendant le mot, et se demande si Lou l'a remarqué ; mais elle est trop impliquée dans son histoire, ou trop polie, pour montrer de la surprise devant la réaction d'Anna. Et Lou enchaîne :

— J'étais fascinée par le cheminement qui les avait conduits à l'autodestruction, alors je me suis formée à ce métier. J'ai terminé ma dernière année de stage l'an passé. Et j'ai obtenu un job à l'école d'Hammersmith à la rentrée des classes. Mais je travaille encore avec les sans-abri, tous les vendredis après-midi.

La boucle est bouclée, pense Anna. Il ne lui en faut pas plus pour croire au destin. Elle se demande s'il y a d'autres raisons pour justifier leur rencontre.

— J'aimerais tellement que Karen vous rencontre, dit-elle tout à coup.

— Vraiment ?

— Oui… je crois que ça l'aiderait beaucoup de parler avec vous.

— Vous croyez ? Pourquoi ?

— Je ne sais pas. (Anna essaye d'expliquer son intention.) C'est une intuition. Elle se sent tellement coupable, et je me dis que puisque vous êtes thérapeute, en somme…

— Il faut voir…

— Ça vous ennuie si je le lui propose ?

— Non, pas du tout. J'aimerais pouvoir l'aider.

— Je crois que c'est une très bonne idée.

— Mais il n'y a pas le feu. Ce n'est peut-être pas encore le bon moment. Ça vaut la peine d'y réfléchir un peu avant.

Anna est impatiente d'agir.

— Je vais lui téléphoner.

— Vous êtes sûre ? Elle a tellement de choses sur les bras en ce moment.

— C'est vrai… mais ça ne coûte rien de demander.

Anna sort son téléphone. À cette heure, les enfants doivent être au lit, et Karen répond quasiment à la première sonnerie. Anna va droit au but.

— Karen, j'aimerais te proposer quelque chose et avant que tu me dises non, écoute-moi.

— D'accord…

— J'aimerais que tu parles avec la jeune femme que j'ai rencontrée dans le train, et dont je t'ai parlé. Tu te souviens, celle qui était assise près de toi ?

— Pour quoi faire ?

Karen n'y comprend rien.

— Parce que…

Anna hésite et se dit qu'elle aurait mieux fait d'écouter les conseils de Lou.

— Eh bien, pour plusieurs raisons…

— Oui ?

— Hmm… D'abord, parce que Lou, c'est son nom, a vu tout ce qui s'est passé.

— Tu as dit, dit Karen lentement, que ça avait dû être affreux pour elle.

— Ce n'est pas ce que je voulais dire, répond Anna, frustrée, même si elle fait tout pour le cacher.

Elle aimerait que son amie cesse de faire passer les autres avant elle, juste une fois.

— Oui, tu as raison, je suis sûre que ça n'a pas dû être si facile… et je ne veux pas te sembler dure, ma chérie, mais quand on ne connaît pas la personne, c'est très différent. Lou ne connaissait pas Simon.

— J'imagine...

— Voilà où je veux en venir. Lou pourrait t'aider un peu, disons, à être plus objective.

— Objective ! Pourquoi veux-tu que je sois plus objective sur la mort de mon mari ! ?

Anna s'est plantée. Maintenant, Karen est encore plus perturbée... Et à juste titre : Anna a dû lui paraître horriblement indélicate. C'est un sujet tellement sensible, comment se faire comprendre correctement ? Bien sûr, le mieux est de se montrer honnête.

— Je déteste la façon dont tu te sens coupable et responsable de tout.

— Je vois...

Mais Anna sent bien que Karen est perdue. Et ce n'est pas étonnant. Elle a trop de choses à gérer. Lou avait peut-être raison de penser que c'était trop tôt. Il vaudrait mieux attendre que Karen soit prête, quand le pire sera passé. Cependant, Anna n'est pas prête à renoncer :

— Lou est psychologue. Je ne veux pas dire par là que tu as nécessairement besoin d'un psy, mais elle s'y connaît en matière de deuil, et elle travaille aussi avec des enfants. Qui sait, elle pourrait peut-être t'aider pour Molly et Luc ?

— Oh, dit Karen, et le ton de sa voix a changé.

Anna y discerne de la curiosité, alors elle enchaîne :

— Je sais qu'elle serait heureuse de parler avec toi.

Mais son enthousiasme semble avoir l'effet inverse.

— Qu'est-ce que tu en sais ?

Le doute ressurgit.

— Je l'ai vue dans le train aujourd'hui, avoue Anna.

— Par simple coïncidence ?

— Non. En réalité, je lui ai envoyé un texto.

Anna réalise que Karen ne va pas aimer l'idée qu'Anna ait pu parler de son drame avec une étrangère, alors elle explique en détail :

— Je lui devais de l'argent pour le taxi que nous avons pris pour aller à Londres.

— Ah...

À nouveau, une pointe d'intérêt dans la voix.

— Mais pourquoi aurait-elle envie de me parler ?

— Elle l'a proposé, dit Anna, qui ment pour la bonne cause.

Elle ne peut plus tourner autour du pot et, pourtant, elle n'a pas envie de lui dire ce qui se passe en ce moment dans le pub. Elle espère que Karen ne va pas entendre le bruit de fond.

— Elle m'a demandé de tes nouvelles, ce qui est normal. Alors je lui ai dit que tu gérais très bien la situation, ce qui est le cas. J'espère que tu ne m'en voudras pas, mais je lui ai dit aussi que tu croyais que c'était ta faute, et elle a dit : « Non, absolument pas ! »

— Oh !

Un grand silence. Karen s'efforce d'assimiler les informations

— OK, admet-elle. Si ça te fait plaisir...

Anna essaye à nouveau d'être claire.

— Honnêtement, je crois que ça pourrait t'aider.

— OK, OK. De toute façon, je n'ai rien à perdre, n'est-ce pas ?

— Non, confirme Anna. Rien de plus.

Jeudi

19 h 53

« Je ne rentre pas ce soir, précise le petit mot, j'ai décidé de rester à Brighton. Ça te dirait d'aller nager et de pique-niquer sur la plage ? »

Karen replie le morceau de papier avant que ses collègues le voient ; elle regarde autour d'elle pour vérifier que personne ne l'observe et jette un coup d'œil à Simon.

Il lui sourit en relevant les sourcils.

Elle se sent toute retournée. Il lui fait tellement d'effet – elle est incapable de lui résister. Comment le pourrait-elle ? Elle sait bien que c'est mal : il a une copine, il vit avec elle, bon sang ! Ce qu'ils font n'est pas juste, c'est même cruel. Elle ne sait pas ce qu'il a dit à sa copine pour justifier leur nuit d'escapade, et elle ne veut pas le savoir. Elle serait furieuse si on lui faisait la même chose, et elle ne s'est jamais considérée comme une fille capable de voler un homme à une autre femme. Anna et elle ont toujours critiqué les femmes qui font ça car, après tout, il y a bien assez d'hommes disponibles sans prendre ceux déjà en main. Mais elle est amoureuse de Simon depuis le jour où elle a commencé ce nouveau job, et c'est lui qui a démarré tout ça. C'est lui qui lui a volé un baiser pendant la fête de l'été, au bureau, la semaine précédente. Lui qui lui a demandé s'il pouvait aller chez elle après… Lui qui a dû faire des excuses peu convaincantes en rentrant chez lui le lendemain. Et il a suffi de cette seule nuit pour ouvrir la boîte de Pandore de leur passion mutuelle. Être ensemble pendant cette seule nuit a été tellement plus fort que tout ce qu'elle avait connu jusqu'ici ! Depuis ce jour, et cette nuit-là, il n'a cessé de trouver des prétextes pour passer du temps avec elle, ne serait-ce que quelques secondes, pour lui caresser le bras, la serrer contre lui, sur leur lieu de travail, et Karen sent bien qu'il est fou d'elle.

Elle accepte rapidement et, deux heures plus tard, ils roulent dans sa voiture en direction de Hove, à quelques kilomètres de leur bureau à Kemptown, ce qui est quand même risqué. Elle regarde le profil de Simon pendant qu'il conduit, très concentré, mais il se tourne constamment pour la regarder en souriant. Il n'a pas l'air de s'en inquiéter, et elle se demande si finalement il n'a pas envie d'être vu avec elle. Elle aussi, dans une certaine mesure, veut beaucoup plus de cet homme, car une seule nuit ne sera jamais assez pour elle.

Il s'arrête dans une épicerie grecque, et ils se précipitent pour acheter de la nourriture et du vin. Dans la lumière froide du jour, ce n'est qu'un petit boui-boui sombre… mais dans cette soirée de juillet magique, le monde est baigné dans une lumière chaude et parfumée, et le soleil couchant transforme tout ce qu'il touche, même cette petite échoppe de rien du tout, qui tout à coup devient une caverne d'Ali Baba. À l'intérieur, ils trouvent un assortiment de mets délicats et exotiques, une corne d'abondance de délices rares : houmous, tarama, olives, feuilles de vignes farcies, pita… tout un choix de friandises qui, bien entendu, auront le goût du fruit défendu. Ils remplissent un panier, ajoutent une bouteille de vin, un vin mousseux, frais, pétillant – pourquoi pas rosé ? –, qu'ils choisissent ensemble pour s'accorder à l'humeur de la soirée : ivresse, tendresse, légèreté. Ce n'est pas le choix de personnes immorales, mais celui de deux amants qui profitent du moment présent, attirés l'un par l'autre de façon irrépressible. Tout ce qui peut se mettre en travers de leur attraction est renvoyé à des années-lumière.

Quelques minutes plus tard, ils sont garés sur le bas-côté de la route près d'un petit lac artificiel du côté ouest de la ville : la mer se trouve de l'autre côté. Ce lieu est parfait, car ils n'ont plus la patience de poursuivre, et il est assez éloigné de la plage populaire de Brighton. Simon prend une couverture en tartan à l'arrière de sa voiture et la balance sur son épaule comme une cape. Ils avancent vers le bord de l'eau en écoutant les vaguelettes qui viennent clapoter sur les galets dans un miroitement bleu turquoise.

— Où allons-nous maintenant ? demande Simon lorsqu'ils arrivent sur la promenade.

Karen observe la plage. Elle cherche un endroit isolé, mais veut aussi profiter du soleil.

— Là-bas, dit-elle en désignant un endroit un peu plus loin.

— Parfait, répond Simon.

Et il a raison : c'est parfait.

Ils marchent sur les galets, posent les sacs puis Simon lance la couverture dans le vent pour la faire retomber bien à plat, et bien carrée, sur le sol.

Karen reste debout un moment à regarder la mer. Il y a du vent, mais pas trop. Les vagues donnent envie de plonger, elles ne sont pas intimidantes. Les mouettes zèbrent le ciel en diagonale et jouent dans la brise. Ce soir, exceptionnellement, des arcs-en-ciel de lumière enflamment les galets.

Ils ne sont pas gris, comme on les peint si souvent ; ils brillent d'une infinité de teintes de rose, de roux, de jaune et d'or.

Karen sent que Simon la regarde, et imagine ce qu'il voit en elle : de longs cheveux bruns balayés par le vent, une jupe de coton blanc vaporeux, un tee-shirt vert réséda moulant, qui met en valeur ses seins et sa taille. Sa féminité et sa beauté sont à leur zénith. Jamais de sa vie elle ne s'est sentie aussi belle, elle qui d'habitude se trouve plutôt ordinaire.

Simon s'allonge sur la couverture. D'un petit geste de la tête et de la main, il l'invite à venir s'allonger à côté de lui.

— Allez, viens ! dit-il en tapotant la couverture pour l'inviter.

Karen ne se le fait pas dire deux fois, elle s'agenouille puis s'allonge à côté de lui. Aussitôt, il l'embrasse et tout son corps se tend vers lui comme celui d'une chatte sur le sable brûlant.

Elle se soulève et lui caresse les cheveux. Il a une chevelure magnifique, noire, épaisse, souple sous les doigts – c'est ce qu'elle a d'abord remarqué chez lui.

Tandis qu'il écrase son corps contre le sien, elle se dit que c'est merveilleux d'être avec un homme grand, un homme bien, pas un de ces faux romantiques éthérés avec lesquels elle est sortie auparavant. Elle se sent toute petite dans ses bras, plus féminine, et elle adore ça. Elle respire son parfum : c'est le même que celui de la semaine précédente, celui qui la rend folle. Une odeur fraîche légèrement citronnée, si masculine, et particulièrement sexy.

— On va se baigner ? demande-t-il en se dégageant quelques minutes plus tard.

Karen aime tant la sensation de sa bouche sur la sienne, l'alchimie de leurs langues et de leurs lèvres est si intense qu'elle n'a pas envie que ça s'arrête, d'autant que sa cuisse se glisse contre son entrejambe et que ses mains caressent sa poitrine. S'ils continuent comme ça, ils vont offrir un spectacle peu toléré dans un lieu public.

Mais l'idée d'aller dans la mer la séduit. Il fait doux, l'air est tiède, et s'ils ne peuvent pas faire l'amour ici, la mer semble un refuge pour les ébats coquins.

Elle porte des sous-vêtements coordonnés, un petit deux pièces qui peut facilement passer pour un maillot de bain. Et si elle est mouillée, qu'est-ce que ça peut faire ? Elle peut très bien rentrer à la maison en retirant ses sous-vêtements, personne ne le saura.

— OK !

Elle se relève, balance son tee-shirt et sa jupe par terre et se retrouve presque nue devant lui. Il la regarde avec émerveillement.

— Tu es si belle, dit-il en caressant son dos de haut en bas.

Le contact de ses doigts sur sa peau lui donne envie de l'embrasser, mais elle résiste : les vagues attendent.

— Prems ! s'écrie-t-elle, courant sur le petit chemin avec ses sandales. Elle les jette en l'air, et tant pis pour ses pauvres pieds qui n'aiment pas le contact des cailloux… Elle entre dans l'eau jusqu'aux cuisses. Ooooh, brrrrrr ! Vite, vite, elle descend d'un coup pour éviter la sensation de froid sur le ventre et yaoouh ! elle a de l'eau jusqu'aux épaules. L'eau est fraîche, mais pas autant qu'elle l'imaginait. La récente vague de chaleur l'a réchauffée et le printemps est doux cette année. Ses cheveux longs flottent autour d'elle, mais elle garde la tête hors de l'eau pour éviter que son maquillage coule autour des yeux ; elle veut rester belle jusqu'au bout pour Simon.

Elle regarde vers le rivage : il court vers elle et la rejoint en quelques secondes.

Elle s'accroche à ses jambes, comme une petite grenouille, et fait la planche en agitant les bras pour ne pas couler. Malgré le froid, il a une érection ; elle frotte son slip de la paume de sa main.

Il hausse un sourcil, sourit et gémit : « Ooh. »

Et puis, ouch ! il plonge sous l'eau et ressort, le visage et les cheveux dégoulinants.

Elle sourit et s'éloigne de lui à la nage pour le taquiner. Le ciel est à tomber de beauté : les nuages se pressent comme des barbes à papa géantes, dans tous les tons pastel de la guimauve et du sucre poudré, mettant en valeur les superbes maisons blanches Art déco qui bordent la côte à l'ouest. Elle ne se souvient pas avoir été aussi heureuse de toute sa vie.

Puis elle se retrouve dans ses bras, il la maintient contre les vagues et, oui, ils s'embrassent, et l'eau salée se mélange à leur salive. Elle se pend à son cou, il la tient par la taille, et maintenant elle s'en moque complètement d'être à découvert dans un endroit public ; il n'y a personne à côté d'eux, et on ne peut pas voir ce qui se passe sous la surface de l'eau. Alors, elle accroche ses jambes à ses hanches et se presse contre lui au rythme des vagues, ce qui le rend fou. Il sort son sexe de son slip, écarte le bas de sa culotte et se glisse en elle ; elle n'en revient pas de l'audace et du plaisir incroyable que ça procure de faire l'amour dans la mer.

Ils s'embrassent constamment tandis qu'il va et vient ; elle ne s'est jamais sentie aussi bien, aussi en osmose qu'avec Simon.

C'est certainement la sensation la plus extraordinaire au monde. Elle n'arrive pas à imaginer que ça puisse être meilleur.

Le fait qu'au loin on puisse voir des gens marcher le long de la promenade ajoute un supplément de frissons ; il n'y a pas à dire, mais ce qui est illicite vous excite, et il y a une foule de raisons pour qu'ils ne soient pas ici en train de faire l'amour mais, oui, ce que c'est bon, de le sentir, encore et encore...

Plus tard, sur les galets, allongés sur leur couverture, ils boivent directement à la bouteille le rosé pétillant, et Simon regarde Karen avaler le liquide tiédi. Elle a conscience que son geste est érotique, et elle s'en moque, car elle-même est encore plus excitée que l'incendie embrasant le ciel à l'horizon.

— Attends-moi, dit-il soudain, je vais à la voiture.

Il revient en courant quelques instants plus tard, complètement essoufflé, un appareil photo à la main.

— Je devais m'en servir pour le projet sur lequel je travaille.

— Oh non, je ne veux pas, proteste Karen en mettant ses mains devant son visage.

Mais il prend plusieurs clichés malgré ses protestations.

— À mon tour, dit-elle. (Et elle prend plusieurs photos de lui. Puis :) Viens ici. On va en faire une de nous deux.

— Mais comment ? Il n'y a pas de retardateur.

— Comme ceci, rétorque-t-elle.

Et elle éloigne l'appareil aussi loin que possible de leurs visages et... Clic ! Ce moment unique est désormais gravé dans leur histoire.

*

* *

Cette simple photo a fait resurgir toute la scène.

Simon a les cheveux mouillés, bouclés sur le front, pas un seul cheveu blanc.

Quant à elle, elle n'en revient pas de se trouver aussi jolie, avec une peau aussi radieuse dans les derniers rayons du soleil, ses cheveux longs tombant sur ses épaules comme ceux d'une star.

En gros plan, elle observe les yeux agrandis et le sourire d'une femme qui vient de faire l'amour. Lui sourit béatement comme un chat gourmand qui vient de lécher toute la crème du lait.

Même maintenant, vingt ans plus tard, elle a encore dans la bouche le goût de l'eau de mer. Mais non... Karen le sait bien, c'est l'eau de ses larmes qu'elle boit, comme une rivière de désespoir sans fond, en regardant la photo de son amour perdu.

Les souvenirs sont comme de petites rigoles d'eau qui coulent sur la pierre. Plus on les ressasse, plus les rigoles s'élargissent, et les souvenirs se gravent dans l'esprit à jamais.

Ce jour est gravé dans son esprit comme une voie ferrée qui passe à travers la montagne, et même si elle fait des efforts pour ne plus y penser, ça pense pour elle, ça pense tout seul.

C'est comme si la chimie de son cerveau avait décidé de la transporter ailleurs, comme les petits cailloux, transportés par les vagues, et les mouettes, déviées par les vents.

Mais ça suffit.

Concentre-toi, Karen, concentre-toi.

Elle faisait quoi, là ?

Ah, oui... elle attendait Anna.

Karen habite en haut d'une colline. Elle a une vision panoramique de la rue et de la baie.

Anna doit venir avec une femme qu'elle a rencontrée dans le train et qui s'appelle Lou mais, bizarrement, elle est en retard.

Karen repose la photo sur la table et essuie ses larmes du revers de la main en se reprochant de se laisser aller à la nostalgie.

*
* *

Ça lui est déjà arrivé, et dans le train aussi. Des seaux de larmes, des rivières, des cascades, sans prévenir.

Anna se sent bien, elle lit le journal du soir. Elle a réussi à tenir le coup toute la journée au travail, et à discuter avec Bill, son collègue, qui descend à la station Haywards Heath où il a une correspondance pour Worthing. Elle a même réussi à lui parler un peu de Simon sans craquer. Puis elle a fait des mots croisés qui l'ont occupée jusqu'à Wivelsfield et Burgess Hill.

Mais là, à Preston Park, la digue s'effondre. Et elle n'a aucune idée de ce que cette inondation va causer comme dommages. Elle doit arriver chez Karen dans un quart d'heure. Elle ne veut pas que son amie la voie dans cet état.

Elle a même prévu d'arriver avant Lou pour organiser la rencontre, car elle doit se montrer forte pour Karen.

Anna descend du train, des larmes plein les yeux. Elle pleure en silence, mais elle voit bien que les gens la dévisagent ; de toute façon, elle est trop désespérée pour se soucier de ce qu'on pense d'elle.

Elle tourne à droite en sortant de la gare et monte la colline, elle ne voit rien devant elle à cause de ses larmes, mais elle connaît le chemin.

Elle sait bien que sa tristesse vient de Simon, mais ça ne l'aide pas : elle a désespérément besoin de la présence de quelqu'un ; elle n'arrive plus à gérer son chagrin, elle est complètement désespérée.

Pour aller chez Karen, elle passe devant sa maison ; elle se dit que Steve sera peut-être rentré.

À cette heure-là, il ne travaille plus, et elle a terriblement besoin d'un gros câlin : que quelqu'un la prenne dans ses bras et fasse sortir les dernières larmes de ses yeux et de sa gorge, comme quand on essore une serviette éponge trempée.

Après, seulement, elle pourra affronter le chagrin de Karen, quand elle sera présentable.

Elle tourne la clé dans la serrure et appelle dans le couloir. Cette fois, elle n'est pas accueillie par une odeur de sauce bolognaise, mais par le silence.

Elle va dans la cuisine.

Pas de Steve.

Il est probablement au café du coin. D'abord en colère, et non triste, elle est très vite rattrapée par sa souffrance. Alors elle s'assied à la table de la cuisine et commence à gémir sans même ôter son manteau.

Elle peut enfin hurler sa souffrance et son angoisse, et le son qui sort de sa bouche la terrifie.

C'est comme si elle se retournait de l'intérieur, comme un gant ; comme si les larmes partaient du ventre et remontaient, sortant par tous les orifices avec des hoquets et des borborygmes, comme un enfant qu'on enlève à sa mère. Mais ce n'est pas pour Simon, Karen, Molly, Luc, Phyllis, Alan et tous les autres... Non, c'est pour elle, sur elle, qu'elle pleure.

Anna croit toujours qu'elle doit être à la fois forte et sage, drôle et brillante. Et pourtant, à cet instant, elle n'est rien de tout cela mais faible, désemparée, vulnérable, et elle veut désespérément qu'on s'occupe d'elle. Pourtant, elle est tout à fait consciente que la mort de Simon lui révèle brutalement des choses sur sa propre situation, et elle n'aime pas du tout voir ce qui ne va pas dans sa vie. Aussi décide-t-elle de se mettre à l'épreuve

– de toute manière, elle ne peut pas se sentir pire après tout –, et elle prend son téléphone pour l'appeler.

Après plusieurs sonneries, il répond.

— Steve ?

— Oui ?

— C'est moi, Anna.

Elle entend des gens parler, des rires, de la musique.

— Je sais. Je vois ta petite tête d'idiote sur mon écran.

Il est déjà éméché, pas encore soûl, mais bien parti pour. Elle l'entend dans sa voix : il parle trop lentement, comme s'il devait réfléchir au ralenti avant de parler. Et il ne dirait pas « Petite tête d'idiote » s'il était sobre. Anna est furieuse.

— Où es-tu ?

Il marque une pause. Il sait qu'elle sait où il est. Il ne veut pas l'admettre, mais n'a pas le choix. Finalement, il concède :

— Au Charminster Arms.

Le pub du coin.

— Oh, d'accord... Ça fait combien de temps que tu es là ?

— Pas longtemps, je viens d'arriver.

Elle sait qu'il ment.

— Pourquoi ?

— Où es-tu ?

— À la maison.

Une autre pause. Quand on est soûl, il faut du temps pour comprendre.

— Mais je croyais que tu allais chez Karen...

— Je devais, mais je suis rentrée à la maison.

— Pourquoi ?

— J'étais malheureuse.

Autant dire les choses comme elles sont. Elle veut savoir comment il va prendre la chose. Elle le teste.

— Bon…
— J'avais besoin d'un câlin.
— Je vois.
Mais il ne voit rien, il ne peut rien voir dans l'état où il est.
Et quand il a commencé à boire, il ne peut plus s'arrêter. Alors, inutile de lui demander un câlin. Le prix à payer est trop élevé : la violence verbale. Et elle a envie d'arrêter les frais.
Finalement, il propose :
— Tu veux que je rentre à la maison ?
Elle sait qu'il n'en a pas envie.
— C'est pas grave.
— Je rentre si tu veux.
Toujours cette lenteur.
— Non, ça va aller.
Elle est brusque.
— Je n'ai pas le temps de t'attendre. C'était au cas où tu serais là, et comme tu n'y es pas… Je suis déjà en retard. Ne t'en fais pas, on se verra tout à l'heure.
Maintenant, elle n'a plus envie de l'écouter.
— Salut !
Et elle referme le clapet de son téléphone.
Elle fixe l'appareil pendant une minute ou deux sans bouger.
Elle avait raison. Où est Steve quand elle a besoin d'aide ? D'accord, il est là de temps en temps, mais pas aujourd'hui. Et désormais, pour elle, qu'il soit là de temps en temps ne lui suffit plus.
Elle est épuisée d'avoir trop pleuré, et de réaliser que maintenant elle va subir le contrecoup de sa désillusion. Elle se demande comment elle a pu s'égarer à ce point dans son jugement : de l'avoir dans la peau physiquement annule son instinct affirmant que Steve est toxique pour elle. C'est un trou noir qui l'attire vers le bas et

fusille ses émotions, ses finances et aussi sa vie sociale.

Elle sait bien au fond d'elle-même que ses meilleurs amis désapprouvent cette relation et se font du souci pour elle.

Karen et Simon le lui ont fait comprendre ; et les autres ont trop de tact pour le lui dire, mais elle le sent bien. C'est comme un courant d'air glacé qui vient d'une fenêtre ouverte, on ne le voit pas, mais il remplit l'air qu'elle respire. Voilà pourquoi elle s'est éloignée de ceux qui la mettent mal à l'aise. Les autres, elle les voit sans Steve, même si certains de ses amis s'entendent bien avec lui.

Une ou deux de ses copines le trouvent physiquement attirant. Et même si elle sent bien que certains pensent qu'elle mérite mieux que de vivre avec un loser, d'autres l'envient, car il est beaucoup plus jeune qu'elle et que c'est super d'avoir un bon bricoleur à la maison.

Tout ça est très compliqué. Mais elle n'a pas le loisir d'y penser davantage. Karen doit s'inquiéter de son retard et Anna a prévu une rencontre à trois avec Lou. C'était son idée, elle ne peut pas se défiler.

Anna se lève, se remaquille et s'apprête à partir.

Quand elle arrive près de la maison de son amie, elle sent la présence de Karen. Elle lève les yeux et l'aperçoit à la fenêtre, qui l'attend.

Anna se force à sourire, fait un petit signe de la main et accélère le pas.

20 h 23

La maison de Karen est située dans l'une des nombreuses rues résidentielles de Brighton. De chaque côté de la route en pente, les terrasses victoriennes se succèdent dans la lueur orangée des lampadaires. Au sommet de la côte, il y a une maison double qui date des années trente. De l'extérieur, ces deux maisons ne sont pas particulièrement belles, mais Lou imagine qu'elles offrent plein de possibilités pour des familles avec enfants, comme c'est le cas pour Karen. Il y a un garage qui donne sur la rue, et Lou doit faire le tour pour trouver la porte d'entrée. Elle attache son vélo puis appuie sur la sonnette.

Elle entend des voix à l'intérieur, et elle a un mouvement de panique

Lou avait prévu de retrouver Anna ici, car elle voulait passer chez elle un peu avant pour rédiger ses rapports de consultations scolaires et ne pas se mettre en retard pour la semaine prochaine. Son emploi du temps est tellement chargé qu'elle ne peut pas reporter ce travail. C'est aussi une stratégie mise au point avec Anna, pour que les enfants soient couchés et Karen disponible.

Mais maintenant que tout repose sur elle, Lou se demande avec angoisse ce que l'on attend d'elle. Et comment on peut aider quelqu'un dans ce cas-là. Bien sûr, c'est un peu son métier...

Mais elle ne se sent pas armée pour parler à une femme qui vient de perdre un être cher si peu de temps auparavant.

Elle entend des pas dans le couloir, la porte s'ouvre.

C'est Karen. Elle est habillée de façon plus décontractée que dans le train lundi dernier : elle porte un vieux jean et une tunique flottante, mais Lou la reconnaît immédiatement. Cependant, son visage est différent ce soir : l'effroi et la panique ont diminué, mais Lou a devant elle l'allégorie de la tristesse. Elle retrouve la même expression que chez Anna, mais en dix fois plus marquée.

— Bonsoir.

La voix de Karen est douce, gentille.

— Vous devez être Lou.

— Et vous êtes Karen.

— Oui.

— J'aurais aimé qu'on se rencontre dans d'autres circonstances.

Karen a un petit rire triste.

— Moi aussi. Mais je vous en prie, entrez !

Lou pénètre dans un couloir carré.

Visiblement, c'est une maison familiale : des photos d'enfants dans des cadres décorent les murs peints de couleurs pastel. Le portemanteau est chargé de petits anoraks, écharpes, manteaux ; et sur le parquet, traînent plusieurs paires de bottes en caoutchouc de toutes les couleurs et d'après-ski éparpillés dans tous les sens.

— Ah, Lou, salut ! lance une voix familière, grave et sonore.

Anna sort de la cuisine. Lou est soulagée de voir qu'elle a un verre à la main.

Anna comprend aussitôt le message subliminal.

— Vous voulez un peu de vin ?

— Oui, avec plaisir.

— Je vais vous en chercher.

Visiblement, Anna est chez elle ici. Lou se demande depuis combien de temps les deux amies se connaissent et où elles se sont rencontrées.

— Laissez votre sac et venez par ici, dit Karen.

Lou obéit, accroche son blouson et les suit dans la cuisine.

Une pièce bien agencée autour d'un comptoir où l'on peut prendre le petit déjeuner. Sur un côté, des placards intégrés, une cuisinière, un évier et des fenêtres donnant sur le jardin.

Il fait nuit dehors, mais Lou devine un patio. C'est la mode dans ce quartier.

Juste en face d'elle, une grande table en chêne, éraflée et patinée par l'usage, et à sa gauche un gros frigo-congélateur.

Des dessins d'enfants sont fixés sur la porte avec des aimants. À hauteur d'enfant, on peut lire « Luc », « Chien », « Pomme », en lettres plastifiées de couleurs vives.

Karen interrompt ses pensées en disant :

— Je me souviens de vous dans le train.

Lou est prise de court. Avec ce drame, elle ne s'attendait pas à ce que Karen l'ait remarquée.

— Rouge ou blanc ? demande Anna.

Lou voit qu'elles boivent du vin rouge toutes les deux.

— Euh...

— C'est vraiment comme vous voulez, la rassure Karen, il y a le choix.

— Je préfère le blanc, admet Lou.

— Pas de problème, dit Karen, et elle se dirige vers le frigo.

— Sauvignon, ça va ?

— Super !

Lou admire la façon dont Karen la met à l'aise, même si elle est préoccupée.

Certaines personnes savent naturellement s'occuper des autres en toutes circonstances. Pour d'autres, comme la mère de Lou, ce n'est pas leur nature. Sa mère reçoit les gens de façon m'as-tu-vu et gauche. Mais ce n'est pas le moment de laisser remonter toute cette rancune. Elle n'est pas là pour penser à sa mère.

— Vous m'avez été vraiment d'un grand secours, dit Karen.

— Moi ?

Lou est touchée.

— Oui. Je crois que vous avez réalisé ce qui se passait avant tout le monde.

— Peut-être ! Ça s'est passé si vite.

— Oui.

Le silence s'installe. Lou perd pied.

— Je suis désolée.

C'est tout ce qu'elle arrive à dire. Vraiment nul. Elle essaie de se souvenir de ce qu'elle a pu faire ce jour-là. Elle a crié, poussé les gens à agir vite... C'est tout ?

— J'aurais aimé faire plus, admet-elle.

— Moi aussi...

Karen serre son verre entre ses mains. Sa voix s'éteint et, dans un souffle, mais avec une rage folle, elle murmure :

— Mon Dieu, moi aussi !

Anna se rapproche de son amie et l'entoure de ses bras.

— Ma chérie...

Lou est frappée par la violence inhumaine de la souffrance qui jaillit d'un coup dans la pièce.

— J'aurais dû essayer de le ranimer moi-même.

Karen ferme les yeux, comme si elle faisait une introspection pour examiner sa faute.

Lou est gagnée par la culpabilité : elle non plus n'a pas essayé de le sauver.

— Ce n'était pas possible, dit Anna calmement.

— Mais je suis sa femme ! s'écrie Karen.

En moins de cinq minutes, les émotions ont balayé toutes les bonnes résolutions de Lou. Elle a l'habitude de faire face aux crises de ses étudiants, mais là elle se sent impliquée personnellement et ne parvient pas à mettre la distance qu'elle installe d'habitude pour se protéger. Elle est bouleversée.

Karen reprend :

— J'aurais dû m'occuper de lui. C'est ce que les épouses devraient faire...

Elle sanglote :

— Il a toujours été si bon et, lui, il s'occupait de moi tout le temps.

— Oui, c'est vrai.

Anna semble nostalgique. Lou a de nouveau l'impression qu'Anna souffre de ne pas être protégée.

— Mais tu t'es magnifiquement occupée de Simon, comme tu le fais pour tout le monde, ma chérie, moi compris. Tu es la personne la plus compatissante et la plus serviable que je connaisse...

— Je suis désolée, Lou ! dit soudain Karen tout à coup. Vous êtes restée debout. Je vous en prie, asseyez-vous.

Cela prouve qu'Anna a raison. Lou tire une chaise de sous la table.

— Merci...

— Avez-vous mangé ?

Karen ouvre les portes du placard.

— Euh...

Lou ne veut pas la mettre à contribution, mais elle n'a rien mangé depuis le déjeuner.

— Vous avez faim, affirme Karen.

— Non, vraiment, ne vous inquiétez pas.

— Alors, nous allons commencer avec ça.

Karen sort un paquet de chips et le vide dans un saladier.

— C'est bon. Je mangerai quand je rentrerai chez moi. Sincèrement...

— Ne faites pas de manières, je vous en prie.

— Je vais faire cuire quelque chose, propose Anna.

Elle jette un coup d'œil à Karen.

— Et toi, tu ne manges rien, tu m'inquiètes...

— Je n'ai pas d'appétit.

— La question n'est pas là.

Anna reste ferme.

— Il faut que tu manges.

Elle pousse Karen sur le côté et fouille dans le placard. Elle est grande, et elle attrape un paquet de pâtes tout en haut.

— Qu'est-ce qu'on va mettre avec ? Ne t'inquiète pas, je m'en occupe.

Anna ouvre le frigo et en sort une boîte de sauce tomate entamée, des oignons, des courgettes et une aubergine. Elle est si efficace que Lou a un aperçu de ce qu'elle doit donner dans le milieu professionnel. Du coup, elle se rappelle quelque chose et repousse son siège.

— Oh ! je viens d'y penser... J'espère que ça ne vous dérange pas, mais j'ai imprimé quelque chose pour vous. (Elle va dans le couloir et revient avec une feuille de papier qu'elle tend à Karen.) C'est évident, bien sûr, je sais... mais parfois on oublie les choses les plus simples et les plus sensées.

Anna vient lire par-dessus l'épaule de Karen : *Comment surmonter un deuil récent :*

Il est important de se concentrer sur les besoins vitaux journaliers du corps.

Maintenir une routine normale. Même si c'est difficile à faire, garder des activités régulières, essayer en tout cas. Garder une structure dans le quotidien vous aidera à vous sentir davantage en contrôle.

• *Dormir autant que possible ou se reposer.*

• *Écrire des listes, ou prendre des notes, ou tenir un agenda.*

• *Faire de l'exercice régulièrement. Cela peut soulager le stress et la tension.*

• *Surveiller son régime. Éviter les nourritures chargées en sucre et en graisses. Boire beaucoup d'eau.*

• *Boire de l'alcool avec modération. L'alcool ne doit pas être utilisé pour dissimuler la souffrance.*

• *Faites ce qui vous rassure, réconforte, redonne de l'énergie. Rappelez-vous d'autres périodes difficiles de votre vie, que vous avez surmontées. Cela vous aidera à retrouver votre force intérieure.*

Anna indique le milieu de la liste :

— Tu vois ? Exactement ce que je t'ai dit.

— Merci.

Karen éclate en sanglots. Lou se sent très mal : elle s'est plantée.

— Je suis désolée, je ne voulais pas vous faire de peine.

— Mais non. (Karen tente de lui sourire.) C'est pire quand les gens sont gentils avec moi.

Anna presse l'épaule de son amie.

— Alors, tu vas devoir t'habituer.

— C'est bizarre, soupire Karen, tout a l'air irréel. Même ça. J'ai beau comprendre ce que ces mots signifient, ma tête ne fonctionne pas bien en ce moment, depuis l'instant où Simon… euh… (Elle bafouille.) Où il a fait sa crise cardiaque.

— C'est tout à fait normal, dit Lou. C'est un choc terrible. Alors, c'est la façon dont votre corps, ou plutôt votre esprit, essaie de survivre. Quand mon père est mort, je me souviens, c'était tellement incompréhensible que j'avais l'impression d'avoir laissé ma tête à la consigne quelque part dans une gare inconnue. Il m'a fallu énormément de temps pour remonter la pente.

— Et vous avez réussi ? demande Karen.

— En quelque sorte… Il y a encore des choses qui ne collent pas, qui ne me semblent pas justes.

— De quoi est mort votre papa ?

— Cancer. C'était différent, bien entendu. Ç'a été très rapide, pourtant on a quand même eu du temps pour s'y préparer. Alors, ce n'était pas une surprise. C'est normal que vous ne sachiez plus où vous en êtes.

— Parfois, je me sens presque normale, dit Karen. Quand j'organise des choses, brièvement, et puis l'instant d'après, c'est comme si je tombais dans le vide intersidéral. Il n'y a plus de murs, de plafond, de plancher. J'ai l'impression que je ne me sentirai plus jamais normale.

— Oui, c'est un phénomène habituel. Vous venez de vivre un profond traumatisme. (Lou reste silencieuse, puis elle ajoute :) Cela vous aiderait si je vous disais ce que j'ai retenu de cette journée-là, comme témoin de la scène ? Parfois, c'est utile d'entendre un autre point de vue.

— Hmm…

Karen hésite. Elle n'a peut-être pas envie de repenser à ce moment-là. Mais elle finit par accepter.

Lou continue :

— Je me souviens, j'étais assise en face d'une femme qui se maquillait… J'étais à moitié endormie et je regardais les gens du coin de l'œil. Alors, je me souviens que je vous ai regardés, vous et votre mari. Simon, n'est-ce pas ? (Lou n'attend pas la réponse de Karen.) Et vous étiez en train de parler. Je n'entendais pas ce que vous disiez, j'avais mon iPod, mais je me rappelle avoir pensé, sincèrement, et je ne dis pas ça à la légère, que vous aviez l'air très heureux.

— Vraiment ?

Karen inspire bruyamment.

— Oui. Il caressait votre main, vous aviez l'air tellement bien l'un avec l'autre. J'ai pensé que votre intimité était très spéciale.

— Mon Dieu ! comme c'est surprenant que vous ayez vu ça…

— Je suis curieuse de nature.

— Mais c'est bien, intervient Anna. N'est-ce pas, Karen ? Ça veut dire que les derniers instants de Simon ont été très heureux.

— Peut-être… je n'y avais pas pensé. Ça me semble à des années-lumière… Qu'avez-vous vu d'autre ?

— Eh bien, d'un seul coup, tout s'est joué au ralenti, pour moi, mais en réalité la scène a duré moins de deux minutes. Je me souviens d'abord que Simon a vomi…

— Moi aussi, je me souviens de ça.

— Puis j'ai débranché mon iPod et je l'ai vu porter la main à sa poitrine. Et je l'ai entendu dire : « Je suis désolé. »

— Vraiment ? Il a dit « Je suis désolé » ?

— Oui, il l'a dit, j'en suis certaine.

— Je n'ai pas entendu ça.

— Je suis sûre qu'il l'a dit.

— Mon amour… balbutie Karen. Pourquoi était-il désolé ? Probablement parce qu'il vomissait. C'est bien lui… Soucieux des autres, et digne. Il a dû détester l'idée de vomir en public. Le pauvre ! Comme si c'était important !

— Il a peut-être dit qu'il était désolé de te quitter, hasarde Anna.

— Tu crois ?

— Oui, je crois, dit Anna, en prenant un mouchoir en papier dans son sac.

Elle le tend à Karen, et Lou remarque qu'il est déjà trempé. Anna ne doit plus avoir un seul mouchoir propre.

— Et c'étaient ses derniers mots ?

— C'est ce que j'ai entendu, je n'ai rien entendu d'autre, confirme Lou.

Karen se frotte les yeux avec le mouchoir humide.

— Je pense… (Lou marque un temps d'arrêt pour se concentrer. Elle revoit Simon suffoquant, sa tête qui oscille. Mais elle en est certaine.) Oui, je pense qu'il est mort aussitôt après. Ça ressemblait à un infarctus brutal et instantané.

— C'est ce que les docteurs m'ont dit, dit Karen lentement. Il n'empêche, j'aurais voulu faire davantage.

— Moi aussi, dit Lou.

— Mais vous avez fait beaucoup.

— Et vous aussi, affirme Lou. Je vous ai vue.

Karen renifle.

— Je suis restée là sans rien faire ; j'ai paniqué, je ne servais à rien.

— Vous avez appelé les secours. Vous saviez où était le contrôleur !

— Oh ?

— Dans le wagon du milieu. Moi, je ne le savais pas… et pourtant je le prends tous les jours, ce train ! Comment saviez-vous qu'il était là ?

Karen cesse de pleurer et renifle.

— J'ai acheté mon billet dans le train un jour que nous étions en retard, Simon et moi. Lui avait son abonnement, et moi j'ai acheté mon ticket au contrôleur.

— Et voilà comment tu as pu te rendre utile, dit Anna.

— Une chance que le contrôleur ait été là ! J'étais complètement paniquée, alors j'ai dit la première chose qui me passait par la tête. Il aurait pu se trouver ailleurs.

— Mais il était là, dit Anna. Et la plupart des gens sont tétanisés, incapables de réagir, dans ce genre de circonstances, je t'assure.

— Je crois que je comprends par où vous êtes passée, déclare Lou. J'ai éprouvé un peu la même chose à la mort de mon père. D'abord, j'étais furieuse qu'on n'ait pas trouvé la tumeur plus tôt. Mais ensuite, j'ai compris que cela ne marche pas comme ça.

— Comment ça ?

— Eh bien, nous allons chez le médecin seulement quand nous sommes malades, n'est-ce pas ? Pas avant.

— J'aurais voulu qu'il aille chez le médecin plus tôt, reconnaît Karen.

— Mais voilà, le fait qu'il n'y soit pas allé dépend de lui et non pas de vous.

— J'aurais pu le pousser à y aller.

— Quand Simon est-il allé chez le médecin parce que tu le lui as conseillé ? demande Anna. (Elle prend la bouteille de vin, et remplit son verre et celui de Karen. Puis elle va chercher le vin blanc dans le frigo pour remplir aussi le verre de Lou.) Tu sais bien qu'il n'y serait jamais allé, ma chérie, ça ne l'intéressait pas.

— Oui, j'imagine... dit Lou. Mon père aussi était comme ça, il n'y serait pas allé non plus.

— Vous avez peut-être raison...

— Et, de toute façon, pour mon père, s'il était allé consulter, qui peut dire si le médecin aurait fait le bon diagnostic ? Il n'était pas hypocondriaque, et j'en suis contente pour lui.

Elle boit une gorgée de vin.

— Je crois que les hypocondriaques sont malheureux.

— Simon était heureux, dit Anna.

— Mais vous ne pensez pas que votre père est mort par votre faute ? demande Karen.

— Je l'ai pensé. Il aurait pu se nourrir mieux, faire de l'exercice, j'aurais dû l'y encourager. J'adore le sport, je prends soin de moi. Alors, j'aurais dû lui donner l'exemple et je ne l'ai pas fait. En tout cas, j'aurais pu être plus sévère et le convaincre d'arrêter de fumer.

— Oh !

— Mais maintenant que le temps a passé, je vois les choses différemment. Je vois bien que sa mort n'est pas le résultat d'une seule chose, par conséquent une seule raison n'aurait rien changé.

— Je ne comprends pas ce que vous voulez dire…

— C'est tout un tas de circonstances qui ont amené mon père à tomber malade : il fumait, il était stressé par ma mère, il mangeait des cochonneries, il se faisait du souci, il haïssait les médecins…

— Il y avait peut-être aussi un peu de malchance, non ? suggère Anna.

— Oui. Certaines personnes ont le cancer, et d'autres pas.

— Alors, vous avouez que vous avez eu tort de culpabiliser ?

Lou comprend qu'Anna, de façon désespérée, veut faire passer le message à Karen. Mais elle voit bien que ça va être plus compliqué.

— Je ne sais pas, mais j'ai l'impression que ce sentiment de culpabilité, les proches l'éprouvent automatiquement. Et moi, j'y ai eu droit comme tout le monde. En ce qui concerne Simon, nous avons tous été impliqués dans sa mort, je veux dire, par la façon dont nous avons réagi : vous, moi, les infirmières, les médecins et les autres passagers. Mais personne n'est à blâmer, même si chacun de nous pense qu'il aurait pu mieux faire. J'en suis certaine.

Karen inspire profondément et expire doucement.

— Merci… Vos paroles m'aident.

— J'en suis heureuse.

Lou est étonnée : elle ne pensait pas pouvoir en dire autant.

Toutes trois sont de nouveau silencieuses.

— Vous croyez vraiment qu'il a dit qu'il était désolé de me quitter ? reprend Karen d'une toute petite voix.

Lou se sent de nouveau dévastée par l'intensité de la souffrance de Karen.

Après tout ce qu'elle a vécu, ce n'est pas la même chose que de perdre son père. Elle avait eu le temps de se préparer. Et même si son père était jeune – soixante ans –, il était plus vieux que Simon. Perdre un compagnon, Lou ne parvient pas à imaginer cela. Elle est célibataire, et même si elle se sent seule de temps en temps, elle ne peut comprendre la souffrance d'une femme ayant vécu vingt ans avec son mari. C'est la grande tragédie de l'amour : l'idée de le perdre... Pauvre Karen ! Le grand amour d'une vie, balayé d'un coup.

Lou n'a pas été formée comme thérapeute spécialiste du deuil. Face à la souffrance et au besoin d'être rassurée de Karen, elle a seulement envie de l'aider autant qu'elle le peut.

— Oui, je crois sincèrement que vous n'auriez pas pu faire davantage.

— Non, peut-être pas...

Karen baisse les yeux.

— J'aurais tellement voulu lui dire au revoir. Je donnerais n'importe quoi pour lui avoir dit au revoir.

Lou comprend. Elle a pu dire au revoir à son père, il n'y a aucune comparaison.

Elles sont à nouveau silencieuses.

Finalement, Lou ne peut que répéter la même chose :

— Surtout, il faut vous rappeler que ses derniers instants ont été très, très heureux.

— D'accord…

Karen souffle bruyamment dans le mouchoir, le papier est si trempé qu'il se désagrège. Elle parvient quand même à sourire.

— Merci, vous ne pouvez pas savoir ce que ça signifie pour moi.

23 h 41

Anna rentre à la maison après Steve. Elle le trouve agenouillé dans la cuisine, fouillant dans le placard, sous l'évier.

— Si tu cherches cette bouteille, lui dit-elle en entrant, je l'ai déjà jetée.

Il se retourne.

— Tu as fait quoi ?

— Je l'ai balancée dans la poubelle, déclare-t-elle.

— Qui t'a donné le droit de faire ça ?

Anna n'a aucune patience à cet instant : ni pour modérer son langage, ni pour cacher sa colère. Après sa soirée avec Karen et Lou, elle se sent au bout du rouleau. Quelqu'un a besoin d'elle, et elle n'a plus de disponibilité pour materner Steve. D'habitude, elle évite de l'affronter, de rentrer dans son discours irrationnel, et s'efforce d'arrondir les angles. Mais ce soir, personne ne doit l'énerver, elle est même prête à se battre si nécessaire. D'ailleurs, l'idée d'une bagarre n'est pas pour lui déplaire : elle est tellement en colère contre le reste du monde, contre Dieu et le Destin, depuis la mort de Simon...

Elle a besoin de se défouler, alors elle dit :

— J'ai mis la bouteille à recycler.

Pourtant, Steve n'est pas un punching-ball impassible, et elle sait d'expérience qu'il est plus fort qu'elle à ce petit jeu. Mais elle est partie pour la bagarre.

— Il ne restait pratiquement plus rien dedans et je déteste que tu boives de l'alcool à la maison.

Steve mord aussitôt à l'hameçon. Il se relève.

— Oh ! le petit commandant en jupons n'aime pas l'alcool ? J'avais oublié que madame Thatcher aimait faire sa loi ici, et me donner des leçons de morale.

Il s'avance vers elle. Beaucoup plus grand et plus costaud qu'elle, après des années de travail manuel, il est très intimidant.

Mais Anna est trop en colère pour avoir peur de lui.

— Ne sois pas grossier avec moi, Steve.

— Ne sois pas grossier avec moi ?

Il imite sa façon de parler. Sa bouche se tord en grimaces.

— Je te dirai ce que j'ai envie de dire.

— Pas chez moi, je ne veux pas.

Elle le sait, ça va l'énerver.

— Chez toi, ricane-t-il. Ça résume tout, hein ? Je croyais que c'était « notre » maison. Tu n'as pas déjà dit ça, peut-être ? « Viens habiter chez moi mon chéri, et nous en ferons notre maison. »

— Oh, laisse tomber, Steve.

Anna va accrocher son manteau et retourne à l'entrée de la cuisine.

— Si tu veux que cette maison soit aussi la tienne, alors traite-moi avec un peu de respect, s'il te plaît.

Mais Steve ne se laisse pas démonter. Il n'est pas à court d'arguments.

— Alors tu as toujours pensé que c'était ta maison, hein ?

Il hurle maintenant.

— C'est ça, le foutu problème ! C'est vrai !

Elle l'a achetée longtemps avant de rencontrer Steve et il lui paye un loyer ; elle paye le crédit. Mais sa contribution à lui est dérisoire, bien moins de la moitié. Il s'en sort très bien, finalement.

— Moi ? Je ne suis pas assez bien pour toi. Je ne suis qu'un peintre en bâtiment, un décorateur !

Toujours la même rengaine. La différence de statut entre eux aggrave le sentiment d'infériorité de Steve : il se sent minable et, par conséquent, il boit. Cette haine de lui-même ne se retourne pas directement contre lui quand il est soûl ; ça part dans tous les sens comme une bombe à fragments, mais la plupart du temps Anna est la victime.

Ils ont déjà eu cette dispute auparavant, et c'est d'autant plus fatigant.

— Je t'ai proposé de venir chez moi avant de comprendre que tu étais alcoolique, rétorque Anna.

Et elle pense : *Quel ivrogne dégueulasse et méchant ! Et si j'ai changé d'avis, c'est uniquement de ta faute.*

— Je ne suis pas soûl ! hurle Steve.

Elle rit. Ridicule, on voit bien qu'il est complètement soûl.

— Tu dis toujours que je le suis alors que c'est faux.

Elle secoue la tête et lui balance :

— Va te faire foutre, Steve !

Elle agite un gros chiffon rouge. Il lui fonce dessus, prend son menton dans sa main et la secoue en disant :

— Et toi, tu veux savoir ce que tu es ? Une conne, une vraie connasse.

Elle réagit à l'insulte, mais il interprète mal son mouvement de recul.

— Ne t'inquiète pas. Tu crois que je vais te frapper ? Non, je ne vais pas te frapper…

— Je ne pensais pas à ça, non, dit-elle.

Il ne l'a encore jamais frappée. La façon dont il la domine – en la menaçant de toute sa hauteur, tous les muscles du torse et des bras bandés par la colère – est terrifiante. Mais il n'est jamais allé plus loin, comme s'il savait d'instinct qu'en la frappant, il franchirait une limite de non-retour. Anna peut encaisser beaucoup de choses, mais elle ne supporterait pas la violence physique.

— T'es une putain de connasse ! répète-t-il, et il donne des coups de poing dans le mur.

Anna en profite pour s'éloigner. Au bas de l'escalier, elle s'arrête, se retourne et lui dit :

— Steve, laisse tomber. Je vais me coucher.

— Non, reste ici !

Il essaie de l'attraper, maladroitement.

— Je veux te parler.

— Désolée, mais moi, je n'ai pas envie de te parler.

Elle monte deux ou trois marches.

— Si tu n'es pas prêt à aller te coucher, je te suggère de regarder la télé et de rester dormir sur le canapé.

— Parle-moi ! hurle-t-il.

— Je n'en ai pas envie. Il est presque minuit et je vais travailler demain. Je suis fatiguée.

— Pourquoi tu ne veux pas me parler ? gémit-il.

Il a changé d'humeur, c'est évident.

— Je t'aime, Anna.

Alors, grotesque, ridicule, il tombe à genoux sur le carrelage rugueux et la supplie :

— Je t'aime !

Anna ne se sent pas aimée, d'ailleurs, elle n'est pas d'humeur à l'aimer. Il la dégoûte, et elle a envie de le repousser, de l'effacer complètement. Mais sa colère est tombée, et elle a besoin de dormir dans le calme. Alors elle lui dit :

— Moi aussi je t'aime, mais c'est l'heure d'aller se coucher.

Et tandis qu'il reste à genoux, elle se retourne et monte les marches.

Elle réfléchit en se déshabillant. Elle compare son couple à celui de Karen et Simon ; la tendresse que Lou a décelée en quelques secondes, voilà le véritable amour. Et la façon dont ses amis prenaient soin l'un de l'autre constamment, c'est ça aussi l'amour. Steve et elle, c'est autre chose.

Steve.

Simon.

Presque le même nom. Des compagnes similaires, de bien des manières.

Et ils habitaient à quelques centaines de mètres les uns des autres

Mais un monde les sépare.

*

* *

— Je me fais du souci pour elle, tu sais.

Karen se revoit suspendre son chemisier dans l'armoire…

Simon est déjà couché, le corps à moitié relevé contre les oreillers. Il se penche pour allumer la lampe de chevet.

— Bon, en tout cas, elle est ici ce soir. Mais elle retournera le voir demain. Je sais qu'elle y retournera.

— C'est une adulte, dit Simon.

— Bornée.

— On peut appeler ça de l'entêtement si tu veux. Je dirais qu'elle sait ce qu'elle veut.

— Elle est amoureuse de lui, c'est ça le problème.

— Pourtant, j'aime bien ce type, mais je ne crois pas qu'il soit bon pour elle.

Karen ouvre son démaquillant et se frotte énergiquement le visage avec un coton.

— Elle dit qu'il ne la bat pas. Tu la crois ?

— Oui.

Karen ôte son slip, dégrafe son soutien-gorge et les jette dans le panier à linge. Son geste est trop ample, les vêtements tombent en dehors du panier ; elle les ramasse.

— Mais combien de temps avant qu'il craque ?

Elle s'assied au pied du lit, nue et triste.

— S'il la frappe, il aura affaire à moi.

— J'aime bien que tu la protèges.

Karen dépose un baiser sur le dessus de la tête de Simon.

Il se rapproche d'elle et lui caresse le dos.

— Avec un peu de chance, il n'ira pas jusque-là.

Sous sa caresse, Karen se détend un peu.

— On ne sait jamais, il ira peut-être se faire soigner.

— Peut-être...

Simon appuie ses caresses.

— Je peux lui en toucher un mot si tu veux.

Karen se retourne pour le regarder.

— Tu ferais ça ?

Il hausse les épaules.

— Si tu crois que ça peut arranger les choses...

— Qu'est-ce que tu lui diras ?

— Je n'en sais rien. On pourrait aller au café... Pour lui dire en face qu'il a un problème avec l'alcool ?

Il éclate de rire. Karen rit aussi. Simon a l'habitude d'aller boire une bière pour faire connaissance avec des nouveaux copains. Alors, elle pense à son amie endormie, en bas, sur le canapé. Il a fallu beaucoup de courage à Anna pour venir chez eux. Les choses ont dû vraiment mal tourner.

— Non.

Elle secoue la tête.

— Tout bien réfléchi, je crois que ce n'est pas une bonne idée de parler avec lui. Ça pourrait avoir l'effet contraire. Ça risque de le rendre agressif, et il pourrait devenir pire.

— Comme tu veux, c'est toi qui décides. Anna et toi êtes amies depuis des années, et tu sais que je l'aime beaucoup aussi.

Karen sourit, d'un petit air triste.

— Je n'aurais jamais dû les présenter l'un à l'autre. Mais après sa rupture avec Neil, j'ai pensé que ça lui ferait du bien d'avoir un copain. Et au départ, j'aimais bien Steve, il semblait si équilibré. Tu sais comment elle est : on lui donne un homme faible et elle en fait un héros. Neil n'était tout simplement pas assez fort pour elle, et il faut bien avouer que Steve est un très beau garçon.

— Il est gentil aussi quand il est sobre, remarque Simon. Même moi, je suis capable de voir ça.

— Oui, d'accord. C'est une partie du problème, n'est-ce pas ? S'il était moche, elle s'en soucierait comme d'une guigne. Mais elle est têtue et fière, et pourtant elle n'est pas idiote !

— Non.

Karen prend sa chemise de nuit sous l'oreiller et l'enfile.

— Je crois qu'on a fait tout ce qu'on pouvait pour le moment. J'ai l'impression que ce n'est pas la première fois qu'il déconne, mais elle nous l'a caché jusqu'à présent. Ce ne sera pas la dernière. La seule chose que nous pouvons faire, c'est d'être là pour elle. C'est là que je vois à quel point je suis chanceuse d'avoir un homme aussi gentil que toi.

Elle s'allonge dans le lit à côté de lui.

— La lumière, chéri.

Simon se tourne pour éteindre la lampe de chevet.

— Viens contre moi, demande-t-il en se roulant sur le côté.

Ce n'est pas juste, se dit-elle en se blottissant contre le dos de son mari, dont la respiration se ralentit. *Moi j'ai Simon, et Anna se retrouve avec Steve, pourquoi ? Mais la vie est injuste...*

Vendredi

08 h 06

D'après les flots de lumière qui filtrent des rideaux, Lou conclut qu'il fait beau.

Super ! se dit-elle, on est vendredi. *Je ne travaille pas, je ne prends pas le train, et aujourd'hui je fais du tennis.*

Elle joue toute l'année, quel que soit le temps, sauf quand il fait vraiment très mauvais.

Et ce soir, elle va rencontrer une nouvelle fille !

Lou le sait, son optimisme n'est pas raisonnable. Cette fille pourrait ne pas lui plaire, mais ce soir elle aura peut-être de la chance. Vic s'entend bien avec elle, ce qui en dit long. Elle connaît les goûts de Lou et pense qu'elle va flasher sur la fille. Si elle dirige une compagnie Internet, elle doit être brillante. Et puis, elle s'appelle Sofia. Lou aime beaucoup ce prénom, il est riche en possibilités.

Pourtant, elle a mal à la base du crâne, comme si son cerveau était en parchemin.

Je suis idiote, je n'aurais pas dû boire autant de vin chez Karen la nuit dernière.

Lou sait pourquoi elle a fait ça. Elle a bu pour noyer son chagrin, l'expression idiote typique pour décrire un comportement bien plus complexe. Ça faisait partie des interdits dans la liste qu'elle avait donnée à Karen. Mais elle avait fait attention de ne pas dire de bêtises ; elle avait simplement besoin de se détendre, et comme elle n'est pas habituée, elle a ressenti les effets de l'alcool tout de suite après.

Eh bien, décide-t-elle, *rien d'autre à faire que de se bouger ! Ce soir, je vais sortir et probablement boire encore, connaissant les soirées avec Vic. Alors j'ai besoin de calmer ma migraine avant d'en avoir une autre.*

Elle rejette les couvertures, se rend dans le salon et ouvre les rideaux. Le soleil passe par la fenêtre, clair, brillant, et l'oblige à cligner des yeux.

Elle voit le vieux monsieur de l'autre côté qui regarde par la fenêtre de son studio, lui aussi. Il est là tous les matins à la même heure, sa tasse de thé à la main ; la rue est si étroite qu'il ne se trouve qu'à cinq ou six mètres de distance. Ses cheveux sont hirsutes, comme les vieillards dans les illustrations de contes de fées ; il est encore en pyjama, mal boutonné. Elle lui fait un petit signe de la main, mais il ne la voit pas.

Elle lui a déjà parlé, pourtant, au coin de la rue chez le marchand de journaux. Il habite dans le même appartement depuis vingt ans, et c'est ce qui plaît à Lou. Il lui semble qu'il est gay, et elle aime bien penser qu'il est là depuis le début de la croisade des homosexuels, dans les années soixante, quand ils sont arrivés dans une région beaucoup plus intolérante à l'époque. En tout cas, aujourd'hui, il est fragile et solitaire ; elle n'a pas l'impression qu'il participe encore à de grandes manifestations.

En regardant dans la rue, Lou voit les mouettes s'activer. Les éboueurs de Brighton livrent une bataille perdue d'avance contre les oiseaux attroupés autour des sacs-poubelle. Ils les éventrent et éparpillent les détritus. Lou aimerait que tout le monde aille jeter ses détritus dans les poubelles communales. Il reste toujours des ordures sur les trottoirs, un vieux McDo à moitié mangé, des étagères pourries, une bicyclette rouillée aux roues tordues. Mais la ville a une population tellement changeante que les résidents, apparemment, n'ont pas le temps de se mettre au courant des jours de ramassage des poubelles. Ou bien ils s'en foutent.

Et puis, elle se souvient que Brighton ne serait pas la même sans le désordre, la dérive et ce petit côté bohème qui fait partie de son charme. Et, il faut bien le reconnaître, elle habite un endroit délicieux. Car la mer est à portée de regard, juste au bout de la rue ; et comme il n'y a pas beaucoup de vent, le bleu du ciel se détache sur celui de l'eau, plus clair près du rivage de galets.

C'est une journée parfaite. Si le deuil de Karen a eu un effet sur Lou, c'est d'avoir clarifié la couleur de ses sentiments. Et c'est déjà quelque chose.

Elle ne prend pas la peine de se doucher, de toute façon elle va transpirer en jouant au tennis. Alors, elle préfère prendre sa douche plus tard. Se laver après un effort est très agréable. Puis elle va téléphoner à sa mère :

— Coucou, Maman ! dit-elle, je voulais te prévenir pour mon arrivée.

— Oh, super... Quand seras-tu là ?

Lou sait qu'elles vont se coucher très tard, et elle ne veut pas congédier ses invités trop tôt le matin, sans parler d'une bonne surprise possible après cette rencontre.

— J'espère être là au début de l'après-midi. Disons vers 2 heures ?

Silence.

— OK ? demande-t-elle

— On fera avec...

Sa mère est furieuse. Après ces derniers événements, Lou a fait le point sur les priorités dans sa vie, mais elle est aussi beaucoup moins tolérante. Sa mère lui tape sur les nerfs et elle n'a aucune patience avec elle.

— Quel est le problème ?

— Eh bien, c'est juste que je t'attendais plus tôt. Tu m'avais dit que tu venais passer le week-end, et samedi après-midi c'est quand même tard.

— Je n'ai jamais dit ça ! réplique Lou sèchement.

Elle se sent coupable pourtant, elle l'a peut-être dit… Elle est persuadée que non, mais il s'est passé tant de choses ces derniers jours qu'elle ne peut pas en être certaine.

— Il me semble que j'avais dit que j'arriverais samedi matin

— Deux heures, ce n'est déjà plus le matin, ma chérie.

Grrr ! Encore un exemple parfait de la manipulation de sa mère. Son « ma chérie » lui permet de renforcer la culpabilité de sa fille : ce n'est pas du tout un terme affectueux dans sa bouche. Lou bafouille :

— Oui, je pensais partir le matin, je ne parlais pas de mon heure d'arrivée.

— Oh, d'accord, j'avais mal compris, répond sa mère qui, à l'évidence, n'en croit pas un mot.

— Il faut plus de deux heures de train pour aller jusque chez toi, se justifie Lou.

— Hmm ! dit sa mère.

Lou l'entend presque calculer son temps de transport. *Que peut bien faire ma fille au lit jusqu'à midi ?* pense sa mère. Et ne parlons pas de la désapprobation qui va avec.

Lou est sur le point de riposter lorsque le vieux monsieur qui vit en face change de position à sa fenêtre et regarde dans sa direction.

Soudain, il la voit : elle se détache dans le soleil. Il lui fait signe et un grand sourire. Aussitôt, sa colère retombe. Ça ne vaut pas la peine, la vie est trop courte. Elle change de ton :

— Je suis désolée, maman, si tu n'as pas compris ce que j'ai dit. Mais des amis viennent ce soir dîner et dormir chez moi, et je ne peux pas les mettre à la porte dans le froid aussitôt après le petit déjeuner. Tu es tellement douée pour recevoir les gens toi-même, tu m'en voudrais si je me conduisais comme ça, pas vrai ?

La flatterie fonctionne bien.

— Tu crois que je sais bien recevoir les gens, ma fille ? Eh bien, je te remercie.

— C'est vrai, maman. (Lou ment sans hésiter.) Tu es la meilleure. Et tu sais quoi ? J'ai de très jolies photos à te montrer quand j'arriverai.

— Oh, vraiment ? Des photos de qui ?

— Georgia et ses enfants, répond Lou. Je les ai prises à Noël, tu te souviens ?

Secrètement, elle est fière de son don pour la photographie.

— C'est très gentil, lui dit sa mère.

— Super, dit Lou. (Elle a évité l'incident.) Écoute, je vais au tennis. On en parlera tranquillement demain. J'ai hâte de te revoir demain après-midi entre 2 et 3 heures.

Puis elle s'assied et se prend la tête dans les mains. *Comme si j'avais envie de la revoir ! Comme si !* Elle va devoir tirer les choses au clair avec sa mère. Elle ne supporte plus la façon dont elles se comportent toutes les deux : il y a tellement de duplicité et de manipulation, et si peu de sincérité, dans leur relation. Le contraste est frappant avec la façon dont elle a parlé à cœur ouvert et en toute franchise avec Karen et Anna, pourtant presque des étrangères. Avoir des rapports si faux avec la femme qui vous a mise au monde…

Aujourd'hui plus que jamais, ça ne peut plus durer.

*
* *

Petit à petit, en sortant du sommeil, Anna reconstitue les événements de la veille. Tout d'abord, la mort de Simon... Ah oui, voilà pourquoi son réveil n'a pas sonné : elle ne va pas travailler aujourd'hui. Elle va aider Karen à préparer un repas pour les funérailles. Pourtant, la soirée s'est bien passée avec Karen et Lou, compte tenu des circonstances. L'intervention de Lou a été très utile. C'était une bonne idée de les faire se rencontrer

J'aime beaucoup Lou, se dit-elle.

Mais une autre souffrance émerge : Steve.

Quand elle est rentrée chez elle, il a été vraiment dégueulasse. Elle a cru un instant qu'il allait la frapper ! Jusqu'ici elle avait toujours nié cette éventualité. Comme si cela ne pouvait pas arriver. Mais elle doit l'admettre, il est capable de le faire. Pourtant, au réveil, son comportement d'ivrogne lui semble presque irréel. Ses sautes d'humeur sont tellement excessives qu'elle ne voit pas comment elle pourrait les supporter plus longtemps au quotidien. Si elle devait le juger selon les critères qu'elle applique aux autres et à elle-même, il ne passerait pas la porte d'entrée. Alors, pourquoi fait-elle une exception avec lui ? Peut-être parce que sa conduite devient intolérable en dehors des heures de bureau pour ainsi dire : que cela se produise la nuit chamboule tout... C'est comme si les règles de bienséance n'avaient plus cours à ce moment-là. Il a fait irruption de l'autre côté du miroir.

Mais il est temps qu'elle cesse de lui trouver des excuses. Simon était un homme de principes :

pas excessif, mais ne donnant de leçon à personne et se comportant bien avec tout le monde. Anna l'admirait pour cela. Et maintenant que Simon est mort, elle doit regarder les choses en face, sans se raconter d'histoires.

Elle tourne le dos à Steve, mais la chambre empeste l'alcool ; elle est tout au bord du lit, comme si, même dans le sommeil, elle voulait garder ses distances.

Elle sort du lit, en essayant de ne pas le réveiller, et à ce moment précis elle ne l'aime pas. Elle a pitié de lui. Quand la pitié entre dans une relation...

Qu'il aille se faire foutre, merde ! Steve lui a déjà pris beaucoup trop d'énergie. Depuis qu'elle est réveillée, Anna n'a pas cessé de penser à lui. Leur problème peut attendre, il ne mérite pas autant d'attention. Karen doit être sa priorité, du moins jusqu'à l'enterrement.

*

* *

Le supermarché est bondé comme tous les vendredis matin.

Karen pousse un énorme Caddie dans les allées et fait les courses pour le week-end. Pour une fois, elle est contente de ne pas avoir les enfants dans les jambes. Elle ne va pas travailler, Luc est à l'école et Molly chez sa nourrice. Faire les courses n'est peut-être pas un loisir de rêve, mais Karen a du plaisir à ne penser qu'à des petites choses sans importance. Elle se promène dans les rayons, lentement ; son regard va d'un produit à l'autre, et elle aime bien hésiter ou se laisser tenter par des articles dont elle n'a pas forcément besoin.

Près de l'entrée, elle repère une boîte avec un machin rose et brillant, couvert d'écailles, et se demande ce que ça peut bien être. « Fruit du dragon », dit l'étiquette. Elle en prend un. C'est frais, doux au toucher, presque comme du plastique. Elle se demande quel goût ça peut bien avoir. C'est cher, et les enfants n'ont pas besoin de ça, mais ça pourrait plaire à Luc, qui ne mange pas assez de toute façon. Alors, elle le dépose dans le Caddie avec les fruits habituels : pommes, oranges, bananes...

Elle quitte le rayon des légumes pour aller faire le plein de pain, pâtes, poissons, poulet. Plus loin, elle voit de la bière blonde en promotion. Simon a toujours dit que les bières blondes d'Europe du Nord étaient les meilleures. Elle aime bien l'étiquette des bouteilles, la couleur du liquide, et le prix paraît raisonnable, alors elle en prend un pack.

Avant d'arriver au rayon droguerie, elle passe devant celui des vêtements pour enfants ; tous les vêtements d'hiver sont en solde. Une très jolie petite robe en velours rose est à moins quarante pour cent ; elle achète rarement des cadeaux à ses enfants sur un coup de tête, mais c'est un achat utile. Les couleurs iront très bien à Molly, et si la robe paraît un peu grande, elle sera parfaite pour l'année prochaine. Karen la dépose dans le chariot.

Et voilà, trois achats impulsifs.

À la caisse, Karen range ses achats de façon organisée. Les haricots à la tomate, avec les boîtes de conserve et la purée, dans un sac ; le détergent, le papier toilette, la poudre à récurer, dans un autre. Elle paye par carte bancaire et en attendant la vérification du code, elle regarde l'heure à sa montre.

Il lui reste encore beaucoup de temps avant de récupérer Molly. Elle peut rentrer à la maison pour ranger ses achats et se préparer pour le week-end. Il n'y a pas grand-chose de prévu, mais elle est contente de passer du temps en famille et d'avoir Simon à la maison. Elle attend ces deux journées-là, avec impatience : le week-end !

*

* *

— Attention ! Faites attention !

Karen sursaute et revient à la réalité.

Un homme entrave le passage avec son Caddie.

— Oh, excusez-moi !

Karen se met sur le côté pour le laisser passer. Elle est à son supermarché habituel, à Hove. On est vendredi, le jour où elle va faire son shopping habituel ; une fois de plus, elle est toute seule.

La dernière fois qu'elle est venue, elle achetait des choses pour Simon.

Il y a une semaine, Simon lui a téléphoné pour lui dire qu'il arriverait du travail une heure plus tôt. Il y a une semaine, ce soir-là, Simon est allé prendre une bière dans le frigo et s'est plaint qu'elle n'avait pas acheté la bonne marque ; puis il est venu l'embrasser pendant qu'elle faisait la cuisine pour se faire pardonner d'avoir râlé.

— Tu es belle...

Sa façon de faire la paix, cousue de fil blanc, a fait sourire Karen.

Il y a une semaine, lui et Luc ont ouvert le fruit du dragon ensemble ; ils ont admiré la couleur guimauve de la substance à l'intérieur ; ils y ont goûté en s'exclamant « Beurk ! » et ont fait la grimace en rigolant. Il y a une semaine, Molly a essayé sa nouvelle robe rose : « Tu es ravissante ! », a dit Simon, et il a taquiné Karen gentiment :

— Elle est superbe, même si je pense que notre fille a déjà trop de vêtements...

C'était il y a une semaine…

Ça fait seulement sept jours.

Et la voilà qui prépare son enterrement.

Elle a encore l'impression que ça arrive à quelqu'un d'autre. Sa vraie vie est celle d'avant ; tout ceci, là, est une aberration. Et qu'est-ce qu'elle fabrique ? Elle doit être folle d'imaginer qu'elle va préparer un repas pour des dizaines de personnes ! Elle peut à peine s'occuper d'elle-même. Elle aurait dû laisser les pompes funèbres tout organiser comme on le lui avait proposé, et comme Phyllis le lui avait suggéré la veille encore. Elle n'est pas fichue de penser raisonnablement, elle a perdu tout bon sens. C'est comme si des fragments de sa personnalité s'étaient envolés avec Simon ; elle a l'impression de dévisser, comme un alpiniste perdu dans le brouillard qui tombe dans un abîme sans fin.

12 h 21

— J'ai l'impression de passer mon temps à te demander de me sauver, dit Karen.

— Pas du tout. Je t'ai proposé mon aide. Alors, tu veux que je range ça où ?

Anna lui montre deux boîtes de thon sous film. Toutes deux sont dans la cuisine de Karen et rangent les paquets.

Il y en a partout, sur les comptoirs et sur la table. Des bouteilles de vin et de sodas jonchent le sol. Le chaton Toby sautille autour des emplettes, excité par toutes les odeurs.

— On va poser ici ce qu'on va utiliser.

Karen débarrasse la table des sacs qui l'encombrent pour faire de la place.

— Le thon, c'est pour la salade. La mayo est là-dedans.

Anna éclate de rire :

— Tu ne te facilites pas les choses, pas vrai ?

— J'ai la tête à l'envers. J'aurais dû faire une liste, mais je me rends compte maintenant que ça n'aurait servi à rien. Je n'ai aucune idée de ce que je fais la plupart du temps.

Anna pose la mayonnaise à côté du thon. Elle reste silencieuse un moment et s'efforce de se concentrer. Finalement, elle dit :

— Alors, combien de personnes tu attends ?

— Aucune idée.

— À peu près…

— Eh bien, j'ai envoyé un e-mail à soixante personnes, j'ai téléphoné à plein de gens, et il y a aussi les voisins.

Anna est touchée de voir à quel point Simon était populaire.

— Tu crois qu'ils viendront tous ?

— Non, non, sûrement pas.

Anna espère que Karen a une idée de ce qu'elle va cuisiner, visiblement son amie ne sait pas par où commencer…

— Tu penses à quelle recette ?

— Hmm… un genre de…

— Et quand les enfants vont-ils rentrer ?

— Tracy les garde toute la matinée. Phyllis me les ramènera vers 13 h 30.

— Bientôt, alors !

— Oui.

— Tant pis, on va se débrouiller avec le peu de temps qui nous reste. Ils pourront nous aider quand ils arriveront.

— C'est vrai, ils peuvent nous aider, répète Karen en écho.

La table est couverte de toutes sortes d'ingrédients : du fromage de chèvre, des boîtes de pois chiches, des crevettes surgelées, du bacon, des raisins, des oignons, des olives, une aubergine…

Karen éclate d'un rire hystérique. Et très vite, les larmes coulent, tellement elle rit.

— Je suis désolée.

Elle ne peut s'empêcher d'éclater de rire de plus belle à l'idée de voir sa petite fille faire la cuisine avec elles, pour les aider… Oh, mon Dieu ! Elle rit encore plus fort.

— Ne t'excuse pas.

Anna rit aussi. C'est un sacré travail de confectionner des canapés, une petite fille de trois ans risque de ralentir encore la tâche… mais le simple fait d'y penser suffit à les détendre et la pression retombe.

Juste à ce moment-là, on entend la sonnette d'entrée. Elles sursautent toutes les deux

— Tu attends quelqu'un ?

— Non.

Karen se rembrunit. Quelqu'un du coin probablement, qui vient déposer une carte, ou des fleurs, ou autre chose... Le séjour est encombré. Elle fait la grimace à l'idée de laisser entrer quelqu'un dans ce chantier.

— On ne répond pas ? propose-t-elle avec un petit air complice.

Anna se rappelle leurs années d'étudiantes, quand elles préféraient aller au pub plutôt que d'étudier.

— C'est comme tu veux, dit-elle.

— Je n'arrive pas à gérer les gens que je connais à peine.

Anna baisse le ton.

— Alors, on ferait mieux de se cacher. Ils pourraient voir que nous sommes là.

La porte d'entrée est vitrée, et de l'extérieur on peut distinguer les silhouettes dans la maison.

— Oh, oui !

Karen se met à quatre pattes et se cache sous la table.

Anna la rejoint. Elles se trouvent nez à nez avec Toby. Le chaton, ravi, vient se blottir contre elles en ronronnant.

— C'est la deuxième fois cette semaine que je me retrouve sous une table de cuisine, souffle Karen. Pas étonnant que je devienne cinglée.

— Comment ça se fait ?

— Molly s'est cachée quand elle a fait sa crise chez Tracy.

— Ah...

Un peu plus tard, Karen murmure :
— Tu crois qu'ils sont partis ?
— Je vais vérifier.
Anna déplace une chaise et sort la tête.
— Oh ! ils m'ont vue !
Et elle revient aussitôt sous la table.
— Merde !
— Ils regardaient par la fente de la boîte aux lettres !
— Qu'est-ce qu'ils vont penser ?
— Qu'on a complètement pété les plombs !
Et elles repartent de plus belle dans le fou rire.
À ce moment, une voix les interpelle bruyamment.
— Anna ? Qu'est-ce que vous foutez ?
— Putain ! s'exclame Anna.
— C'est qui ?
— Steve.
— Tu savais qu'il venait ?
— Non.
— Alors, on ferait mieux de le laisser entrer.
Karen se relève.
— Attends une seconde ! crie-t-elle, puis en sourdine, elle ajoute : Qu'est-ce qu'il fait ici ?
— Chais pas...
Anna hausse les épaules, peu enthousiasmée à l'idée de voir Steve.
— Il dormait quand je suis partie, explique-t-elle en époussetant son pantalon, suivant Karen jusqu'à la porte.
Steve se tient sur le seuil, et Anna constate avec soulagement qu'il est sobre. Il ne dégage plus cette écœurante odeur de vodka, au contraire, il sent le déodorant. Et il est rasé de frais.
Anna, déjà surprise, doit y regarder à deux fois avant d'en croire ses yeux. Il a apporté tout le matériel nécessaire pour faire la cuisine : des

plats à tarte et à gâteaux, son livre de recettes favoris, son tablier de cuisine et une balance...

— Ça, c'est trop fort ! s'exclame-t-elle.

— J'ai pensé que vous pourriez en avoir besoin, dit-il. Et comme je ne savais pas ce que vous aviez déjà prévu, je me suis dit que je pouvais donner un coup de main. Je peux entrer ?

— Oh, euh... oui, dit Karen.

Elles s'écartent toutes les deux pour le laisser passer.

Anna est sidérée.

— Tu ne devais pas aller au travail aujourd'hui ?

— Mike m'a téléphoné ce matin. Le plâtre a besoin de sécher avant que je fasse la peinture. Il m'a dit que je devais attendre jusqu'à lundi.

Mike est un entrepreneur qui sous-traite des chantiers avec Steve.

— Tu as vu mon mot alors ?

Anna a laissé une petite note sur la table un peu plus tôt pour que Steve sache où elle allait.

— Ouais, je me suis dit que je pouvais venir vous donner un coup de main.

Il jette un coup d'œil autour de lui.

— Apparemment, vous en avez besoin.

Steve est un super cuisinier, et ça ne lui fait pas peur de préparer des repas pour beaucoup de monde. Et quand il est sobre, il adore ça.

— C'est très gentil à toi, chéri.

Anna l'embrasse. Tout à coup, elle se souvient combien il peut être attentionné et généreux. Elle est très contente de le voir, et Karen est visiblement ravie. Surtout, Anna est contente qu'il propose son aide sans qu'elle ou Karen l'ait demandée. Alors, aussitôt, il essaie de se rendre utile. Et tandis qu'il pose les paquets sur l'évier – la seule surface libre –, elle se dit que même si ça ne rattrape pas sa conduite de la nuit précédente, il fait ce qu'il peut pour se racheter.

*
* *

Steve passe le tablier de cuisine par-dessus sa tête.

— Karen, je ne t'ai pas encore dit à quel point j'étais désolé pour toi.

Debout devant elle, il la regarde.

— Merci, dit Karen.

Il y a de la compassion dans le regard de Steve, et la tristesse la frappe à nouveau, droit au plexus solaire, et la fait chavirer. Comment a-t-elle pu se laisser aller à rire ?

Steve ouvre les bras, comme s'il sentait qu'elle en avait besoin. Karen s'effondre sur lui et il la serre fort contre sa poitrine. Elle se rend compte que c'est la première fois qu'un homme a un tel geste de protection depuis que Simon est mort. Steve n'est pas aussi grand que Simon, pas aussi costaud ni massif. Son tablier de cuisine est plus rugueux que le pull de Simon. Il n'est pas aussi tendre. Son odeur est différente. Mais ce contact ramène Karen en arrière, dans l'atmosphère de sécurité et d'intimité qu'elle associe à Simon, et cela déclenche aussitôt des rivières de larmes.

On lui a prodigué beaucoup de mots, de paroles de réconfort, mais aucun geste de ce genre.

Chaque fibre de son corps souffre pour Simon, appelle Simon. Son odeur, son contact, sa chaleur. Elle ferait n'importe quoi à ce moment précis pour que Simon soit là, à la place de Steve, en train de la bercer dans son étreinte. N'importe quoi. Et elle pleure si fort que le tablier est déjà trempé

Steve ne sait comment réagir, alors il se contente de lui caresser les cheveux en murmurant tout doucement :

— Karen, pauvre petite Karen !

Ils restent là, accrochés l'un à l'autre, un moment. Finalement, Karen fait un pas en arrière et se dégage de son étreinte.

Elle lui sourit et dit : « Merci. »

Nul besoin d'en dire plus. Il lui a donné ce dont elle avait besoin.

— C'est bon...

Steve prend une grande inspiration et noue la ceinture du tablier autour de sa taille.

— Bon ! On commence par quoi ?

*

* *

Lou pédale le long du front de mer, ses muscles sont échauffés après l'entraînement de tennis. Juste après la jetée du Palais, à gauche, dans une des rues avoisinantes, et après avoir grimpé quelques centaines de mètres, elle freine, descend de vélo et attache sa bicyclette à un poteau métallique.

À l'extérieur, le bâtiment est de style régence, avec des fenêtres arrondies et des pergolas. C'est maintenant un centre pour les sans-abri. Et Lou y fait du bénévolat tous les vendredis, et y anime des thérapies de groupe.

Elle a généralement une dizaine de personnes. En général pas les mêmes d'une semaine sur l'autre, mais avec une petite moitié d'habitués. Elle fait en sorte que ces derniers ne dominent pas les nouveaux, mais ça peut se révéler difficile. C'est beaucoup plus facile, et plus gratifiant, de travailler avec les participants réguliers. Avec les nouveaux, elle a l'impression qu'ils commencent tout juste à s'habituer au protocole que la séance se termine et, généralement, elle ne peut pas faire grand-chose pour les aider. Ce sont des hommes aux histoires compliquées et, malgré des similitudes, ils sont sans abri pour des raisons très différentes : il y a des alcooliques et des drogués, des hommes atteints de handicaps physiques ou mentaux, d'autres ayant perdu leur travail ou leur femme, d'autres encore souffrant de toutes sortes de traumatismes. Elle fait rapidement le tour du groupe : ils sont huit aujourd'hui, trois réguliers et – elle soupire – cinq nouveaux venus.

Pourquoi y a-t-il aussi peu de visages familiers ?

Un siège en bois tapissé est vide. Quelqu'un a gribouillé sur le dossier des mots avec un feutre indélébile.

« Chaise à Jim. À moi. Pas toucher !!! »

Lou le sait, Jim n'est pas un homme agressif, loin de là : ce qu'il a écrit n'est qu'une petite indication de ce que ces hommes doivent affronter chaque jour pour garder ce qu'ils ont chèrement acquis.

Jim vient dans ce groupe quasiment depuis qu'elle est volontaire, c'est-à-dire presque deux ans maintenant. Il lui arrive de manquer plusieurs semaines ; il n'est pas très bavard, parfois ne dit pas un mot, mais Lou a de l'affection pour lui. Elle l'a rencontré pour la première fois avant qu'il vienne au centre. Il traînait au coin d'une rue du côté de Kempton, dans son quartier. Assis dans une entrée d'immeuble, il se préparait des sandwichs avec du pain brun en tranches, du beurre et du fromage frais, en étalant la mixture à l'aide d'un couteau en plastique. Il avait tellement de mal à venir à bout de son sandwich, engoncé dans plusieurs couches de vêtements, le dos contre le vent et la pluie, qu'elle l'a remarqué. Plus tard, au centre, elle lui a demandé s'il aimait particulièrement le pain brun et le fromage frais ; il lui a expliqué qu'il préférait manger sainement, et que les sandwichs étaient meilleurs pour sa santé que la nourriture proposée par le Centre de secours. Au départ, Lou avait trouvé ça bizarre, qu'un homme sans abri soit préoccupé par sa santé : elle le croyait alcoolique ou bien drogué, comme la plupart des autres, et pensait qu'il devait avoir tendance à s'autodétruire. Mais plus elle travaillait au centre, plus elle comprenait que ça n'avait rien à voir. Cette présomption était erronée : Jim était peut-être une âme errante, un solitaire, mais il ne touchait ni à la drogue ni à l'alcool.

Elle le rencontrait souvent, errant dans la rue dans son quartier, bien qu'il ait son lit au centre, et ramassant des trucs sur le trottoir. Il ne chinait pas pour récupérer de la nourriture ou pour accumuler des sacs. Il nettoyait la rue : il récupérait toutes les cochonneries et, une par une, il les portait dans les poubelles publiques. Il passait son temps à ôter les détritus laissés par les gens négligents et par les mouettes. Son empressement, son perfectionnisme l'avaient touchée.

Le groupe, assis en cercle, est prêt à commencer la séance.

— Alors, où est Jim ? demande Lou.

Il n'était pas là non plus la semaine précédente.

— Parti, dit Roddy, un type plus vieux, un habitué lui aussi.

Son vocabulaire est limité, mais il est plein de bonne volonté, plutôt sympa, et honnête avec les autres types.

— Parti ? La semaine dernière vous ne saviez pas où il était, dit Lou. Vous disiez qu'il allait peut-être revenir.

Lou est habituée au roulement des patients. Il y a les nouveaux qui viennent tout le temps au centre ; mais si Jim ne revient plus, elle sera très triste.

— On sait où il était maintenant, affirme Roddy.

Il y a quelque chose d'inquiétant dans le son de sa voix.

— Où ça ?

— Dans la mer.

— Oh ?

Un autre membre du cercle commence à se balancer sur sa chaise, bruyamment, pour signifier qu'on ne s'intéresse pas assez à lui. Le bruit se répercute sur le mur et empêche Lou de se concentrer.

— Chuuut, s'il vous plaît, Tim. Nous allons nous occuper de vous dans une seconde. Continuez, s'il vous plaît, Roddy.

Roddy s'explique :

— Il est parti se promener. Dans la mer.

— Dans la mer ?

Lou frissonne. On est en février et l'eau est gelée.

— On l'a trouvé. Il flottait près de la jetée... mardi.

— Oh, mon Dieu !

Lou est atterrée.

— Qu'est-ce qui s'est passé ?

— Il a pris une cuite.

— Je croyais qu'il ne buvait pas.

— Il avait arrêté depuis des années.

— Alors, pourquoi il a recommencé ?

Roddy hausse les épaules.

— Il a appris que sa femme s'était remariée.

— Jim avait une femme ? Je ne savais pas.

Lou est mortifiée : tout ce temps passé avec Jim sans qu'elle sache ça.

— Ouaish ! Ils se sont séparés il y a dix ans. Elle l'a foutu à la porte et il s'est retrouvé dans la rue. Je croyais que vous le saviez...

— Non.

Lou est choquée. Jim gardait tout pour lui.

— Comment il a appris qu'elle s'était remariée ?

— Il l'a rencontrée par hasard. Elle habite encore à Brighton, Whitehawk. Elle lui a dit.

— Ah !

Lou trouve ça dur à encaisser.

— Sa première cuite depuis si longtemps. Ils l'ont sorti de l'eau au petit matin, tout gris, on aurait dit un poisson !

Lou est sidérée. Ce n'est pas la première personne du groupe qui meurt, mais d'habitude, il y a des signes avant-coureurs : aggravation de la dépression ou de l'usage de drogues.

Elle croyait Jim différent. Elle ne savait pas qu'il avait bu autrefois ; et même si elle l'avait su, elle n'aurait jamais cru qu'il replongerait.

Elle admirait la façon dont il restait propre, alors qu'il n'avait rien : pas de famille, pas de travail, pas de maison. Et elle était persuadée que, parmi tous les membres du groupe, lui seul pourrait finalement s'en sortir. Pourtant, il était aussi vulnérable que les autres, peut-être plus encore : la preuve, il était mort.

Lou inspire profondément et s'efforce de reprendre ses esprits.

— Nous pourrions peut-être faire une minute de silence en sa mémoire.

Tandis qu'ils sont là, assis, la tête penchée, elle comprend pourquoi il avait tant besoin de rester en bonne santé : il connaissait sa fragilité. Ça lui rappelle que si on est accro, on l'est pour toujours. Il suffit de quelques secondes, même après des années d'abstinence, pour que les bonnes résolutions s'effondrent.

Voilà pourquoi ils sont toujours en convalescence, avec des vies précaires et la crainte de tomber sous le couperet de cette guillotine invisible.

17 h 02

Steve ouvre la porte du four.

— Parfait. Passe-moi la manique.

Anna obéit. La cuisine de Karen est devenue le territoire de Steve maintenant. Il a pris possession des lieux dans l'après-midi, et même le chaton a dû se replier dans la salle à manger. Steve sort trois quiches du four, parfaitement gonflées et d'une couleur appétissante.

— Une au thon, une au jambon et champignons, et une aux légumes, annonce-t-il en les posant sur les dessous-de-plat pour ne pas abîmer le comptoir.

Anna est à la fois soulagée et fière de lui. En quelques heures, ils ont tous accompli un travail énorme.

— Je crois que c'est tout pour aujourd'hui, dit-il en regardant autour de lui.

De façon presque miraculeuse, il a réussi à transformer un assortiment d'ingrédients improbables en un méli-mélo appétissant de mets dignes d'un chef cuisinier.

Il a rempli de grands saladiers de purée de pois chiche, avec des assaisonnements mexicains et orientaux. Il a dressé des plateaux de dattes fourrées au parmesan et roulées dans le bacon, des petits carrés de fromage de chèvre garnis de pistaches ou de grains de raisin. Il a fait cuire quatre pizzas, une tarte aux oignons caramélisés, préparé trois salades géantes – une avec du blé cuit et deux avec des haricots en grain –, et promis à Karen que ce sera encore meilleur après l'absorption de la sauce pendant la nuit.

Anna a dû aller à l'épicerie du coin pour chercher ce qui manquait, deux fois de suite... Donc ils se sont engueulés plusieurs fois, néanmoins Steve a réussi à préparer un buffet spectaculaire

— Il ne restera plus qu'à faire réchauffer les vol-au-vent demain dans le four pendant quelques minutes, explique-t-il. Laver les salades vertes, sortir les amuse-gueules et le pain, et faire cuire quelques pommes de terre au four. Il faudra réchauffer les quiches, les pizzas et la tarte aussi, si tu préfères les servir chaudes.

Anna jette un coup d'œil à son amie. Karen acquiesce d'un signe de tête, et Anna se rend compte qu'elle est désorientée.

C'est l'un des côtés imprévisibles de Steve. Il peut être un vrai boulet et, l'instant d'après, capable du meilleur. Dans l'action, il oublie ses propres faiblesses... et parfois celles des autres. Il peut ainsi devenir brutal, sans crier gare.

Anna se demande quand Karen va pouvoir s'occuper de tout ça. Ce n'est pas comme si elle invitait les gens à une fête. Elle a autre chose en tête que la nourriture, un bain ou le choix de vêtements.

Elle va assister à un enterrement. Celui de son mari. Et ça va être extrêmement pénible pour elle. Comment pourrait-elle partir plus tôt pour mettre le four en route et laver une salade ? Ça va être l'enfer...

Anna ne veut pas en parler, elle souligne simplement :

— Ça fait beaucoup de choses à se rappeler.

— J'avais pas l'impression… marmonne Steve.

Anna voit bien qu'il est vexé. C'est comme si on lui avait reproché de n'avoir pas été d'une grande aide, d'avoir laissé trop de travail à Karen. Il faut toujours marcher sur des œufs en s'adressant à lui, et c'est énervant. Il peut être hyper susceptible à une réflexion, et complètement insensible à d'autres l'instant d'après. Mais il peut aussi se montrer très prévenant, comme il vient de le démontrer.

Anna essaye d'adoucir sa remarque :

— Ne t'inquiète pas, on lui donnera un coup de main, d'accord ?

— D'accord.

Steve réfléchit comme s'il venait tout à coup de comprendre à qui cette nourriture était destinée.

— Tu as raison… Écoute, moi, je n'ai pas vraiment besoin d'aller à l'enterrement. Je peux rester ici pour m'occuper du buffet, si vous voulez.

— Pardon ?

Karen ne comprend pas…

— Je ne suis pas obligé d'aller à l'enterrement. Pour être honnête, je déteste ça. Je sais que Simon était ton mari, et tout ça… mais, bon, c'est vraiment pas mon truc, le cercueil, les larmes, et tout le reste.

Karen soupire :

— Moi aussi, je déteste les enterrements.

— Enfin, j'irai si vous me le demandez, évidemment. J'aimais beaucoup Simon, et je veux vraiment lui rendre hommage.

— Non, non, ne viens pas si tu n'en as pas envie. Je suis certaine qu'il y aura beaucoup de monde aux funérailles de toute façon.

Anna se dit qu'elle aimerait que Steve y aille, mais ce n'est peut-être pas le moment d'exprimer ses propres désirs.

— Je parle sérieusement, reprend Steve. Si ça ne te dérange pas, moi, je veux bien venir ici le premier pour tout préparer. Je m'occuperai de tout, le temps que vous arriviez tranquillement. Je mettrai le four en route, je ferai cuire le reste de la nourriture, et tout sera prêt quand vous arriverez. Je peux même faire le service si tu veux.

— Tu es sûr que ça ne te dérange pas ?

— Pas du tout, je le ferai avec plaisir... et ce sera ma manière à moi de rendre hommage à Simon.

Anna le voit déjà, avec son tablier, servir des portions généreuses tout en charmant les invités. Il sera dans son élément : il pourra jouir du prestige de celui qui reçoit sans en avoir la responsabilité au final. Un bref instant, elle s'inquiète à l'idée qu'il se mette à boire... mais il ne ferait quand même pas une chose pareille ! De toute façon, les funérailles vont avoir lieu en fin de matinée. Anna aimerait qu'il y aille avec elle – en tout cas, elle aimerait qu'il le lui propose –, mais elle s'en arrangera, comme d'habitude. Et puis, il fait cela pour aider Karen. Finalement, Anna est fière de lui, une fois de plus.

*

* *

— Maintenant, les enfants, on éteint la télé. Ça suffit pour aujourd'hui !

— Non ! proteste Molly.

À l'évidence, elle ne la regardait pas, de toute façon. Elle fait danser une de ses nombreuses poupées Barbie sur le dossier du canapé, en marchant sur la pointe des pieds.

— Vous avez fini de cuisiner ? demande Phyllis.

— Pfft ! Oui, jusqu'à demain.

— Vous avez l'air épuisée. Vous voulez que je fasse dîner les enfants ?

Karen se dit qu'elle pourrait fort bien s'asseoir et enfin se reposer. Mais si elle se laissait aller à ses vrais besoins, elle ne se relèverait plus. Donc, elle préfère continuer courageusement sur sa lancée. Sa belle-mère s'est occupée toute seule des deux enfants tout l'après-midi, et elle semble complètement épuisée.

— Non, ne vous inquiétez pas, je m'en occupe. Reposez-vous. Je peux vous offrir une tasse de thé, ou autre chose ?

— Je prendrais bien du thé avec une rondelle de citron, s'il vous plaît.

Mais, au lieu de s'asseoir dans le divan, Phyllis suit Karen dans la cuisine et referme doucement la porte :

— Je ne voulais pas en parler devant les autres, dit-elle à voix basse. Mais je voulais que vous le sachiez : Luc a dit qu'il ne viendrait pas demain.

— Vous voulez dire, à l'enterrement ?

— Oui, acquiesce Phyllis. Je n'ai pas voulu le forcer, ce n'est pas à moi de prendre cette décision. J'ai l'impression que tout ça est trop pour lui et qu'il n'arrive pas à comprendre ce qui se passe.

— Bien sûr, dit Karen, en prenant une tasse.

Au fond, elle aurait préféré que sa belle-mère insiste. Elle est trop à cran et trop fatiguée pour gérer sa relation avec Luc avec diplomatie. Il a des réactions difficiles à contrôler, surtout depuis l'incident chez la nourrice. Il s'est refermé sur lui-même, parle à peine. Il est presque impossible de percer sa carapace, et ce n'est pas le moment de le rudoyer, comme Karen a presque envie de le faire. Elle apprécie la délicatesse avec laquelle sa belle-mère reste dans son rôle, mais manifeste son inquiétude :

— J'ai pourtant l'impression qu'il devrait venir, non ? Qu'en pensez-vous ?

— Je ne sais pas, ma chérie. Oui, il me semble qu'il vaudrait mieux, reconnaît Phyllis. Mais il ne veut rien entendre.

Karen trempe un sachet de thé dans la tasse, ajoute une rondelle de citron qu'elle vient de trancher, et lui tend la boisson en disant :

— Ne vous en faites pas, je m'en occupe.

Luc peut rester à la maison avec Steve. Alors, ce n'est pas un problème logistique. Cependant, instinctivement, Karen le sait : s'il ne va pas à l'enterrement de son père, il le regrettera un jour. Car il n'aura pas une autre occasion de le faire, et ce sera trop tard. Elle retourne dans le salon, sa décision est prise, et tant pis si elle paraît un peu trop autoritaire.

— Avant d'aller dîner, je voudrais vous parler à tous les deux. Vous savez que demain, c'est l'enterrement de papa, n'est-ce pas ?

Molly hoche la tête, Luc ne dit rien.

— Luc ? Qu'est-ce qui se passe ?

— Je veux pas y aller.

Luc, assis par terre, tripote les fermetures en Velcro de ses chaussures. Il ne cesse de les mettre et de les enlever en émettant un bruit aigu. Le genre de bruit qui vous met les nerfs à vif en quelques instants. Karen a envie de lui demander d'arrêter, mais elle préfère s'asseoir à côté de lui en croisant les jambes, et lui chuchote :

— Tu sais, mon amour, moi non plus je n'ai pas envie d'y aller, mais je vais y aller quand même. Pourquoi tu ne veux pas y aller, toi ?

— Je veux pas, c'est tout, dit-il en regardant le sol.

Karen n'est pas surprise par le comportement de Luc. C'est un petit garçon casse-cou, il n'a aucune appréhension face à de nouveaux jeux ou de nouveaux sports, mais il a du mal à se faire des camarades. Il affronte avec difficulté les personnes inconnues, et quand il est allé à l'école pour la première fois, l'épreuve a été pénible, beaucoup plus que pour la plupart des enfants.

Elle doit réfléchir sérieusement à la manière dont elle va l'apprivoiser, d'autant qu'elle-même a du mal à surmonter sa propre anxiété. Mais les funérailles vont avoir lieu dans moins de soixante-douze heures, et son fils refuse d'y aller. Elle-même est passée du rire aux larmes peu de temps auparavant avec Anna ; après tout, c'est un peu normal. C'est sa façon à lui de montrer à quel point il est malheureux. Il n'accepte pas que son père soit mort ; par conséquent, il ne veut pas aller à l'enterrement. Pourtant, si Karen lui explique à nouveau à quoi cela sert et ce qui va se passer, il sera peut-être moins bouleversé.

— C'est vrai que nous ne sommes jamais allés à un enterrement jusqu'ici, c'est ça qui t'inquiète ?

Luc reste silencieux. Molly recommence à faire danser ses poupées Barbie autour de la pièce, comme si de rien n'était ; les petites chaussures en plastique rose de Barbie font des claquettes discrètes sur le bord du pare-feu, le long de la télévision et sur le rebord de la fenêtre.

— Je sais que le mot « enterrement » n'est pas très sympathique, il est même un peu effrayant quand on y réfléchit. Mais en réalité, c'est une chose normale. Quand quelqu'un est mort, comme ton papa, on l'enterre, on le met dans la terre, et pratiquement tout le monde est enterré après la mort.

— Pourquoi ?

Karen hésite. Elle suit son instinct, au fur et à mesure, énonçant ce que son cerveau embrumé lui envoie. Si elle n'est pas convaincue de donner les bonnes réponses, elle n'a guère le choix :

— Tu vois, c'est une occasion spéciale pour que la famille de papa et tous nos amis se réunissent pour lui dire merci et au revoir. Molly et toi, vous avez déjà dit au revoir à papa, souviens-toi, et vous lui avez donné un dessin, mais les autres n'ont pas eu le temps de le faire. Cette cérémonie sert à ça, que tout le monde puisse lui dire au revoir. Il va y avoir beaucoup de monde, tu sais, et même des petits amis à toi, comme Austin et sa maman, et Tracy et Lola, car nous voulons être tous ensemble.

— Tout le monde va pleurer ?

C'est peut-être ça qui le tracasse.

Mais Karen a du mal à lui mentir :

— Oui, il y a des gens qui vont pleurer, j'en suis sûre. Ils seront tristes que papa soit mort, tout comme nous.

— Les grandes personnes aussi vont pleurer ?

Ah, voilà d'où vient le problème ! Karen peut comprendre. Elle se souvient de sa stupeur de petite fille quand elle voyait des adultes pleurer. Elle était sidérée par un tel spectacle, ils n'étaient pas censés faire une chose pareille. Mais elle ne peut pas s'empêcher d'être honnête et de dire ce qu'elle pense vraiment :

— Oui, des grandes personnes vont probablement pleurer, parce qu'elles seront tristes, comme moi, et vous, et Mamie. Mais il y aura aussi des rires…

Elle marque une pause et reprend :

— Tu verras, la plupart des gens seront habillés en noir ou avec des couleurs sombres, ça paraît un peu bizarre au départ, mais tu vas t'y habituer. En fait, nous partirons dans une très grande voiture noire toute brillante, toi, moi, Molly et Mamie. Une très belle voiture.

— Ah bon ?

Karen voit qu'elle a piqué sa curiosité.

— Hmm… Tu n'as pas envie de manquer ça, j'imagine ?

Luc réfléchit. Sa lèvre inférieure remonte presque jusqu'à son nez, et son regard se perd au plafond. Généralement, tous les rituels qui lui sont familiers – Noël, Pâques, les anniversaires – sont concentrés autour des enfants, même s'il n'est pas le seul centre d'intérêt. Jusque-là, son rôle était très clair. Il était l'un des personnages principaux, apprécié, gâté, fêté. Mais les funérailles, c'est un domaine inconnu. Karen ne se souvient pas être allée à un enterrement quand elle était petite. Quand des membres de sa famille mouraient, seuls les adultes assistaient à la cérémonie. Elle a beau secrètement vouloir protéger Luc de ce chagrin, elle est déterminée à ne pas flancher.

— Mon chéri, je sais que c'est un peu bizarre, un petit peu effrayant, mais je veux vraiment que tu viennes. C'est très important pour moi que tu sois là avec nous, pour cette réunion de famille très spéciale. Je te promets que si tu n'aimes pas ça quand tu seras là-bas ou que si tu te sens un peu bizarre, tu pourras t'en aller faire un petit tour plus loin, pour jouer ou penser à autre chose. Et il y aura bien un adulte, peut-être Mamie, Anna ou Tracy, qui t'accompagnera. Mais comme tu es le petit garçon chéri de ton papa, je veux que nous soyons là-bas tous ensemble pour lui faire plaisir.

Luc garde le silence. Karen voit bien qu'il n'est pas heureux, et elle n'insiste plus.

Il a plutôt besoin d'être consolé par petites étapes, il ne faut pas le bousculer trop longtemps. Elle n'a pas eu à gérer une telle situation auparavant. Et puis, jusqu'ici, Simon était là pour l'aider...

Pourtant, elle ne parvient pas du tout à imaginer qu'elle ne pourra plus jamais parler des enfants avec Simon.

17 h 14

— Ils arrivent ! Les voilà !

Karen descend les marches quatre à quatre en faisant claquer ses sandales.

— Allez, tous dans le jardin !

Elle tapote la main de sa belle-mère pour la prévenir que ce n'est plus le moment de ciseler de la ciboulette pour la salade de tomates :

— Arrêtez cela, Phyllis !

— Anna, attrape ce champagne…

Et elle les fait tous sortir par-derrière, dans le jardin. Elle les suit et referme la porte derrière elle.

Plus d'une trentaine de personnes se sont rassemblées dans la cour. Les personnes proches de la fenêtre se baissent de façon à ne pas être visibles de la cuisine. La petite courette mesure à peine un mètre sur six, et elle est généralement encombrée de bacs à fleurs, de meubles de jardin et de jouets : ballons de plage, pelles et seaux, et petites raquettes de tennis.

— Où est papa ? crie Molly de sa petite voix stridente.

— Chuuuut ! Désolée, mon poussin… chuchote Karen à son oreille. Papa et ton oncle Alan vont arriver d'un moment à l'autre.

Un moment de silence. Les amis et la famille échangent des regards, les enfants répriment des fous rires. Simon aurait-il pu imaginer une chose pareille ? Sera-t-il heureux de les voir tous ? Certaines personnes détestent les surprises.

On entend Steve qui s'agite autour du barbecue sur le côté de la maison, qui tisonne le charbon de bois pour le faire prendre. Karen fronce les sourcils : il n'aurait pas dû.

Au même moment, elle entend la clé tourner dans la serrure de la porte d'entrée, puis les pas lourds de deux hommes sur le paillasson, probablement en train de débarrasser leurs bottes de la boue ; ils entrent dans le couloir et l'un d'eux l'appelle :

— Karen ?

Simon...

— C'est bizarre, j'ai cru qu'ils étaient là.

Bien entendu, Alan fait partie du complot et joue bien son rôle. Les deux frères reviennent de leur entraînement de football, comme presque tous les dimanches... et ce n'est pas évident d'obliger Simon à arriver à l'heure.

— Bon sang ! C'est quoi, toute cette bouffe ? marmonne Simon.

Donc, ils sont déjà dans la cuisine.

On aurait dû cacher la nourriture, pense Karen.

Simon s'attend à déjeuner avec la famille d'Alan, mais le festin est prévu pour un régiment. Si tout va bien, il n'aura pas le temps de se poser de questions sur le menu et la quantité de nourriture. En effet, une poignée de secondes plus tard, les portes s'ouvrent et les deux hommes s'arrêtent sur le seuil.

— Karen ? répète Simon.

Et, juste avant qu'il repère la foule des invités, tous sautent vers lui pour l'accueillir.

— Surprise ! s'écrient-ils à l'unisson.

Bang ! Bang ! Pop ! Les bouchons de bouteilles de champagne fusent. Et aussitôt, c'est la ruée des enfants qui braillent, des adultes qui rient, au milieu des banderoles et des gobelets en plastique.

Et, au milieu de la foule, Simon.

D'abord, il a l'air étonné, très ému, puis fou de joie.

— Oh franchement ! Vous n'auriez pas dû ! dit-il en mettant sa main devant sa bouche pour cacher son émotion.

Les hommes lui lancent des bourrades dans le dos, les femmes l'embrassent sur les joues. Simon lutte pour se retourner et voir tous ceux qui sont là. Il connaît pratiquement tout le monde : la femme d'Alan, Françoise, avec ses enfants adolescents ; Tracy, la nourrice de Luc et de Molly, et des voisins de la rue juste au-dessus. Il y a sa mère, évidemment, et son copain de classe Peter, avec sa nouvelle fiancée, Émilie. Plusieurs de ses collègues aussi : son patron, Charles, venu de Hampstead, et même ses potes de l'équipe de foot, arrivés les premiers comme prévu. Alan avait prétendu être à court d'essence et s'était arrêté en route pour faire le plein. Karen voit des larmes dans les yeux de son mari au moment où il affirme :

— Vous n'auricz pas dû !

Les enfants se précipitent vers lui, heureux de pouvoir se coucher plus tard, et s'écrient :

— Joyeux anniversaire, papa !

Simon les prend dans ses bras, ils sont encore assez petits pour qu'il puisse les embrasser tous les deux en même temps.

Alors, lentement, à pas mesurés, Karen s'approche de lui :

— Joyeux anniversaire, mon chéri.

Et par-dessus la tête des enfants, elle l'embrasse ; ses lèvres sont douces et chaudes. Simon irradie de chaleur et est encore en sueur après le match.

— Ouah ! Je n'arrive pas à le croire... Franchement, je n'avais aucune idée...

— Vraiment pas ?

— Je ne me doutais de rien.

Il se tourne vers Alan :

— Toi, mon petit salaud !

— Cinquante piges, tu ne crois tout de même pas que tu allais t'en tirer sans nous rincer ? lance Alan en levant sa canette de bière.

Simon secoue la tête :

— Tu le savais depuis le début !

— Pourquoi tu crois que je n'ai pas voulu qu'on s'arrête prendre un petit verre en cours de route ? dit Alan en souriant.

— Il ne ferait pas une chose pareille ! le taquine Karen.

Simon éclate de rire :

— On ne devait pas le dire aux femmes.

Karen lui empoigne les fesses, elle se serre contre lui et contre les enfants. Elle veut être certaine qu'il ne le lui reproche pas :

— Alors, vraiment, ça ne te dérange pas ?

— Non, non, c'est super. Quelle organisation ! Quand as-tu trouvé le temps ? Je n'arrive pas à y croire... mais je vais te dire une chose : il faut d'abord que je prenne une douche, dit-il en reposant les enfants par terre.

Il a retiré ses chaussures de foot, mais porte encore un short et un tee-shirt maculés de boue.

— Bien sûr, approuve Karen.

— Tiens, emporte ça avec toi, l'interrompt Anna en lui tendant une coupe de champagne.

*
* *

Karen jette un coup d'œil circulaire dans la cuisine. Qui aurait pu deviner, il y a un an et demi, que la prochaine fois que sa maison déborderait de nourriture, elle serait encore préparée en l'honneur de son mari mais, cette fois, pour son enterrement ?

Elle ne peut toujours pas l'imaginer. La dernière fois, elle était persuadée qu'ils passeraient encore au moins vingt ans ensemble.

Cinquante et un ans n'est pas un âge pour mourir. Encore moins Simon... son Simon à elle.

Cinquante et un ans...

C'est trop injuste ! C'est une tragédie sans nom, complètement injuste.

Soudain, Karen entre dans une rage folle. Sans réfléchir, elle attrape un des saladiers en plastique rempli de hors-d'œuvre préparés avec amour par Steve et, en hurlant comme une sauvage, de toutes ses tripes, elle le balance à travers la pièce sans se soucier des dégâts, ni de la peur qu'elle peut faire à ses enfants et à sa belle-mère.

Le saladier s'écrase sur le mur du fond, où viennent se coller des haricots, du maïs et de la vinaigrette, avant d'atterrir sur le dallage de terre cuite.

*
* *

Lou est assise dans son café préféré, face à la mer. Elle regarde des adolescents qui lancent des pierres dans l'eau en faisant des ricochets.

Elle devrait rentrer chez elle, prendre une douche. Mais elle a besoin de faire le vide dans sa tête, d'évacuer les tragédies des gens qui s'accrochent à elle. Voilà pourquoi elle est venue ici, sur cette terrasse de café, devant cette petite table et une tasse de thé fumant. La lumière exubérante de ce matin s'est évanouie, la nuit tombe rapidement. De gros nuages s'accumulent à l'horizon, le vent est glacé ; mais Lou est à l'abri, protégée par une grosse bâche en toile jaune brillante. Les chevaux gris de la mer, zébrés d'ocre, semblent défier les jeux des adolescents.

Quelle semaine ! Et on est seulement vendredi...

La mort de Simon affecte Lou. Et maintenant, il y a celle de Jim. Comme c'est étrange, triste, et même sinistre... Il a suffi que son ex-femme se remarie pour le faire plonger dans la destruction finale.

Lou respire lentement, en expirant profondément, sa tasse de thé serrée comme un objet chaud et réconfortant entre ses mains.

Les émotions envahissent son corps, qui réagit aux événements ; elle prend conscience qu'elle aussi peut mourir. Oui, elle va mourir un jour... Elle se demande si elle est heureuse, et quel est le sens de sa vie. Et surtout, ce qu'elle ressent le plus profondément, c'est la solitude.

Elle en a pris conscience la nuit précédente, en comparant sa situation avec celle de Karen. Et désormais, après Jim, elle le ressent encore plus fort. Alors qu'elle regarde les galets alentours, bruns, beiges et violines, la mort de Simon, le suicide de Jim lui donnent l'impression d'être plus seule qu'elle ne l'a jamais été. Elle n'est rien qu'un minuscule caillou, perdu au milieu d'une étendue de galets, à l'infini.

Soudain, elle se souvient de ce mardi-là. Le lendemain de la mort de Simon. Pour qui était l'ambulance qu'elle a vue à côté de la jetée ? Lou, en route pour la gare, à vélo, avait dû faire une embardée... On emportait un corps de la plage.

Était-ce celui de Jim, par hasard ? Purée !

Elle se prend la tête entre les mains.

Pauvre Jim ! L'homme qui mangeait des sandwichs au pain brun et au fromage frais. L'homme qui ramassait les ordures. Et quelle triste fin ! Se jeter dans la mer, quelle manière brutale et désespérée d'en finir… Lou n'aurait voulu pour rien au monde être dans la tête de Jim ce soir-là.

En revanche, d'une certaine manière, elle envie presque Karen. La façon dont cette femme pleure pour Simon, dont elle parle de lui, lui a fait prendre conscience qu'elle n'avait personne de spécial dans sa vie à elle. Elle vit seule. Elle n'en est pas au stade de Jim, certes, mais elle n'a personne à qui raconter ce qui s'est passé dans le train l'autre jour. Jusqu'à présent, en dehors de Karen et d'Anna, personne ne sait qu'elle a été directement témoin de cette mort, cette semaine. Personne ne sait qu'elle a rencontré Karen, qu'elles ont parlé, que Lou a essayé de se rendre utile. Alors, elle supporte cette expérience toute seule. Elle en a marre, elle en a vraiment ras-le-bol. Ça va durer longtemps comme ça ?

Et la culpabilité l'assaille d'un coup. De violents reproches lui tombent dessus sans crier gare : comment peut-elle envier Karen ? Elle doit être sacrément égoïste pour en arriver là. Sa vie, ses problèmes, sa solitude… Franchement, ce n'est pas important. Elle a un toit au-dessus de la tête, elle n'a pas perdu de compagnon. Et si elle est toute seule, à qui la faute ? Elle ne peut s'en prendre qu'à elle-même.

*

* *

— Tu sais quel est ton problème ? Tu n'es pas encore sortie du placard, voilà tout !

En face d'elle, tendue comme un ressort, le menton agressif, l'œil provocateur, sa petite amie Fi, avec qui elle est depuis presque deux ans, la harcèle. Toutes deux installées dans la petite cuisine de l'appartement de Lou, elles se disputent.

Elles ont l'habitude de ces bagarres sans lendemain, mais cette fois, les limites ont été dépassées, et Lou peut déjà pressentir qu'il n'y aura pas de réconciliation.

— Pas d'accord, proteste Lou, je l'ai dit !

— Non, tu ne l'as pas dit à ta famille.

— Ma sœur est au courant.

— Tu parles, c'est facile ! Elle est de notre génération. Mais ta mère ? Ta tante ?

— Je ne vois pas l'intérêt. Pourquoi je leur dirais ? demande Lou.

— Parce que c'est important, Lou, voilà pourquoi. C'est extrêmement important… et si tu prétends le contraire, c'est parce que tu n'arrives pas à admettre ce que tu fais et qui tu es.

Aïe ! Ça fait mal. Parce que c'est vrai. Lou n'arrive pas à l'assumer, et Fi ne comprend pas pourquoi.

— J'en ai ma claque, dit Fi. Quand je viens chez ta mère, on fait comme si on était seulement copines, on dort dans des chambres séparées. Putain ! Je peux vivre sans baiser pendant une nuit ou deux. Mais c'est le mensonge que je ne supporte plus.

Et elle imite Lou d'une voix pathétique.

— « Je te présente mon amie Fi. » Et tes réponses évasives quand ta mère te demande si tu as un homme dans ta vie ! Je ne suis pas ton amie, je suis ta nana, ta maîtresse. C'est ridicule à ton âge de raconter des salades pareilles. Tu as plus de trente ans, ma vieille !

— Tu ne comprends pas. Elle n'est pas comme tes parents, elle n'est ni compréhensive ni tolérante. Elle est bornée, vieux jeu… elle lit des journaux conservateurs, gère un petit gîte modeste. Et elle deviendrait folle si je lui disais.

— Je sais. Je la connais. Je l'ai rencontrée, merci beaucoup. Mais ce n'est pas elle, le problème.

C'est toi ! Tu n'es pas vraie avec toi-même, Lou, à force de garder ton secret. Franchement, je n'en ai rien à foutre de ta mère. Toi, tu es importante pour moi. Qu'est-ce que ça peut bien faire si elle devient cinglée ? Tu t'en remettras !

Alors, à ce moment précis, Lou se replie sur elle-même ; elle ne dit rien, se contente de hausser les épaules. Et ça rend Fi complètement chèvre, quand Lou joue les autistes et cesse de communiquer avec elle. De plus, en refusant de dire la vérité à sa mère, Lou repousse Fi encore plus loin d'elle. Ce n'est pas faute de l'avoir prévenue, mais c'est une fois de trop : à force de se sentir rejetée, Fi craque pour de bon.

Mais Lou ne peut pas lui expliquer ses raisons ; c'est trop compliqué, trop tordu. D'abord elle a perdu son père, et c'est une dure épreuve, car elle a promis à son père de ne rien révéler à sa mère. Elle a peur aussi, si elle lui avoue qu'elle est gay, que sa mère la rejette ; et, du même coup, elle aura aussi perdu sa mère. Perdre un parent c'est déjà dur, mais perdre les deux – quels que soient ses sentiments vis-à-vis de sa mère –, c'est au-dessus de ses forces. Si elle doit faire un choix, et si elle se sent qu'on lui met la pression, elle préfère perdre Fi. Voilà la vérité.

19 h 35

Une fois de plus, Lou se retrouve à côté des tourniquets à la gare de Brighton. Cette fois, elle attend Vic et Sofia. Elle est d'humeur beaucoup plus joyeuse, et très excitée à la perspective de cette nouvelle rencontre. Lou scrute le quai en se demandant de quel côté le train va arriver, d'une minute à l'autre. À Londres, comme dans toutes les villes où elle a vécu jusqu'ici, les trains arrivaient tous sur leur quai attitré, de jour comme de nuit. Mais à Brighton, c'est un peu n'importe quoi. Comme si la ville, imprégnée par la bohème de ses habitants, avait transfusé cet esprit rebelle à son infrastructure. Lou imagine la consternation de la population de la ville d'où elle vient, si les trains étaient gérés de cette manière irrévérencieuse. À Hitchin, tout est minutieusement encadré. Même la flore et la faune de la gare sont toilettées, entretenues parfaitement tout au long de l'année.

Lou se livre à des petits jeux superstitieux, pour tromper son attente, et elle fait un tour du côté de la librairie WHSmith installée dans le hall, dans l'espoir que cela fera arriver le train plus vite. La boutique est très bien achalandée, mais Lou ne veut rien acheter : elle a seulement envie de penser à autre chose, car elle est très nerveuse.

Un train s'arrête, les portes s'ouvrent. Et son amie apparaît, descend sur le quai, plus belle que jamais. Vic est une superbe créature d'un mètre quatre-vingts à moitié jamaïcaine ; elle a un corps de rêve et une magnifique crinière de longs cheveux frisés. Le genre de fille que l'on remarque en toutes circonstances et, visiblement, elle aime bien faire de l'effet sur son entourage. Aujourd'hui, elle est perchée sur des talons aiguilles et porte un manteau en faux léopard, avec un sac en cuir vernis rouge.

Vic aperçoit Lou et lui fait des grands signes de la main, fendant la foule avec assurance. Elle se précipite sur Lou et l'embrasse vivement sur les joues en déclarant :

— Bisou, chérie ! Bisou, chérie...

Lou émerge de l'embrassade avec la créature en peau de léopard, chavirée par le puissant parfum de musc qui s'en dégage, et réalise tout à coup en regardant autour d'elle que Vic n'est pas accompagnée.

— Où est Sofia ?

Elle ne va peut-être pas venir. Non, Vic ne lui ferait pas un coup pareil !

— Elle va arriver par un autre train, souffle Vic. Je lui ai dit que je te rencontrais ici, elle devrait arriver d'un moment à l'autre.

Juste à ce moment-là, une voix derrière Lou les interrompt :

— Vic, salut ! Lou, euh... bonjour.

Lou se retourne, aperçoit une chevelure brune courte et en broussaille, des yeux noirs profonds... L'attirance immédiate la frappe en plein plexus. Car Sofia n'est pas seulement jolie : elle est charmante, envoûtante, une vraie petite fée.

— Lou, Sofia. Sofia, Lou.

Ouah ! Par quel miracle une fille pareille vient-elle ici pour me rencontrer ? Elle doit avoir une liste d'attente longue comme mon bras, sur son carnet de rendez-vous amoureux.

Toutes trois se dirigent vers la file de taxis stationnés devant la gare. En moins de deux minutes, comme il y a très peu de clients, Lou et Sofia se retrouvent assises à l'arrière d'un taxi.

— Pousse-toi, dit Vic. Oh, tant pis, laisse tomber ! Je vais m'asseoir devant.

En soufflant, Vic s'installe à côté du chauffeur et referme la porte.

— À quel endroit dans Kemptown ? demande le chauffeur.

Lou se penche vers lui :

— Tout en haut de Magdalene Street, s'il vous plaît.

Quand elle se rassied, de l'air s'échappe du siège rembourré en Skaï. Lou est très consciente de la présence de Sofia à son côté : c'est comme si l'espace entre elles était rempli d'électricité statique. Ça lui fait penser à l'un de ces générateurs Van de Graaff datant du début des années quatre-vingts, en forme de globe : quand on approchait la main, des petites étincelles lumineuses se propageaient dans votre paume.

Vic se retourne :

— Alors, qu'est-ce qu'on fait ?

— Vous avez faim ?

— J'ai un petit creux, dit Vic. Je ne vais pas tenir toute la nuit comme ça sans manger.

Lou connaît bien le fonctionnement de Vic ; il faut du fioul, de l'énergie, pour nourrir cette grande fille flamboyante. Alors, elle a tout prévu.

— On pourrait aller dans ce bar à tapas, à Lanes, si ça vous dit. Comme ça, on pourra manger ce qui nous plaît.

Il y a beaucoup de choix, et à petit prix. Et Lou n'aura pas à craindre de montrer qu'elle est végétarienne et fauchée. Elle s'inquiète cependant :

— Ça te dit, Sofia ? Je trouve que c'est très bon. Le propriétaire est Espagnol, mais ça n'a probablement rien à voir avec les tapas de chez toi...

— Ça me convient tout à fait. Je suis certaine que de simples tapas seront de toute façon meilleures que ce qui est servi dans la plupart des restaurants anglais.

Sofia sourit et lui fait un clin d'œil coquin ; cela fait rougir Lou, qui ne sait pas comment réagir.

Elles laissent leurs sacs dans l'appartement de Lou et ressortent rapidement. Le restaurant est à une dizaine de minutes à pied et, lorsqu'elles arrivent, l'endroit est déjà bondé : les tables en bois recouvertes de nappes à carreaux et les bancs, serrés les uns contre les autres, sont presque tous occupés.

— Je me demande si Howie est là... On attendrait moins longtemps, dit Vic en le cherchant du regard dans la salle. Ah ! Le voilà !

Effectivement, Howie est assis à la table placée dans le coin le plus reculé, devant une bouteille de vin. Il porte des lunettes, a un bouc bien taillé, le crâne soigneusement rasé, et il lit le menu. La présence de Vic en manteau de léopard attire son attention, et il les reconnaît.

Vic se dirige vers lui :

— Salut. Comment ça va ?

Howie lui sourit :

— Très bien, et toi ?

— Impeccable. Mais toi, dis donc, tu es méconnaissable ; la dernière fois qu'on s'est vus, tu étais déguisé en pirate, et moi je m'étais habillée en mère maquerelle.

— Alors vous vous rappelez l'un de l'autre, les interrompt Lou.

Elle voit que Sofia reste debout poliment, attendant d'être présentée.

— Howie, je te présente Sofia, une amie de Vic.
— Sofia ?
Howie lève un sourcil.
Lou perçoit dans ce geste une insinuation grivoise.
Zut ! Je n'aurais jamais dû lui dire que Vic allait jouer les entremetteuses. Il va devenir encore plus curieux, et moi je ne vais pas savoir où me mettre, pense-t-elle.
Howie tend le menu à Sofia au moment où elle s'assied.
Pendant qu'elle le parcourt, il la conseille :
— Leur chorizo est très bon.
— Sofia est Espagnole.
Lou prend la défense de Sofia avant même qu'on l'attaque.
Lorsque Vic et Howie sont ensemble, on a affaire à deux fameux numéros...
— Je ne mange pas de viande, explique Sofia.
Lou est agréablement surprise : encore un point commun.
— C'est plutôt inhabituel pour une Espagnole, dit Howie en remplissant les verres. Comment les gens ont-ils pris cela dans votre pays ?
— C'est justement une des raisons pour lesquelles je suis partie, réplique sèchement Sofia.
— Et ça fait combien de temps ?
— Sept ans.
— On peut se tutoyer ?
Sofia hoche la tête.
— Alors, tu devrais venir habiter à Brighton. Il y a plein de végétariens ici.
Comme tous ceux qui habitent la ville, Howie prêche pour sa paroisse, et il en est très fier.
— J'aime beaucoup cet endroit, en effet.
Sofia jette un coup d'œil à Lou.
C'est bien le signe qu'elle aime ma ville, si je ne me trompe pas, pense Lou. Elle préférerait que

Howie parle avec Vic au lieu de monopoliser Sofia. Après tout, Vic et lui se connaissent déjà. Mais, manque de chance, Howie semble s'intéresser davantage à Sofia, du fait que Lou a des vues sur elle : on ne peut rêver mieux pour titiller son esprit alambiqué.

— Alors, parle-nous de toi, enchaîne Howie.

Finalement, cet interrogatoire indirect peut se révéler très utile, en révélant des choses que Lou n'oserait pas demander à Sofia.

— Que veux-tu savoir ?

— Commençons par les raisons pour lesquelles tu es venue en Angleterre.

— Je suis styliste. Mon entreprise avait un grand projet ici et cherchait quelqu'un qui parle à la fois espagnol et anglais pour le superviser. Ça fait déjà un bon moment, mais j'aime beaucoup les gens, et ils sont très sympas avec moi.

— Et ça se trouve où ?

— À East Croydon.

Howie fait le lien aussitôt :

— Mais alors tu pourrais déménager ici ! Où vis-tu en ce moment ?

— À Dalston.

— Ben, ma pauvre, il doit te falloir un temps fou pour aller au travail !

— Non, ça peut aller, un peu plus d'une heure ! J'ai beaucoup d'amis dans le coin.

— Mais si tu cherches des amis, tu ne trouveras pas mieux qu'ici. C'est plein de gens super.

— J'aime bien mes amis, ils sont formidables.

Lou se réjouit intérieurement. Toutes deux ont la même priorité : les amis. Et d'après ce qu'elle entend, Sofia choisit soigneusement son entourage, elle doit avoir du talent. *Mais ne nous emballons pas*, se dit Lou. *Si elle est aussi séduisante et performante qu'elle en a l'air, elle doit être très courtisée.*

— Bien, alors on va devoir mettre le paquet pour que tu viennes chez nous, n'est-ce pas ? déclare Howie, cherchant du regard Vic et Lou.

Puis il prend la bouteille, remplit leurs verres et fait signe au garçon d'en apporter une autre.

Le serveur prend la commande et, au moment où il retourne au bar, se trouve nez à nez avec une jeune fille qui se dirige tout droit vers leur table.

— Bonsoir ! dit-elle.

Lou sursaute. Elle reconnaît aussitôt le petit minois, les fringues bizarres et les cheveux de toutes les couleurs : c'est la jeune étudiante serveuse du pub de la rue Trafalgar.

Je n'en reviens pas, pense Lou. *Qu'est-ce que ça signifie ? Je n'ai pas eu une seule touche avec une nana depuis des mois, et voilà que dans la même soirée, je rencontre deux filles sublimes.*

La fille interrompt sa rêverie en disant :

— C'est marrant de se retrouver ici !

Elle lui lance le même sourire ravageur qu'elle lui avait jeté la première fois au pub Lord Nelson.

— Oui, c'est vrai ! Le monde est petit… dit Lou en rougissant, estomaquée par son audace.

La fille ajoute :

— Je ne savais même pas que je pouvais te rencontrer ici, à Brighton. Tu aurais dû me le dire.

Lou comprend alors que ce sourire ravageur ne s'adresse pas à elle. La fille a reconnu quelqu'un, mais ce n'est pas Lou : c'est Sofia.

21 h 44

Anna et Steve regardent un jeu télévisé. Une des émissions favorites d'Anna : elle adore l'humour, l'ironie et les blagues – raffinées ou vulgaires, peu importe ! Ça lui permet de décompresser après cette semaine épuisante.

Les lumières sont tamisées et il y a du feu dans la cheminée. Les flammes crépitent dans l'âtre, et Anna, pelotonnée sous une couverture sur le divan, se sent plus détendue qu'elle ne l'a été depuis des jours et des jours. Soudain, Steve se lève, rompant l'harmonie.

— Où vas-tu ? lui demande-t-elle.

— Acheter des clopes.

Anna se raidit aussitôt :

— Ah bon ?

Il ne la regarde pas, c'est inutile. Elle sait... mais avant qu'elle ait pu protester, il est déjà parti.

Anna entoure ses genoux de ses bras crispés. Ils ont passé une journée si tranquille tous les deux. Steve a été merveilleux, pourquoi lui fait-il cela ? D'autant qu'elle sait déjà ce qui va arriver.

Il est parti un peu plus longtemps que nécessaire, elle commence à s'inquiéter lorsque la porte claque. Il entre dans la pièce avec un sac en plastique serré contre lui.

— Ça te dirait, un petit verre de vin rouge ?

Il pose les cigarettes et la bouteille de vin sur le manteau de la cheminée.

Elle secoue la tête.

— Moi, je vais en prendre un.

Elle soupire.

— Il est un peu tard.

En réalité, il n'est pas si tard, mais Anna ne sait pas lui dire autrement que ce verre de vin rouge ne doit pas être son premier de la soirée. Ces quelques minutes de trop le trahissent : il a dû acheter un quart ou un demi-litre de vodka, siffler la bouteille d'un trait, et il a probablement bu une canette de Red Bull. Mais Anna ne peut pas l'accuser sans provoquer aussitôt une scène, alors elle proteste maladroitement en parlant de l'heure tardive. Ridicule, évidemment.

— Mais il n'est même pas 10 heures du soir !

Le duel est engagé. Anna le sait rien qu'au ton de sa voix. Steve est à la fois agressif et sur la défensive. Avant les derniers événements, elle aurait laissé glisser ; mais elle est devenue plus consciente de l'importance d'être honnête avec soi-même dans une relation. Elle n'a pas eu le temps de se demander ce qui le pousse à sortir dans le froid pour acheter furtivement sa dose, l'avaler goulûment dans la rue. Elle ne l'a jamais vu faire – il se cache pour boire –, mais elle le sait. C'est tellement minable, tellement désespéré.

Elle frissonne.

Il suffit de pas grand-chose – quelques centilitres d'alcool, quelques instants – pour détruire la tranquillité. La télévision déroule le même programme du vendredi soir, mais maintenant le rire lui semble faux et forcé. Le feu dans la cheminée rougeoie encore, mais les flammes ne parviennent plus à réchauffer la pièce. Anna est enveloppée dans sa couverture : ce n'est pas le confort qu'elle recherche, mais un semblant de protection. Elle aimerait tant que cette carapace de laine soit plus dure, plus résistante.

*
* *

— Alors, dit la serveuse, qu'est-ce qui t'amène par ici ?

— Oh, euh...

Sofia bafouille, et voilà qu'elle rougit !

Lou comprend très vite. Il ne s'agit pas d'un flirt platonique, elle pourrait le jurer.

— Mes... amis, répond enfin Sofia.

La fille jette un coup d'œil autour de la table. Elle voit Lou et déclare :

— Mais on se connaît, non ?

— Hmm...

Lou préférerait ne jamais l'avoir rencontrée.

— Oui, mais alors je ne me souviens plus où...

Lou surprend le regard de Howie. Avec son esprit tordu, il a déjà comblé les trous de l'histoire avec des scènes particulièrement torrides.

— Je vous ai rencontrée au pub Lord Nelson, il y a deux jours, répond Lou, afin de mettre les choses d'équerre.

— Ah oui, j'y suis !

La fille s'esclaffe, toujours imperturbable :

— Et comme ça, vous êtes venue avec des amis ici ?

Lou espère paraître plus calme qu'elle ne l'est en réalité. Non pas qu'elle s'intéresse à ce que fait cette fille dans ce restaurant. Non, elle est beaucoup plus curieuse de savoir ce qui se passe entre Sofia et la fille, comment elles se sont rencontrées. Il y a de l'électricité dans l'air, au point que Lou ne peut retenir une pointe de jalousie.

La fille désigne un groupe un peu plus loin :

— On fête les vingt et un ans de ma pote. On a presque terminé… (*Super !* pense Lou.) Mais on va finir la soirée au Candy Bar, un peu plus tard. Si vous voulez nous rejoindre…

Le cœur de Lou chavire à nouveau.

— Ah… bon, dit Sofia. Euh… oui. Peut-être…

Lou parvient difficilement à contrôler ses émotions. D'abord, elle est excitée à la pensée que la fille la drague ; un peu plus tard, elle comprend que le flirt est en réalité entre la fille et Sofia. Sa soirée se désintègre, mais elle n'a aucun recours. Elle réprime un frisson en regardant la serveuse repartir d'une démarche chaloupée.

Soudain, Vic déclare :

— Je déteste le Candy Bar. C'est un endroit pour les ados, pas pour nous.

— Et, de toute façon, ils ne me laisseront pas entrer, affirme Howie.

Lou commence à se réjouir, elle se détend déjà. Mais la fille se retourne et revient vers Sofia :

— Au fait, avant de partir, tu m'avais promis de me donner ton numéro de téléphone, tu te souviens ?

Lou n'en revient pas d'une telle audace.

— Ah oui, c'est vrai… Hmm… peut-être…

Sofia prend rapidement un stylo dans son sac à main et griffonne des chiffres sur une serviette en papier qu'elle lui tend.

*

* *

Anna et Steve sont assis en silence. La télévision est allumée, mais Anna ne la regarde plus. Elle ne parvient pas à se concentrer, elle ne peut pas parler. Elle est tellement en colère contre Steve, tellement déçue par lui, que si elle ouvrait la bouche elle ne pourrait dissimuler sa rage. Cela ne ferait que raviver l'hostilité qui accompagne inévitablement ses soûleries, alors il vaut mieux ne rien dire… Mais en réprimant sa colère, Anna est encore plus sous pression intérieurement. Elle a l'impression d'être une canette de soda tombée par terre qui risque d'exploser si on a le malheur de la décapsuler.

Elle reste immobile une demi-heure. Finalement, elle n'en peut plus. Alors, elle rejette la couverture autour de ses genoux, prend son téléphone sur la table basse et se lève.

— Et tu vas où comme ça ? demande Steve.

— Faire du thé. Pourquoi ? Tu en veux une tasse ? demande-t-elle d'un ton sarcastique.

— Certainement pas.

— Très bien alors !

— Pourquoi prends-tu ton téléphone ?

— Parce que j'ai un coup de fil à passer.

— Vachement tard pour téléphoner à quelqu'un.

Elle regarde sa montre : il a raison. Il est 22 h 30. La seule personne qu'elle pourrait décemment appeler à cette heure-ci est Karen, et avec l'enterrement qui a lieu demain, c'est la dernière des choses à faire.

Elle s'arrête dans le couloir pour réfléchir. Il y a peut-être quelqu'un avec qui elle pourrait parler… du moins, elle peut envoyer un texto. Elle va dans la cuisine et met l'eau à bouillir. Tandis que la bouilloire crachote elle écrit :

« Salut Lou, j'espère que vous passez une bonne soirée, là où vous êtes. Désolée de vous ennuyer si tard, mais si vous avez le temps, appelez-moi. Demain ou quand vous voudrez. J'ai besoin d'un conseil. Rien à voir avec Karen, il s'agit de mon stupide compagnon… Bien amicalement, Anna X »

Elle prend le temps de relire son message. Il est tard, mais son métier de rédactrice professionnelle reprend le dessus. Elle appuie plusieurs fois sur la touche Espace, supprime « mon stupide compagnon », remplace les trois mots par un seul : « moi »… Elle absout ainsi Steve, mais réalise qu'il n'est pas raisonnable de balancer sa frustration sur Lou un vendredi soir à 22 h 30 ; néanmoins, elle appuie sur Envoyer, et tapote du bout des ongles le plan de travail de la cuisine. Elle aimerait parler avec Lou à l'instant même, mais il y a peu de chances que son téléphone soit branché ou qu'elle puisse l'entendre à cette heure-ci. Pour la première fois, Anna doit attendre et ronger son frein.

*
* *

— Alors, on va où maintenant ? Que diriez-vous du Queen's Head ? Il reste ouvert très tard, propose Howie à leur petit groupe, qui s'attarde devant le restaurant.

— D'accord, dit Vic.

Et Lou est soulagée de voir que Sofia approuve allègrement.

D'un côté, Sofia et elle se sont parfaitement entendues jusqu'ici. Sofia lui a confié une grande partie de ses peines et de sa vie et, d'une certaine manière, Lou est allée beaucoup plus loin dans les confidences qu'elle ne l'aurait souhaité. Elle a parlé à Sofia non seulement de son travail et de ses amis à Brighton, mais aussi des raisons qui l'ont conduite à venir dans cette ville, de ses idées politiques, et de bien d'autres choses. Donc, les signes sont positifs, mais…

Lou est tracassée par la façon dont Sofia a donné son numéro de téléphone à la fille au restaurant. Elle ne sait pas exactement ce que ça signifie, mais ça la dérange de ne pas savoir ce que ça implique. Sofia va-t-elle passer une nuit avec cette fille ? Sofia est tellement jolie, pense Lou, qu'elle pourrait avoir plusieurs maîtresses en même temps ; et même si Lou est vraiment attirée par elle, elle n'a pas envie d'être un trophée de plus, une petite croix ajoutée aux autres, sur le ciel de lit de Sofia.

Cette dernière offre la première tournée, dès qu'ils arrivent au pub :

— Une Becks, s'il vous plaît ! Je dois aller aux toilettes, annonce Vic.

Lou la suit aussitôt pour avoir une chance de parler en tête à tête.

— Alors ? attaque Vic immédiatement.

— Elle est gentille.

Lou n'a pas envie de se mouiller.

— Gentille ? Tu parles, si elle est gentille ! grince Vic. Elle ne serait pas mon amie si elle n'était pas gentille. Elle te plaît, oui ou non ?

— Oh ! Vic, je t'en prie !

Lou baisse la tête, se dandine d'un pied sur l'autre ; elle sent que les autres femmes dans la file d'attente ne perdent pas une miette de la conversation.

— Ah ! je le savais ! s'exclame Vic, applaudissant de joie à l'idée d'avoir fait se rencontrer deux bonnes amies… à moins que ce soit par vanité, pour prouver son talent d'entremetteuse. J'ai l'impression que tu lui plais aussi, ajoute Vic d'un ton modeste.

— Tu crois ?

— Je peux te dire que tu lui fais un sacré effet !

— Vraiment ?

— J'en suis certaine. Toutes ces questions sur ta vie, c'est du lourd, ma fille.

— Mais qu'est-ce que tu penses de l'autre fille ? demande Lou.

— Oh, elle ? C'est rien, je t'assure.

Mais Lou n'arrive pas à l'écarter de son esprit si facilement. Vic a un intérêt personnel dans cette affaire, donc Lou ne lui fait pas entièrement confiance.

Une des toilettes se libère juste à ce moment-là.

— Toi d'abord, dit Vic.

Et Lou accepte la proposition.

Une fois à l'intérieur, elle entend Vic parler à voix basse avec quelqu'un, mais comme elle est déjà bien éméchée et parle trop fort, Lou entend parfaitement la conversation :

— Alors, qu'est-ce que tu attends, vas-y !

Ça ne peut être qu'avec Sofia qu'elle parle ainsi. Elle a dû descendre dans les toilettes après avoir payé la première tournée.

Lou retient son souffle pour écouter la réponse.

— Elle est jolie, dit Sofia.

Lou sourit. Alors comme ça, elle lui plaît ! Mais elle se rend compte au ton de Sofia qu'elle sait pertinemment que Lou entend. Elle est peut-être tout simplement polie. Et, pas aussi éméchée que Vic, elle garde le contrôle.

— Mais elle te plaît vraiment ? insiste Vic.

— Tu es sûre qu'elle n'est plus ici ? Je ne l'ai pas vue quand je suis descendue.

— C'est possible, mais elle ne peut pas entendre.

— Moi, je crois qu'elle va nous entendre, affirme Sofia.

Et Lou ne peut s'empêcher d'étouffer un rire en aparté.

— J'entends, dit-elle en sortant de la cabine.

Et tandis que Vic entre dans une autre cabine, Sofia hoche la tête en décochant un large sourire entendu à Lou.

*
* *

Karen est allongée dans la baignoire. Elle regarde son corps, déformé par le prisme de l'eau. Elle a mis en route l'appareil qui fait des bulles et elle lève une jambe : les bulles se précipitent en déclenchant une avalanche miniature. Elle regarde sa cuisse d'un œil critique. Sa peau est blanche, il ne reste rien du bronzage de l'été dernier. Elle pourrait perdre un peu de poids et se remuscler un peu. Comme si ça avait de l'importance maintenant. Elle concentre son attention sur sa poitrine : ses seins, dont elle était si fière, ont perdu de leur tenue après qu'elle a allaité deux enfants ; ils pendent tristement de chaque côté, légèrement soulevés par l'eau.

« Mais je les adore ! »

Karen entend la voix de Simon. Il a rabattu le siège des toilettes pour s'asseoir dessus et bavarder avec elle pendant qu'elle prend son bain. Elle hoche la tête, car elle sait que c'est vrai, il leur accorde encore toute son attention. Pas seulement quand ils font l'amour... Parfois il les saisit, comme un fruit chapardé, quand personne ne regarde, en l'agrippant par-derrière, dans la cuisine, et en lui donnant un petit baiser mouillé dans l'oreille.

Son corps à lui a changé aussi. En vingt ans, il a grossi d'une bonne douzaine de kilos, pris un peu de brioche : les abdos sont enrobés, ses pectoraux ramollis, et même ses biceps ne sont plus au garde-à-vous. Est-ce important pour elle ? Bien sûr que non ! Au contraire, ça lui permet de se sentir sexy malgré ses propres défauts physiques. Elle n'aimerait pas être avec un Simon au corps de jeune éphèbe : elle se sentirait intimidée et vulnérable.

— Comment ton corps a-t-il pu te laisser tomber de la sorte ? murmure-t-elle dans le silence de la salle de bains.

Simon avait si peu de défauts physiques, il était si normal : il ressemblait aux hommes de son âge. Rien n'indiquait que quelque chose n'allait pas.

— *Je n'en sais rien*, répond-il. *Tu crois que j'avais envie que ça se termine ainsi ?*

— *Non, évidemment.*

Elle est bien là, tournant le dos aux toilettes ; elle ne peut pas le voir, mais elle sait qu'il est là.

— *C'est ton enterrement demain*, dit-elle.

— *Ma pauvre petite chérie, j'espère que tu ne t'es pas embarquée dans une galère avec cette cérémonie.*

Tout le monde sait qu'elle est très nerveuse juste avant de recevoir des invités : elle devient tendue et irritable. Même Luc l'a remarqué.

— Maman n'était pas de bonne humeur avant mon goûter d'anniversaire, a-t-il dit un jour à Anna.

Karen avait ri, touchée par son sens de l'observation.

Le téléphone sonne et interrompt sa rêverie. Elle n'a pas envie de sortir de la baignoire, elle n'a pas envie de répondre. Et, de toute façon, elle n'arrivera pas à temps pour décrocher. Le répondeur se met en route automatiquement.

— Vous êtes bien chez Karen et Simon, ainsi que chez Luc et Molly... (C'est la voix de Simon. C'est la première fois que Karen entend l'annonce depuis sa mort. Elle suffoque. Ça renforce l'impression de sa présence à côté d'elle ; elle ferme les yeux pour mieux absorber le timbre de sa voix, comme si elle était affamée. Les mots sont peut-être d'une grande banalité...) Nous ne sommes pas là pour le moment, alors veuillez laisser un message après le bip... (Mais chaque mot est rare et précieux à son cœur.)

— Coucou ma chérie, c'est maman.

La voix familière la prend au dépourvu. Il est tard, ce doit donc être important. Ses parents habitent dans la région d'Algarve ; il doit être minuit chez eux, car il y a une heure de décalage.

— Je viens de penser que je devais te prévenir : j'arriverai à l'aéroport de Gatwick à 9 heures demain matin, alors je devrais être chez toi vers 11 heures. Je me suis débrouillée pour que quelqu'un vienne garder ton père pendant quelques jours, afin que je puisse rester jusqu'à mardi au moins. Et s'il a l'air de bien vouloir se passer de moi, je pourrais rester jusqu'à mercredi ou jeudi.

Karen entend le cliquetis du téléphone et lâche un gros soupir de soulagement.

À l'instant même où sa mère lui annonce qu'elle va arriver, Karen réalise à quel point sa maman lui a manqué. Dans un tel moment, il n'existe aucun substitut pour l'amour maternel. Mais ses parents sont septuagénaires et vivent très loin de chez elle. De plus, le père de Karen souffre de la maladie d'Alzheimer, on ne peut pas le laisser très longtemps sans infirmière. Un rôle que sa mère assume vingt-quatre heures sur vingt-quatre. Et il n'est pas facile de trouver du personnel soignant. Depuis le diagnostic, Karen a pris l'habitude de faire passer ses propres besoins après ceux des autres. Et ça fait plusieurs années qu'elle ne demande plus à sa mère de l'aider et, bien entendu, son père ne peut plus rien pour les autres. Pourtant, sa mère lui avait proposé de venir plus tôt, mais elle avait prétendu qu'Anna et Phyllis seraient là pour l'entourer jusqu'à l'enterrement.

Mais elle réalise maintenant que, même si les autres ont été d'un grand secours, ce n'est pas la même chose. Sa belle-mère a son propre chagrin, et son amie Anna n'est pas sa mère.

Bizarrement, le fait de recevoir enfin cet amour dont elle a besoin la fait craquer immédiatement. Elle fond en larmes.

— Je veux ma maman, implore-t-elle en reniflant.

Elle sent la présence de Simon : il se tient derrière elle et l'approuve. À cet instant précis, elle ne se sent pas plus vieille que Luc ou Molly et, d'un geste puéril, elle s'essuie les joues du revers de la main. Dans l'atmosphère humide de la salle de bains, elle ne sait plus où commence la condensation et où finissent les larmes.

Samedi

01 h 07

Il est plus de 1 heure du matin quand ils sortent du pub en titubant.

— Ça vous dirait, un petit café à la maison ? suggère Howie.

Lou est d'accord pour prolonger la soirée le plus longtemps possible, et Howie habite tout près de chez elle :

— Moi, je suis pour !

— Et moi aussi, disent en chœur Sofia et Vic.

Tout baigne jusqu'ici, mais Lou ne sait toujours pas très bien comment s'y prendre avec Sofia. En observant discrètement son langage corporel, Lou est quasiment certaine que la jeune fille est physiquement attirée par elle ; par exemple, Sofia a laissé son bras quasiment posé sur les épaules de Lou pendant plus de deux heures, sur le dossier de la banquette qu'elles ont partagée ; elle a beaucoup ri aussi. Mais elles n'ont pas eu l'occasion d'en faire plus, à cause de la proximité des autres – ce qui rend le pari incertain. Lou est préoccupée aussi à l'idée qu'elle ne soit qu'une maîtresse ou une prétendante de plus. Et il doit y en avoir de très jolies, autour de Sofia.

Aargh ! Elle aimerait vraiment savoir ce que Sofia pense d'elle. Pourquoi est-ce si compliqué ? Elle se botte les fesses mentalement. Et s'il suffit qu'elle rencontre quelqu'un pour être aussi angoissée et incertaine, comment s'étonner qu'elle soit aussi nulle dans les relations ?

En relevant la tête, elle se rend compte qu'elle s'est tellement perdue dans ses pensées que les autres ont avancé sans elle, mais Sofia s'est arrêtée au coin de la rue et l'attend.

— Je suis désolée, je rêvassais, s'excuse Lou, qui la rejoint en courant.

— Ne t'en fais pas ! dit Sofia, et elle lui prend la main.

Sa paume est très douce, et son geste semble si sincère, affectueux, intime, que Lou ne supporte plus le suspense. Attirée par Sofia, elle a vraiment envie de savoir ce qu'elle pense, avant que les choses aillent plus loin :

— Euh... Je peux te demander quelque chose ? ose-t-elle.

— Oui, quoi ?

Lou se sent terriblement stressée. C'est tellement difficile, mais il fait nuit et elles sont un peu soûles, alors son embarras ne se voit pas autant. Finalement, elle lâche :

— Cette fille, dans le restaurant...

— Oui ?

— Tu lui as donné ton numéro de téléphone, dit Lou, l'air très cool.

Sofia s'apprête à rire, mais elle perçoit l'angoisse dans la voix de Lou et se retourne pour la dévisager :

— Tu crois vraiment que cette fille m'intéresse ?

Lou reste silencieuse. Elle se sent gourde, maladroite, ne parvient même pas à réagir.

Sofia continue :

— Je l'ai rencontrée dans une soirée à Londres il y a quelques semaines...

Le cœur de Lou bat la chamade. Sa réaction peut sembler excessive, mais c'est plus fort qu'elle :

tout son espoir renaît. Cependant, elle se prépare quand même à être déçue.

— Et puis, j'ai l'impression qu'elle me drague un peu, oui...

Lou se demande si elle va pouvoir en supporter davantage, mais elle veut savoir.

— Pour parler franchement, je dirais que c'est une fille facile.

Lou se rappelle la scènc du pub, au Lord Nelson, et se dit que la fille lui a fait des avances à elle aussi.

— De toute façon, elle s'en va en Espagne bientôt.

— Ah...

— Et je lui ai dit qu'une de mes copines, à Madrid, cherchait une colocataire, alors elle m'a demandé mon numéro de téléphone pour que je les mette en relation...

— Oh !

Lou comprend soudain qu'elle s'est fait un film pour rien.

Sofia ajoute :

— En réalité, j'ai quitté la soirée sans lui donner parce que je l'ai trouvée un peu gonflée et, au restaurant, elle m'a eue comment dire, à l'arrache... Je ne savais pas quoi faire.

— Je vois, dit Lou.

Elles marchent en silence, et Lou continue de ruminer. Elle est à la fois contente parce qu'il n'y a rien entre les deux filles, et mortifiée : maintenant, Sofia voit à quel point elle est déjà accro. Décidément, elle est trop nulle.

Elles sont arrivées devant chez Howie, et tout est foutu. Mais Sofia se retourne, la pousse sous un porche et l'embrasse.

Lou n'en revient pas, tout s'est passé si vite et si facilement. Et puis, elle perd les pédales et ne pense plus à analyser la situation. Elle s'abandonne à ce baiser qui la fait chavirer : c'est tout ce dont Lou a rêvé, et plus encore. Le parfum de Sofia est envoûtant, sublime ! Et sa bouche est délicieuse, toute douce, chaude et sensuelle. Lou voudrait que cela ne cesse jamais. Elles s'embrassent éperdument, et ça dure une éternité. Elle avait oublié à quel point c'était fantastique.

— J'ai eu envie de faire ça toute la soirée, mais je n'arrivais pas être seule avec toi, lui avoue Sofia.

— C'est vrai ?

Le cœur de Lou tressaille.

— Ça fait des heures que j'attends ça…

— Moi aussi.

Lou lui sourit.

— Mais ils vont se demander où nous sommes… je suppose qu'on ferait mieux d'y aller.

— Ouais, j'imagine.

Sofia fronce le nez pour signifier qu'elle n'a pas envie d'y aller.

Elles reprennent leur marche mais, quelques pas plus loin, Sofia prend Lou par le col de son manteau et la guide vers un lampadaire.

— J'ai trouvé ça tellement mignon que tu sois jalouse ! dit-elle.

Et elle embrasse de nouveau Lou.

Cette fois, Lou sent son corps fondre de plaisir : elle est embarquée par des lames de fond et des vagues de sensations délicieuses. Sofia presse son corps contre le sien, et son désir devient si violent que seul le lampadaire l'empêche de tomber sous le coup de boutoir de sa passion.

Le deuxième baiser conclut le pacte : si Lou avait encore un doute sur la réciprocité de leur attirance, elle n'en a plus aucun.

*

* *

Anna déteste les nuits comme celle-là, quand le sommeil ne vient pas : c'est comme si plus elle y pensait, moins elle dormait, au point que ça se terminait en crise de panique. Toutes les choses qui la tourmentent tournent dans sa tête, mais ça ne sert à rien puisqu'elle n'a pas de solutions pour éliminer tous ses soucis. Ça fait comme une sorte de crème jaune dans une baratte, et peu à peu ça se transforme en une grosse masse informe.

Anna se fait du souci à propos de Steve, à propos de son travail, à propos de Karen et de ses enfants. Elle se fait même du souci pour Lou, dont elle n'a plus de nouvelles depuis qu'elle lui a envoyé ce texto. Elle est inquiète, anxieuse, angoissée…

Et maintenant, elle doit aller faire pipi.

Elle se lève, se dirige vers la salle de bains. De là, elle entend la télé en bas, à fond. Steve doit être dans le salon : il n'est pas venu au lit avec elle. Ou il s'est endormi avec la télé allumée, ou il regarde un film débile. Elle n'en sait rien. Elle espère qu'il s'est endormi. Si elle descend pour vérifier, elle craint de déclencher une autre scène. Elle ne peut pas prendre ce risque.

Pourtant, s'il dort, elle aimerait éteindre la télévision. Le bruit risque de le réveiller un peu plus tard, et elle préfère qu'il cuve son alcool le plus longtemps possible. Elle descend les marches sans bruit et pousse la porte discrètement.

La lumière de l'écran de télé, saturée de rouge et de bleu, qui passe un film d'horreur des années soixante, révèle un spectacle pitoyable. Steve est endormi de tout son long, sur le plancher ; il est tout habillé, avec ses chaussures, et il n'a pris ni couverture ni oreiller.

Elle a envie de lui balancer des coups de pied ; mais elle le contourne doucement puis éteint la télé. Il grommelle vaguement qu'il ne faut pas éteindre, et recommence à ronfler.

Elle ne prend même pas la peine de lui mettre une couverture ou un coussin sous la tête, parce qu'elle ne veut pas risquer de le réveiller. Elle referme la porte et remonte l'escalier.

Dans la chambre, elle entrouvre les rideaux, juste pour voir ce qui se passe au-dehors. La maison en face, en diagonale, est un immeuble de bureaux avec un grand porche où dort parfois un sans-abri. Il venait assez souvent jusqu'à présent, mais elle ne le voit plus que rarement.

Lorsque Steve est venu s'installer chez Anna, il lui a demandé pourquoi elle ne portait pas plainte auprès des gens de l'immeuble de bureaux, contre la présence de ce mendiant. Elle lui avait répondu que ça ne la dérangeait pas, et qu'il ne faisait de mal à personne.

— Il est très propre, lui avait-elle dit, il range ses cartons tous les matins, je l'ai vu faire. Et je ne crois pas que ce soit un drogué ou quelque chose comme ça.

Il était là un soir de Noël, et Steve avait décidé de lui porter un verre de cognac.

— Il n'en a pas voulu, avait dit Steve, stupéfait de ce refus.

— Tu vois ? avait dit Anna. Je te l'avais dit.

— Tu ne croiras jamais ce qu'il est en train de faire.

— Quoi ?

— Il se prépare des sandwichs au fromage frais. Je lui ai proposé de la dinde et de la bûche, mais il n'a rien voulu de tout ça.

— Oui, bon, chacun ses goûts.

Il n'est pas là ce soir. Je me demande ce qui lui est arrivé... Anna referme les rideaux et retourne au lit. Elle espère que le type a trouvé un endroit ailleurs, pour y vivre de façon permanente.

Elle pense à Steve, en bas. C'est fou comme elle est bien plus consciente de son alcoolisme maintenant que lorsqu'elle l'a rencontré... Que se passerait-il si elle le quittait ?

Serait-il capable de se prendre en charge, vu la façon dont il boit ? Elle n'en est pas certaine... mais il arrivait bien à se débrouiller avant de la rencontrer. Pourrait-il finir seul dans la rue, lui aussi ? Encore un problème qu'elle ne peut pas résoudre, et qui va rejoindre la grosse baratte de beurre mou qui s'agite dans son cerveau.

*

* *

Lou se déshabille, consciente de la présence de Sofia dans la chambre voisine. Elle respecte la consigne imposée par Vic : pas d'ébats amoureux à portée d'oreilles, donc elle leur a donné son futon.

Maintenant, libérée par le fait que personne ne la regarde, Lou enlève ses jeans en se trémoussant de façon très sexy. Pas la peine de se prendre le chou avec les fringues : elle balance tous ses vêtements à travers la pièce, les poussant d'un coup de pied vif. Ils atterrissent en vrac sur le plancher, et son téléphone portable gicle de sa poche comme un ressort. Ce serait bien de vérifier qu'il n'est pas cassé.

Tout a l'air normal, et elle est d'abord tentée de le reposer sur la table et de se glisser dans son sac de couchage sur le divan, quand la petite icône des messages apparaît. Qui a bien pu lui envoyer un texto ? Elle clique sur l'enveloppe, et le lit.

C'est Anna, qui a besoin de parler. Oh là là !

Lou regarde l'heure de l'envoi : 22 h 33. C'est très tard pour appeler quelqu'un. Si elle avait entendu son téléphone, elle aurait pu la rappeler… mais le pub était tellement bruyant. Et puis, c'est mieux comme ça, car Lou n'aurait pas pu lui accorder toute son attention.

Elle appellera Anna le lendemain dès qu'elle le pourra.

*
* *

Karen se réveille en sursaut. Elle est glacée et tremble tellement qu'elle claque des dents. Elle vient de faire un cauchemar : elle était prise dans un tourbillon, une sorte de vortex qui l'aspirait dans un trou noir, et elle suffoquait, privée d'air.

Elle allume la lumière.

Tout va bien se dit-elle en regardant autour d'elle, *tu es là dans ta chambre. C'est bon*.

Elle est couverte d'une sueur froide ; sa chemise de nuit est trempée, elle l'ôte pour enfiler un tee-shirt propre. Puis elle retourne se coucher, mais elle tremble de froid et c'est encore pire que tout à l'heure. Alors, elle se pelotonne à l'intérieur du duvet et se ratatine dedans comme une tortue dans sa carapace.

Karen a toujours aimé se sentir protégée pendant son sommeil, et il lui faut, comme quand elle était petite, des objets chauds et doux pour la rassurer, comme tous ces animaux en peluche qu'elle alignait entre ses draps, le long de sa colonne vertébrale, et contre lesquels elle se blottissait chaque nuit. C'était la condition pour trouver le sommeil paisiblement.

— C'est un peu cruel, lui avait fait remarquer Simon quand elle lui avait raconté ses rituels d'enfant.

— Ce n'étaient pas de vrais animaux, chéri…

Et elle avait ri.

Elle a beau être adulte, elle a encore besoin de sentir quelque chose de doux et de chaud dans son dos. Alors en hiver, Simon l'entourait de son corps, il devenait sa carapace de tortue. Et il y avait toujours une partie de leur corps qui touchait l'autre quelque part : leurs jambes mêlaient, ou ils se tenaient la main ; elle savait qu'elle était aimée, et réciproquement.

Voilà pourquoi elle ne peut s'arrêter de trembler. Rien ne va plus : Simon n'est pas là.

Ses muscles se contractent involontairement et tremblent, tremblent, tremblent. Elle s'efforce de les maîtriser, mais elle est agitée de secousses qui remontent jusqu'aux dents.

Elle replie ses genoux sur son ventre, en position fœtale.

Le tremblement peut être un autre symptôme du choc : une réaction physique au traumatisme. Elle se souvient d'un chat qu'elle a trouvé un jour : il avait été renversé par une voiture, il agonisait sur le bas-côté de la route devant la maison, tremblant comme elle maintenant. Elle avait envoyé Simon lui briser le cou et, par gentillesse, il avait fait ce qu'elle lui avait demandé. Une partie d'elle aimerait qu'on lui brise le cou, pour lui épargner toute cette souffrance. Mais personne ne voudrait. Elle n'a pas le choix : elle doit continuer à vivre pour ses enfants ; il n'est même pas question qu'elle les abandonne, car ils ont plus que jamais besoin d'elle. Elle pense à eux, ses bébés : ils sont si petits, vulnérables, et elle éprouve tant d'amour pour eux que cette seule pensée suffit à faire cesser progressivement les frissons.

08 h 33

— Pourquoi tu ne mets pas ton tee-shirt rouge ? Il te va bien, et tu risques d'avoir un peu chaud en faisant le barbecue, dit Anna.

Steve retire son sweat bleu marine. Elle ouvre la fenêtre en grand pour évaluer la température et inspire en souriant. Ah ! comme elle aime cette vue. La maison, située en haut d'une des nombreuses collines de Brighton, surplombe des rangées de terrasses couleurs pastel comme dans les villes de conte de fées.

Contrairement à Londres, qui s'étale de façon tentaculaire à l'infini dans la campagne anglaise, Brighton a un contour précis, et au loin les champs montent et descendent dans un camaïeu de vert et de brun, jusque sur les contreforts des South Downs.

Au-dessus d'elle, le ciel bleu est légèrement voilé, annonçant une autre journée de canicule.

Anna marque une pause pendant qu'elle se maquille pour regarder Steve. Son dos est large et fort, sa peau bronzée par le travail en extérieur a des reflets dorés et, tandis qu'il ouvre un tiroir, elle admire ses muscles. *Quelle chance il a d'avoir un corps si beau !* pense-t-elle.

— Bien, madame. (Il se tourne vers elle.) Est-ce que ça vous convient ?

Le tee-shirt écarlate contraste avec ses cheveux blond clair. Il est superbe. Anna porte une nouvelle robe, qu'elle a achetée spécialement pour la circonstance et qui met sa silhouette en valeur. Ils vont faire un très beau couple pour le cinquantième anniversaire de Simon.

Après tout, peu importe si elle vient de mettre du rouge à lèvres. Elle est si fière de Steve, il est irrésistible : il faut qu'elle l'embrasse immédiatement.

*

* *

Hélas ! Cette robe ne va pas aller, décide Anna en la remettant dans l'armoire. C'est une robe d'été, trop décolletée. Ce serait un manque de respect, surtout pour les gens comme Phyllis. Pourtant, elle n'a pas envie d'être habillée en noir de la tête aux pieds pour Simon.

Pourquoi ne mettrait-elle pas la jupe et le col roulé qu'elle portait la semaine dernière, avec ses bottes vert foncé et son collier de grosses pierres ? Elle adore ses bottes et se sent à l'aise dedans. Elle est persuadée que Simon aurait aimé cela.

C'est bizarre de penser à ce que Simon aurait souhaité pour elle alors qu'il ne sera pas là.

Elle n'a aucun souvenir d'un événement avec Karen où Simon n'était pas présent.

Anna ne peut plus l'entendre rire comme il le faisait quand on lui racontait une grosse blague, ou bien à propos de politique, ou quand il courait après les enfants autour de la maison en jouant les monstres rugissants.

Une fois de plus, Anna est frappée par ce que sa mère lui disait : la vie est injuste.

Si la vie était juste, pourquoi Steve continuerait-il à parader avec son physique d'Adonis en bronze massif alors qu'il la fait souffrir, tandis que Simon, qui n'avait pas de défaut excepté de travailler trop et d'être trop stressé, a hérité d'un corps qui n'a pas tenu le coup ?

Steve, lui, peut se permettre de boire comme un trou puisqu'il récupère sa forme olympique en un rien de temps. Mon Dieu, comme ses sentiments pour lui ont changé depuis ce fameux barbecue !

Bien sûr, elle l'aime encore, mais elle ne l'adore plus aveuglément ; elle ne peut pas, parce que si elle est honnête avec elle-même – ce qu'elle n'a pas été la plupart du temps –, elle doit reconnaître que Steve a plongé progressivement dans l'alcoolisme et les sautes d'humeur depuis qu'il a emménagé chez elle.

Anna se rappelle la soirée où elle a commencé à s'inquiéter pour la première fois.

Ils venaient de finir de dîner, et elle avait essayé de l'empêcher de boire davantage de vin : elle trouvait qu'ils avaient déjà trop bu, en tout cas il était ivre.

— Tu ne vas pas m'en empêcher, avait-il dit en la provoquant.

Elle avait retiré son verre d'un geste brusque, sur la table de la cuisine. Steve, ralenti par l'alcool, avait continué à verser le vin sur la table. Il était devenu fou et lui avait arraché le verre des mains, le pied s'était cassé pendant l'empoignade. Du coup, il avait pris la coupe brisée et l'avait jetée par terre avant de la piétiner.

— Voilà, tu es contente maintenant ? avait-il persiflé.

Effrayée à l'idée de ce qu'il risquait de faire après ça, Anna s'était enfuie chez Karen et Simon, malgré l'heure tardive. Ils l'avaient réconfortée et calmée, mais elle était restée secouée et furieuse pendant plusieurs jours. Bien sûr, après cela, Steve avait manifesté des regrets et demandé pardon. Ils avaient laissé tomber l'alcool tous les deux pendant un mois. Ce n'était pas un problème pour Anna, et elle espérait, en ne buvant plus, l'aider à devenir sobre. Or, un mois plus tard, il avait repris ses bonnes vieilles habitudes.

Depuis, elle lui avait donné sa chance plusieurs fois et il lui avait fait d'innombrables promesses qu'il n'avait jamais tenues.

Et maintenant, où en est-il exactement ? Couché par terre comme une loque, au rez-de-chaussée.

Elle secoue sa chemise méchamment.

L'enfoiré !

Ce matin, Steve peut bien choisir lui-même ses vêtements. Elle va garder son énergie pour Simon. C'est son jour à lui après tout.

*

* *

— Qu'est-ce que tu penses de celle-ci ?

Karen lui montre une robe-tablier en velours bleu marine.

Molly tape du pied :

— Je veux mettre ma nouvelle robe !

— Mais ta nouvelle robe n'est pas une robe habillée, ma chérie, explique Karen patiemment.

Comment lui faire comprendre que des fleurs roses et un tissu turquoise sont trop joyeux pour un enterrement ? Simon aimait pourtant beaucoup la nouvelle robe de Molly.

— Celle-ci est la robe que tu avais à Noël, tu te souviens ?

Et avant que la petite fasse sa crise, Karen réussit habilement à enfiler la robe sur le petit corps de sa fille en ajoutant :

— Tu es vraiment très mignonne comme ça. Et maintenant, on va te brosser les cheveux.

— Nooooooon ! hurle Molly.

Ses cheveux, doux et fin comme de la barbe à papa, font des nœuds à la moindre occasion.

— Tu ne peux pas aller à la fête spéciale en l'honneur de papa avec des cheveux aussi emmêlés.

— Ouille !

Elle étrille sa fille comme elle le peut malgré ses protestations.

— Voilà, c'est très bien. C'est fini, tu es une gentille petite fille.

Elle pose un bisou sur la tête de Molly

Quelle heure est-il ? se demande-t-elle, et elle regarde sa montre pour voir combien de temps il leur reste.

*

* *

— Il est presque 9 heures, dit Lou, debout près du lit, deux tasses dans les mains. Tu m'as demandé de te réveiller, alors voilà.

— C'est vrai ? marmonne Vic.

Elle se retourne et se blottit sous les couvertures.

— Ouais, et je t'ai apporté une tasse de thé.

Lou en pose une sur la table de chevet :

— C'est aujourd'hui que tu invites tout le monde à ta fête.

— Putain ! J'avais oublié...

Vic sort un bras de la couette :

— C'est le bordel, chez moi !

Lou la taquine :

— Sans blague !

Le bruit réveille Sofia :

— Salut, dit-elle en bâillant, et elle sourit à Lou.

Elle est adorable, avec ses cheveux ébouriffés et ses yeux gonflés de sommeil, pense Lou. Mais elle lui dit simplement :

— Un thé ?

— Merci.

Sofia se redresse pour s'asseoir et tend le bras vers sa tasse, sous le nez de Vic.

Lou se pose sur le bord du futon :

— Tu n'es pas obligée de te presser...

Vic avale son thé en faisant des gros bruits :

— Je croyais que tu devais aller voir ta mère ?

— Oui, mais je ne suis pas obligée de partir avant midi.

— Et moi, il faut que je me dépêche de rentrer chez moi pour nettoyer ! lance Vic d'un air boudeur. Pourquoi tu m'as laissé boire à ce point-là ?

— Tu t'es soûlée toute seule, comme une grande...

Lou éclate de rire. Elle adore faire la fête et s'éclater avec Vic, mais ce matin la présence de Sofia ajoute un zeste de plaisir.

— Comment te sens-tu ?

Elle a le cœur au bord des lèvres en regardant Sofia. Elle s'est réveillée vers 6 heures, consumée par l'espoir et l'excitation. Sofia lui a dit des choses très gentilles la nuit dernière, mais peut-être parce qu'elle était ivre. Lou se demande si elle va vouloir la revoir.

— Je vais très bien, une légère gueule de bois peut-être... mais, oui, je me sens très bien.

Sofia écarquille les yeux, et fixe Lou intensément en lui disant :

— J'ai passé une soirée délicieuse.

C'est un message, sans aucun doute ! Lou saute de joie intérieurement :

— Moi aussi, dit-elle en rougissant.

Vic toussote :

— Formidable ! Je suis ravie que vous vous soyez autant amusées toutes les deux, moi j'ai pas le moral du tout.

— Oooh, toi ! Écoute, je ne fais rien aujourd'hui... Tu veux que je vienne t'aider à nettoyer et à tout préparer ? propose Sofia en lançant une bourrade dans le coude de Vic, qui en renverse presque son thé.

— Tu es déjà allée chez elle ? lui demande Lou.

— Non...

— Elle n'a pas tort quand elle dit que c'est une porcherie.

— Je ne vois pas ce que tu veux dire, proteste Vic. Il y a bien quelques papiers et quelques affaires qui traînent...

Lou secoue la tête :

— C'est un chantier !

— Ça m'est égal, je viens d'une famille nombreuse et j'ai l'habitude du bordel.

— Ça me fait très plaisir que tu viennes m'aider !

Vic embrasse Sofia sur la joue.

Lou ressent une pointe de jalousie. Elle aimerait être seule avec Sofia, elle aimerait passer la journée avec elle ; et ça lui serait égal de se taper des corvées du moment que c'est avec elle. Si elle n'avait pas promis à sa mère... Elle propose :

— Qu'est-ce que vous voulez pour le petit déjeuner ? J'ai tout ce qu'il faut

*

* *

Je me demande ce qu'ils peuvent bien comprendre, pense Karen en suivant Luc et Molly qui descendent l'escalier, l'un debout, et la plus petite, sur les fesses, sagement, pour ne pas tomber.

Elle a l'impression qu'ils ont des moments furtifs de lucidité ; ils font preuve d'une étonnante perspicacité par moments et, l'instant d'après, sont distraits par des petits riens. Alors ils disent, par exemple : « Est-ce que papa est mort parce qu'il a fait quelque chose de mal ? » Ou bien :

« Est-ce qu'il va revenir après cette fête spéciale pour lui ? » Ou encore : « Est-ce que c'était ma faute ? » Ou bien : « Est-ce qu'il va y avoir un gros gâteau ? » Et aussi : « Quand est-ce qu'on va dans la belle voiture brillante ? »

Elle a dû leur donner les mêmes réponses plusieurs fois. Mais ils ne peuvent absorber qu'une petite partie de la réalité, au fur et à mesure, et quand c'est trop ils changent de sujet de conversation.

Pourtant, à sa manière, ne fait-elle pas la même chose ? Elle aussi est absente, puis présente, alternativement ; elle affronte le deuil puis lui tourne le dos.

Ses préoccupations sont ridiculement anodines : aura-t-elle froid aux pieds si elle porte des talons hauts pour aller à l'église ? Y aura-t-il assez de nourriture ?

Le chat va-t-il avoir peur de tous ces étrangers qui envahiront la maison ? Devrait-elle l'enfermer dans une chambre au premier étage ?

L'instant d'après, elle fond en larmes, submergée par la douleur au point qu'elle peut à peine bouger. Et puis, il y a eu l'incident du saladier, elle n'en revient pas de sa propre fureur.

Mais ce sont peut-être les différentes manières, pour chacun, de supporter le deuil.

Molly et Luc reproduisent son comportement, comme un écho enfantin, avec des réactions plus simples mais semblables parce que, finalement, il est terriblement difficile de supporter ce qui leur arrive à tous les trois.

Pourquoi s'habille-t-elle aussi bien, par exemple ? Pourquoi ne porte-t-elle pas des vêtements de tous les jours, qui reflètent vraiment son état d'âme à la dérive : un vieux manteau de randonnée, un pull plein de trous et des jeans éculés ? Pourquoi se coiffe-t-elle, se maquille-t-elle, puisqu'elle se moque de son apparence ? Et pourtant, elle doit se forcer, présenter une apparence impeccable, parfaite, à ses enfants, et redonner de la tenue à l'autre Karen, celle qui est complètement déglinguée par le chagrin. Elle, surtout, doit donner l'exemple. Oh, elle peut pleurer, oui ! C'est normal, tout le monde s'y attend et tous vont lui transmettre leur compassion. Mais son besoin de hurler, et de casser la vaisselle pour se défouler comme elle l'a fait hier ? Si elle faisait ça aujourd'hui, comme elle en a envie, les autres seraient choqués. Pourtant, elle est tellement en colère, les autres aussi doivent éprouver la même chose. Peut-être qu'une cérémonie où on lancerait des assiettes serait plus vraie, plus juste, que ce rituel à l'église. Ensuite, quand elle donnerait le signal, tout le monde pourrait faire la même chose, balancer la vaisselle sur le mur du jardin au fond de la cour.

10 h 23

— Je pars, dit Anna, pressée de sortir de la maison avant de se mettre dans une colère noire contre Steve.

— Déjà ? Je croyais que la cérémonie commençait seulement à 11 h 30.

— Oui, mais j'ai besoin de marcher. Toi, par contre, il vaudrait mieux que tu te dépêches pour ne pas faire attendre Karen.

— D'accord, d'accord.

— Téléphone-lui d'abord pour savoir à quel moment elle va partir.

Elle est encore obligée de le sortir du pétrin, de le contraindre à respecter ses engagements. S'il ne s'était pas soûlé la veille, il serait déjà réveillé et prêt depuis longtemps, alors que là, une épave se traîne devant elle.

C'est déjà une insulte qu'il n'aille pas à l'enterrement, et intérieurement, Anna est ulcérée par son comportement ; mais s'il laisse tomber Karen maintenant, elle risque de péter les plombs, et ce n'est pas le moment de perdre son sang-froid.

Steve dit prudemment :

— Je n'ai pas son numéro de téléphone…

— Putain !

Anna sort son téléphone de son sac d'un geste brusque :

— Je vais l'appeler, tu es vraiment trop nul.

Elle se dirige vers la porte d'entrée et l'ouvre juste au moment où il lui demande :

— Tu peux lui demander où elle va laisser les clés ?

— Je n'en sais foutrement rien ! Sous un pot de fleurs, ou ailleurs. Cherche-les !

Elle se retient : c'est important pour Karen que Steve puisse tenir sa promesse en s'occupant du repas et du service, comme il le lui a proposé. Anna appuie sur les touches et, en attendant que Karen décroche, dit à Steve :

— C'est vraiment la dernière chose à lui demander avant l'enterrement de son mari, chercher un trousseau de clés et le cacher à ton intention, alors que tu devrais déjà être sur place !

— Désolé…

— Non, tu n'es pas désolé, tu t'en fous ! Si tu étais vraiment désolé, tu arrêterais de picoler en permanence, comme tu le fais !

— Je ne peux pas m'en empêcher, dit-il lentement.

*

* *

— Je suppose qu'il faut qu'on s'en aille bientôt, dit Vic.

— Déjà ?

Lou est déçue. Elle a encore plus d'une heure devant elle avant de partir chez sa mère.

— J'ai des tonnes de choses à faire, soupire Vic. C'est pas seulement le bordel à nettoyer, il faut que je m'occupe des courses.

— Évidemment.

Lou est un peu irritée par le manque d'organisation de Vic, d'autant que cela va empiéter sur le temps qu'il lui reste à passer avec Sofia. Comment vont-elles pouvoir se donner rendez-vous ou échanger leur numéro de téléphone, alors que Vic est assise près d'elles ? Vic est sa plus vieille amie, mais Lou est restée timide pour ces choses-là.

À cet instant, Vic fait preuve d'un éclair d'intuition :

— Je vais sur la terrasse du toit, les filles, j'ai quelques coups de fil à passer avant de partir...

Lou a envie de lui sauter au cou pour l'embrasser. *Voilà pourquoi elle est mon amie... elle a beau être égocentrique, gauche et maladroite, elle désire sincèrement ce qu'il y a de mieux pour moi et ce qui peut me rendre heureuse !* se dit-elle.

*
* *

Bon sang ! Qui m'appelle à cette heure-ci ? se demande Karen en attrapant le téléphone. *Oh, c'est Anna !*

— Je suis désolée de te déranger, mais je viens d'y penser... Tu dois t'apprêter à partir, et Steve va avoir besoin des clés.

— Ah oui... dit Karen, qui vient de se souvenir que Steve devrait déjà être là.

Depuis quand peut-on compter sur lui ?

Karen n'a pas le temps de s'énerver ouvertement, et puis de toute façon, ce n'est pas son problème principal. Elle a déjà du mal à s'occuper de Molly et Luc qui ne tiennent pas en place, et qui veulent tout le temps « faire des choses » au lieu de s'asseoir et de regarder la télé tranquillement. Sa mère est sur le point d'arriver : elle a téléphoné pour dire qu'elle venait de franchir la douane et qu'elle passerait chez Karen pour déposer sa valise.

— Je les mettrai sous le pot de buis, près de la porte, dit celle-ci.

— Super ! Merci... Comment te sens-tu ?

— Hystérique !

— Qu'est-ce que je peux faire pour toi ?

Karen réfléchit une seconde. D'abord, son cœur s'emplit de gratitude. Elle n'aurait jamais survécu toute cette semaine sans son amie et, pourtant, elle n'a même pas eu une pensée pour elle qui, à sa manière, vient de perdre quelqu'un de cher… car Steve n'a pas été d'un grand secours jusqu'à présent, il faut bien l'avouer. Anna devra surmonter son chagrin toute seule. La voix de Karen s'adoucit :

— Non, je t'assure, je n'ai besoin de rien. On se verra à l'église. Mais tu es si gentille de me le demander.

*

* *

Vic vient à peine de refermer la porte de la terrasse derrière elle que Sofia demande à Lou :

— Tu es très occupée la semaine prochaine ?

— Oui, mais je crois avoir une ou deux soirées libres. Pourquoi ?

Sofia se lance :

— Ça te dirait, une petite soirée ensemble ?

— Ce serait bien. Je travaille du lundi au jeudi en centre-ville, on pourrait s'y retrouver, si tu préfères.

— Pourquoi pas jeudi soir, alors ? Comme ça, tu n'as pas besoin de t'inquiéter pour être à l'heure au travail le lendemain.

Je ne m'inquiète jamais pour ça, pense Lou. *Ou bien Sofia est pleine d'attentions, ou bien elle prévoit que la soirée se terminera très tard.*

Les deux options conviennent à Lou, même si elle préfère la dernière. Cette seule idée suffit à la faire rougir et à l'exciter. Elle ne parvient pas à réaliser la vitesse à laquelle tout ça s'est mis en place.

— Pourquoi ne viendrais-tu pas chez moi ? Je cuisinerai pour toi, propose Sofia comme si elle avait deviné le désir de Lou de se trouver dans un endroit propice à la séduction.

— Ce serait génial, dit Lou qui n'en croit pas ses oreilles.

— Tu as un e-mail ? Je t'enverrai toutes les coordonnées.

Encore un bon point : elles vont peut-être pouvoir s'écrire d'ici jeudi. Au moment où Lou sort son sac, Vic réapparaît :

— Bon, alors, moi je suis parée. Sofia, on va y aller maintenant.

Cinq minutes plus tard, Lou souhaite un joyeux anniversaire à Vic pour le lendemain, et elles s'en vont. Lou a l'impression d'être dans une sorte de brume vaporeuse, tellement elle est chamboulée par sa rencontre avec Sofia. C'est une sensation très agréable, mais elle se rappelle tout à coup qu'elle a oublié Anna ; ce serait le bon moment pour lui téléphoner.

— Bonjour, c'est gentil de me rappeler, dit Anna.

— Je vous en prie, c'est normal.

— Désolée d'avoir envoyé un texto aussi tard hier soir. J'espère que je ne vous ai pas dérangée...

— Non, j'étais au pub, je n'ai rien entendu. Est-ce que tout va bien ?

— Eh bien, je suis en partance pour l'enterrement de Simon.

— Oh ! je suis désolée...

Lou revient brutalement à la réalité. Comment a-t-elle pu oublier ?

— Voulez-vous que je rappelle plus tard ?

— À dire vrai, ça tombe bien, je suis en avance pour la cérémonie, j'y vais à pied tranquillement. C'est le bon moment pour se parler, parce que sinon je ne pourrai pas avant demain, et j'ai besoin de votre avis, disons, au plus vite.

— D'accord. Qu'est-ce que je peux faire pour vous ?

Anna inspire profondément :

— C'est au sujet de mon... copain, Steve.

Lou s'y attendait. Depuis le début, elle sent qu'Anna porte un gros poids sur les épaules, un problème dont elle ne veut pas parler.

— Oh ?

— Il boit... beaucoup trop.

Lou attend.

— En réalité, je crois qu'il est alcoolique.

— Ah...

Lou compatit sincèrement. L'alcool est un obstacle presque insurmontable pour ceux qui viennent la voir dans le cadre de son travail : les récents événements, comme le suicide de Jim, l'ont encore prouvé. Et les répercussions sur les proches sont profondes, voire indélébiles. L'entourage en subit inévitablement les conséquences. Mais ce n'est pas en disant cela à Anna qu'elle va l'aider. Alors, elle lui demande :

— Il n'est pas avec vous en ce moment ?

— Non. Il s'est proposé pour préparer le repas, alors il va chez Karen. Il n'assistera pas aux funérailles.

Ça ressemble à une fuite émotionnelle, pense Lou, *c'est typique de l'attitude d'addiction.* Mais elle garde son opinion pour elle.

*

* *

On sonne à la porte. Karen court pour aller ouvrir.

— Ma chérie, ma pauvre petite chérie, lui dit sa mère en la prenant dans ses bras.

— Bonjour, maman.

Karen embrasse sa mère et se ravise :

— Attends une seconde… Excuse-moi, j'ai peur d'oublier si je ne le fais pas maintenant !

Elle attrape le double du jeu de clés posé sur la table du couloir et le glisse sous le pot de fleurs près de la porte.

— C'est bon ! Maintenant, laisse-moi te regarder, lui demande sa mère.

Karen soupire, ferme les yeux d'épuisement et s'appuie contre le mur pour ne pas tomber.

— Viens dans mes bras…

Elle attire Karen contre elle, à qui ce contact physique fait le même effet que celui de Steve quand il l'a embrassée. Elle fond en larmes, et pourtant, les bras de sa mère sont différents. Dans les bras de sa maman, elle retrouve aussitôt les dizaines d'années de câlins qui ont gardé le parfum si familier qu'elle utilise depuis que Karen est toute petite. Karen s'agrippe au cardigan de laine de sa mère en le serrant fort entre ses paumes. C'est doux et réconfortant. Leur relation a un peu changé ces dernières années : sa mère doit faire davantage attention à sa santé, elle se déplace plus lentement qu'avant, elle a un peu rapetissé aussi… Et pourtant, elle est toujours sa maman, son roc. Et, pour la première fois depuis que Simon est mort, Karen se sent enfin en sécurité.

*

* *

— Je ne sais pas quoi faire… J'ai tout essayé, avoue Anna.

— Ce n'est pas à toi de faire quoi que ce soit. On se tutoie, si tu veux bien ? lui fait remarquer Lou gentiment.

— Oui, je voulais te le demander aussi… Mais qu'est-ce que tu entends par là ?

— C'est son problème s'il boit trop, pas le tien.

— Je sais, mais...

Lou l'interrompt :

— J'espère que tu ne m'en veux pas si je te parle franchement, mais j'ai travaillé avec beaucoup de gens drogués ou alcooliques... Alors, j'ai une petite idée de ce que tu dois endurer.

— Oui, je m'en doute... c'est pour ça que je voulais t'en parler.

— Le piège pour toi, c'est de croire que tu peux le guérir.

— Oui.

— Malheureusement, tu ne peux pas.

— Ah ?

— Lui seul peut le faire.

Anna est silencieuse. Il y a tant d'informations assourdissantes dans sa tête qu'elle peut à peine ouvrir les yeux. L'enterrement de Simon a lieu dans moins d'une heure, et même si elle a annoncé à Lou que c'était le bon moment pour parler, elle réalise que le sujet la dépasse complètement. Elle sent que son esprit dérive, se met en position de verrouillage. Elle se dissocie de ce qui lui arrive : c'est comme si ses pieds se trouvaient à des kilomètres de sa tête. Et tandis qu'elle marche dans le brouillard, elle entend sa propre voix, à distance, comme sortant d'un nuage de coton, la voix d'une autre qui balbutie :

— Tu as probablement raison... Excuse-moi, attends une seconde...

Et elle se précipite vers le caniveau pour vomir. Du café essentiellement puisqu'elle n'a presque pas mangé. Elle est moite, brûlante, et tremble de partout.

Quelques secondes plus tard, elle entend une voix assourdie :

— Anna ? Anna ?

C'est Lou, toujours au téléphone.

Anna récupère son téléphone en tremblant, sur le trottoir où il est tombé :

— Oui, oui, excuse-moi.

— Je crois qu'il vaudrait mieux que tu t'assoies quelque part.

— Oui, tu as raison.

Anna titube jusqu'à un petit muret de jardin tout près de là.

— J'ai trouvé un endroit.

— Ça va mieux ?

— Je crois...

— Tu as vomi ?

— Oui...

— Il ne faut pas rester comme ça. Tu veux que je vienne te retrouver ?

— Oh non, ne t'inquiète pas.

— Si tu veux, j'arrive ! Je dois aller chez ma mère, mais je peux arriver en retard. Je ne resterai pas longtemps, juste assez pour m'assurer que tu vas bien.

— Sincèrement, ce n'est pas la peine de te déranger pour moi, je ne peux pas te demander ça.

— Mais si, tu peux ! D'ailleurs, je vais venir avec toi à l'enterrement. Je crois que tu as vraiment besoin d'aide, et ne me dis pas le contraire.

— Non, non, tu ne vas pas faire ça !

— Je vais me gêner... Tu n'as personne pour te soutenir, et moi je peux être là dans quelques minutes. J'ai deux ou trois choses à prendre, ensuite je saute dans un taxi et j'arrive. Je repartirai directement de là pour aller à Hertfordshire. Vraiment, ça ne me dérange pas. Et de toute façon, j'aimerais vraiment assister à l'enterrement. Je veux rendre hommage à Simon... Bizarrement, j'ai l'impression que je le connaissais un peu moi aussi.

Anna se sent déjà mieux en entendant ces mots :

— Si tu es vraiment sûre de vouloir y assister…

Lou a déjà pris sa décision :

— Où es-tu ?

— Adossée à un mur.

Anna regarde autour d'elle, impuissante. La rue est bordée d'arbres et de maisons jumelles qui datent des années trente, légèrement en retrait par rapport aux trottoirs, ce qui laisse la place à de très jolis petits jardins extérieurs. Elle se trouve assise dans un de ces jardinets, mais il n'y a pas de pancarte pour signaler le nom de la rue.

Elle se sent aussi désemparée et perdue que le jour où elle s'était égarée au cours d'une fête de village quand elle était petite. Sa voix tremble de panique, de peur et de détresse :

— Je ne connais pas le nom de la rue.

— Ne t'inquiète pas, et surtout ne bouge pas, mais essaie de m'indiquer un repère dans le paysage autour de toi.

Anna observe les arbres de l'autre côté de la rue, juste en face d'elle :

— Ah oui ! Je suis près du parc qui se trouve entre les Severn Dials et la plage, tu sais, le quartier chic avec tous les restos… Je vois un banc. Je peux t'y attendre.

— Je sais où tu es maintenant. Alors, dis-moi où a lieu l'enterrement et à quelle heure ?

— Dans une église tout près d'ici, à 11 h 30.

— C'est bon, on a presque trois quarts d'heure devant nous. Comment se fait-il que tu sois partie si tôt ? Ça ne doit pas être très loin de chez toi, j'imagine ?

— Je voulais m'éloigner de Steve.

— Je vois. D'un côté, c'est mieux. Ça veut dire que tu as le temps, alors vas-y sans te presser !

— Merci, dit Anna.

Le brouillard se dissipe, pas complètement mais légèrement, et elle peut recommencer à fonctionner. Elle accepte enfin d'être aidée, et du coup elle éprouve une immense gratitude. À travers son brouillard, elle comprend pourquoi Lou doit être une bonne thérapeute, et elle lui obéit comme une enfant.

— D'accord, je vais aller vers les jardins maintenant.

— Continue de me parler. Je n'ai pas envie que tu t'écroules. Bon, de quoi allons-nous discuter ? demande Lou d'un ton léger.

— Je ne sais pas, je ne pense à rien de particulier.

— Alors, c'est moi qui vais parler. Ne compte pas sur un monologue étincelant, je vais simplement te raconter ce que je vais mettre dans mon sac à dos pour ne rien oublier, et tu te contenteras d'écouter ma liste : une brosse à dents, du dentifrice, du gel douche, un peigne...

Et même si Anna n'enregistre pas les informations que lui envoie Lou parce que son cerveau est saturé, cet inventaire d'objets familiers la calme petit à petit, et elle se laisse bercer par la monotonie de l'énumération.

10 h 54

Quelle galère d'avoir un compagnon comme ça ! pense Lou dans le taxi.

À côté d'elle, il y a un sac de voyage fermé à la hâte. Elle arrange ses cheveux en se regardant dans le miroir du conducteur ; elle pourrait être mieux coiffée, mais vu l'heure à laquelle elle s'est couchée et son départ précipité, ça peut aller. Maintenant, elle va devoir expliquer à sa mère pourquoi elle a changé ses plans.

— Bonjour, maman !

Elle parle en s'efforçant d'être très positive mentalement.

— Bonjour, ma chérie. Tu viens de partir ?

— Oui, je suis en route... mais je suis désolée, je vais arriver un peu plus tard que prévu.

— Oh !

Sa mère n'est pas contente, et le silence qui suit est lourd de sous-entendus. Néanmoins pas question pour Lou de succomber à la tentation de la culpabilité. Anna a terriblement besoin d'elle, et sa mère doit pouvoir le comprendre. Mais, comme d'habitude, le ton désagréable de sa mère suffit à la rendre moins patiente, moins encline à la diplomatie et aux explications conciliantes.

— Je vais à un enterrement, dit-elle franchement.

— Un enterrement ?

— C'est une longue histoire, et je te la raconterai plus tard.

— Qui est mort ?

— Quelqu'un que je ne connaissais pas très bien, un type que j'ai rencontré dans le train.

— Quoi ?

— Maman, je n'ai pas le temps de te donner de détails... C'est arrivé au début de la semaine.

— D'accord.

Il y a de la confusion et du scepticisme dans la voix de sa mère. Comment ose-t-elle ? Pourquoi ne me fait-elle pas confiance ? Elle doit quand même comprendre que si je fais ça, c'est qu'il y a une bonne raison ! Lou fulmine d'exaspération.

— Écoute, je suis désolée. Je sais que c'est important pour toi que je vienne t'aider aujourd'hui et je serai là dès que possible. L'enterrement a lieu dans une demi-heure, et je prendrai le premier train aussitôt après. Je serai en retard de deux heures, à peine. Je te le promets, d'accord ?

— Euh, oui, bon...

Lou sent bien que sa mère fait son possible pour assimiler l'info, mais elle s'en moque.

— Bien, alors à tout à l'heure !

Et pour montrer qu'elle est contrariée, Lou interrompt la communication sans lui dire au revoir.

*
* *

Anna s'assied et replie ses jambes sous elle pour essayer de se décontracter. Il fait plutôt doux pour ce mois de février, et le brouillard – réel ou imaginaire – qui lui brouille la vue semble se dissiper peu à peu. Elle est entourée de crocus : ils pointent résolument leurs petites corolles en forme de trompettes jaunes et mauves vers le ciel, et serpentent sur l'herbe tendre, en joyeuses guirlandes et farandoles enfantines. Ils dégagent une légère odeur de vanille, de miel, et de quoi d'autre encore... ah oui ! de safran... évidemment.

Le printemps est là. Il est arrivé en quelques jours pour chasser l'hiver, après la mort de Simon.

Et voici le taxi qui descend doucement la colline, le chauffeur doit la chercher.

Elle se lève et fait un grand signe de la main.

— Assieds-toi, lui ordonne Lou après avoir payé la course. (Elle fouille dans son sac à dos.) Je t'ai apporté de l'eau.

— Merci.

Elles s'assoient sur le banc sans parler et boivent à la bouteille, chacune son tour. Des enfants crient au loin, les oiseaux chantent, des chiens aboient, leurs maîtres les appellent.

— C'est magnifique, ici, dit Lou un instant plus tard. Je ne connais pas ce parc. C'est assez loin de chez moi, alors je n'ai jamais eu l'occasion de venir ici.

— C'est mon parc préféré... Pour moi, c'est un lieu extraordinaire, tu sais, avec une roseraie magnifique, une grande pelouse où on peut s'allonger pour bronzer au soleil. Et tout en haut de la colline, il y a un petit bois où les gens s'amusent à promener leurs chiens, qui s'éclatent à faire voltiger les feuilles mortes en courant après les écureuils. Un paradis pour les écureuils... qui courent après les oiseaux. Au cœur de cette merveille, il y a un jardin magique avec un pigeonnier et un arbre géant, des gens viennent faire du yoga dans son ombre, en été. Et là-bas, plus loin, il y a un terrain de jeux. Karen et Simon y viennent souvent avec les enfants.

Elle soupire, et son soupir se termine en sanglots.

— Enfin, ils avaient l'habitude de venir. Mais je suis certaine que Karen continuera à venir avec eux si...

Lou touche la main d'Anna :

— Ça va, t'inquiète... Je comprends ce que tu dis.

Sans se concerter, elles se plongent dans le spectacle des enfants qui jouent près de là ; les plus âgés s'amusent à monter et à descendre la colline en s'agrippant à un bras de poulie géante qui leur sert de remonte-pente. Deux enfants plus jeunes, grimpés sur un manège à tourniquet, s'égosillent, dans la jubilation absolue :

— Allez, allez ! Plus vite ! Plus vite !

L'un d'eux est à quatre pattes, accroché aux barres de métal, cheveux au vent, comme un petit cheval sauvage, tandis que l'autre est assis, concentré, tranquille. Leurs parents font tourner le manège consciencieusement...

Après un moment, Anna déclare :

— Je te remercie beaucoup pour tout ça. Tu ne peux pas savoir à quel point j'apprécie.

— Ce n'est rien, et ça me fait plaisir.

Anna comprend ce que ces simples mots signifient. Car la vie, c'est quoi, sinon des instants chargés de sens, précisément comme ceux-là ?

— Tu te sens assez forte pour y aller, maintenant ?

Anna inspire profondément et se relève.

— Je suis prête, fin prête.

*

* *

L'église est presque entièrement remplie. C'est un lieu assez vaste, pas très beau, avec des murs de pierre, des rangées de prie-Dieu et de bancs en bois parfaitement cirés. Il y a des vitraux de chaque côté, et l'air est beaucoup plus froid qu'à l'extérieur.

Anna s'avance dans l'aile centrale.

— Tu crois que c'est gênant si je m'assieds avec toi devant ? Il y aura peut-être des gens qui voudront être à l'avant, s'inquiète Lou.

— Non, pas du tout... Nous n'allons pas nous asseoir au premier rang, viens par ici...

Et elle se glisse dans la deuxième rangée de prie-Dieu.

Je me demande pourquoi Karen a choisi cette église ; il doit y en avoir des plus jolies dans le quartier, s'interroge Lou, et elle demande à voix basse :

— Simon allait régulièrement à l'église ?

Anna secoue la tête :

— Rarement.

Elle défroisse l'arrière de sa jupe, s'assied et ouvre le conducteur, une feuille pliée en deux qui indique le déroulement de la cérémonie, déposée sur chaque siège ; puis elle se penche vers Lou et murmure :

— Apparemment, on a le droit d'être enterré dans l'église de sa paroisse, même si on n'est pas pratiquant.

— Je l'ignorais.

— Moi aussi. Simon venait de temps en temps, mais pas très souvent. À Noël, et parfois à Pâques.

Lou pense à Simon, cet homme qu'elle n'a jamais connu. Il est étendu à quelques mètres d'elle, dans un cercueil recouvert d'un tissu blanc, avec un simple bouquet de lys comme ornement.

Les gens continuent d'arriver. Lou a du mal à croire qu'il y ait autant de monde, c'est peut-être pour cette raison que cette église a été choisie, parce qu'elle est très grande. On voit des personnes de tous les âges ; certaines sont habillées en noir, et la plupart sont vêtues sobrement et avec élégance.

Lou se rend compte qu'elle n'est pas habillée pour la circonstance – un anorak, un jean : elle n'a pas eu le temps de se changer et espère que personne ne s'en offusquera.

Karen fait son entrée avec Molly et Luc, que Lou n'a jamais rencontrés. Luc est visiblement le portrait craché de sa mère, avec ses cheveux blonds épais et ses traits fins. Elle se demande si Molly, avec ses boucles blondes, son visage rond et ses joues roses, ressemble à Simon quand il était petit. Quelle tragédie pour ces pauvres petits de perdre leur père si jeunes !

Ils vont s'asseoir directement au premier rang. Karen se retourne et sourit à Anna. Elle voit Lou juste à côté et dit :

— Merci d'être venue.

Elle a fait un énorme effort pour être présentable : ses cheveux sont propres et brillants, elle est légèrement maquillée et porte une robe gris foncé très élégante. Mais apparemment, elle n'a pas dormi depuis plusieurs jours et ses yeux sont rouges. Elle vient probablement de pleurer.

Et, tout à coup, Lou repense à Jim, ce pauvre type, et se demande si quelqu'un lui a offert une cérémonie pour marquer son départ. C'est tragique de voir que Simon est mort en laissant derrière lui autant de gens qui le pleurent, mais peut-être est-il encore plus tragique de quitter ce monde en n'étant pleuré par personne.

*
* *

Quelques minutes plus tard, le service religieux commence.

Le prêtre s'avance et prononce quelques mots du psaume rituel – « Le Seigneur est mon berger » –, selon le souhait de Karen, puis il récite quelques prières. Toute la congrégation reprend les paroles dans un froissement de papier, en ponctuant d'une seule voix : « Amen ».

Karen retient ses larmes, se mord les lèvres pour ne pas craquer : elle veut profiter de ces minutes précieuses, comme d'un trésor. Elle ne veut pas perturber Molly et Luc qui, étonnamment, sont très sages à côté d'elle, pour le moment.

Le prêtre lui fait un petit signe de tête : c'est à elle d'intervenir.

Karen se lève et se dirige vers le pupitre, ses talons claquent et résonnent sur les dalles, et ses enfants la regardent, les yeux écarquillés.

Elle a deux feuillets pliés en quatre ; elle les ouvre et se penche vers le micro.

— Au départ, jc n'avais pas envie de parler, reconnaît-elle en marquant une petite pause, car les papiers bruissent de façon assourdissante dans le micro.

Elle s'en éloigne légèrement avant de reprendre :

— Et puis, je me suis dit que je ne pouvais pas faire ça, parce que je risquais de le regretter pour le restant de mes jours.

Elle reconnaît les visages familiers, d'une rangée à l'autre, qui la regardent en manifestant des émotions mêlées d'inquiétude et d'attente. Comme s'ils voulaient l'aider à aller au bout de son homélie... Elle discerne aussi de la fatigue, de l'égarement, des questions dans leurs regards, et surtout le chagrin d'avoir perdu cet homme-là. Elle n'a jamais vu autant de tristesse à la fois, c'est comme une chape de plomb sur elle. Pendant quelques secondes, elle n'arrive pas à parler. Mais elle doit le faire. Elle le doit. Elle déglutit.

— Et puis, je me suis dit que je devais vous parler de ce que j'aimais chez Simon. J'ai commencé à faire cette liste.

Elle regarde son papier et lit : « Ce que j'aimais »...

— Ses beaux cheveux, épais, magnifiques. (Elle sourit et jette un coup d'œil à Alan.) Je sais, j'ai commencé par ça, c'est ridicule, mais c'est la première chose qui m'est venue à l'esprit : pour ceux qui ne le savent pas, Simon était très fier de ses cheveux.

Alan caresse sa calvitie ; sa femme penche la tête sur son épaule et lui serre la main.

— Je continue... Son rire. Son sens de l'humour. Ses qualités de père... Et puis, j'ai réalisé que c'était trop beau pour être vrai, cela ne disait pas suffisamment qui était Simon. Vous avez envie de n'entendre que la liste de ses plus belles qualités ? Un homme n'est pas fait que de ses qualités. Simon n'était pas parfait. Loin de là.

Elle entend des petits rires dans la salle.

— Alors, j'ai commencé à lister ses défauts et, en les écrivant, j'ai compris que c'est ce que j'aimais chez Simon, probablement plus que ses vertus. Ce sont ces échecs qui ont fait de lui ce qu'il était : l'homme adorable, vulnérable, gentil, généreux, drôle, sociable, qui est – elle tousse avant de corriger son erreur – qui était... mon mari.

Karen prend le deuxième papier.

— Et voilà... Il était en retard pour tout, pas très en retard, mais un petit peu, et constamment. Et il s'en voulait terriblement de cette habitude, alors que finalement ce n'était pas bien grave. Disons qu'il avait entre dix et vingt minutes de retard la plupart du temps, jamais beaucoup plus ; il n'était pas comme ces gens qui vous font attendre pendant des heures ou qui annulent à la dernière minute. Non, on pouvait vraiment compter sur lui, on savait qu'il viendrait toujours au rendez-vous, même si c'était quelques minutes après tout le monde. Voilà pourquoi, à force de vivre avec lui, j'avais trouvé la parade : j'ajoutais un quart d'heure environ à l'heure prévue de son arrivée et le tour était joué. Je ne sais pas pourquoi il n'a jamais eu l'idée de faire ce calcul lui-même en se disant qu'il aurait de toute façon quelques minutes de retard... enfin, *il ne l'a jamais fait*, dit-elle en haussant les épaules.

D'un coup d'œil, elle voit que Phyllis, assise entre Molly et Luc, hoche la tête en souriant.

— Autre chose, il gâtait beaucoup trop les enfants.

Elle note le sourire approbateur de sa mère.

— Il n'arrivait pas à leur mettre des limites. Il leur resservait le même plat deux fois de suite, quand moi j'avais prévu d'en garder pour le lendemain... et il ne les obligeait pas à finir leur assiette alors que moi je voulais leur apprendre à ne pas gaspiller la nourriture. Quand il les emmenait faire des courses, il leur achetait une quantité d'objets inutiles que les enfants avaient choisis et qui maintenant encombrent la maison, de la cave au grenier. Je dois dire que ça me rendait folle, car c'était à moi d'être le parent qui impose la discipline, la mère fouettard en somme. Du coup, j'hésitais longtemps avant de faire des achats pour les enfants, parce que Simon se lâchait complètement avec eux. Et puis, récemment, j'ai compris la chance que j'avais. Aucun parent n'est parfait, et s'il laissait autant de liberté à Molly et à Luc, c'est parce qu'il les aimait tellement. Et ce n'est pas mieux d'avoir un père qui vous aime trop, qu'un père qui ne vous aime pas assez ? Il les adorait.

Elle jette un regard vers Molly et Luc, et se demande ce qu'ils retiennent de son discours. Ils sont suspendus à ses lèvres. Elle est surprise, elle s'attendait à ce qu'ils soient distraits... d'autant qu'ils n'ont pas l'habitude d'aller à l'église. Phyllis se penche pour les prendre à tour de rôle dans ses bras.

— Ce qui m'amène à un autre défaut de Simon. Il travaillait trop dur, en tout cas pour sa propre santé. Il faut bien l'avouer, toutes ces heures passées dans les transports en commun, le stress, son travail, n'étaient pas de tout repos, mais il adorait son travail.

Maintenant, elle regarde en direction de ses collègues, et aperçoit un groupe au fond, à qui elle s'adresse plus particulièrement :

— Il était rarement plus heureux que lorsqu'il projetait un nouveau concept de paysage avec tous les détails, tout le potentiel des plantes. Mais ce qu'il aimait par-dessus tout dans son travail, c'était les gens avec qui il collaborait... Il me l'a dit souvent, il avait même beaucoup d'affection pour Charles, son patron.

Elle rit en regardant Charles, qui semble un peu gêné du compliment.

— Pourtant, il songeait à changer de travail afin de pouvoir passer plus de temps avec nous, peu de gens sont au courant. Il prévoyait de rester dans le même secteur d'activité, en se mettant à son compte. Pourtant, ça ne l'empêchait pas d'être complètement loyal et consciencieux dans son travail actuel. Et personne ne l'obligeait à travailler aussi dur ! Il voulait simplement faire de son mieux et nous apporter, à nous sa famille, la sécurité et l'exemple du dévouement.

Elle regarde à nouveau ses enfants. Molly est perdue dans sa rêverie, elle balance ses petites jambes au rythme d'une comptine qu'elle chante probablement dans sa tête. Mais Luc la fixe d'un regard inquisiteur, comme s'il essayait de comprendre tout ce qu'elle dit. Son Crocodile Bleu est coincé sous son bras, comme une marionnette qui écouterait en même temps que lui.

Mon Dieu ! Karen consulte son papier.

— J'en arrive à son troisième défaut, et j'ai encore une longue liste à vous faire entendre. Je vais essayer de la résumer : il était trop gros, c'est une imperfection évidemment. De plus, il ne se souciait pas du tout de sa santé. Bon... Il a certainement payé le prix fort pour cela.

Elle se mord les lèvres pour retenir ses larmes.

— Mais, moi, d'abord, j'aimais bien son appétit, la façon dont il se régalait quand il mangeait, en terminant à chaque fois par la même blague : « J'ai encore bien vécu ! » Et puis j'aimais bien son grand corps confortable, j'en avais plus pour moi toute seule.

Elle reprend son souffle pour soutenir sa voix :

— Quoi d'autre ? Ah oui, il était désordonné. Je devais toujours nettoyer derrière lui. Je n'en revenais pas de voir qu'il était aussi net et précis dans ses plans d'architecture, et aussi négligent au quotidien. Maintenant, je vais parler de sa passion pour les livres. C'était son point faible. Il en lisait un ou deux par semaine dans le train, par exemple le truc qui est sorti il y a quelques années avec cette ridicule histoire de Code que vous connaissez tous. Désolée si certains d'entre vous ont aimé ce bouquin. Cela dit, vous êtes en bonne compagnie, parce que Simon était absolument fou de ce livre et le recommandait à tout le monde. À Anna, par exemple qui, au cas où vous ne le sauriez pas, est écrivain.

Mais Anna marmonne en signe de protestation :

— Il n'était pas si mauvais, ce livre !

— Tu as dit toi-même que c'était nul ! reprend Karen.

Et des rires résonnent dans l'église.

— J'ai encore des choses sur ma liste, mais vous pourrez y jeter un coup d'œil plus tard si vous voulez, quand vous viendrez à la maison… Merci beaucoup, mon père.

Et Karen descend les marches pour retourner à sa place, repliant soigneusement les feuilles de papier, avec son sens de l'ordre habituel.

12 h 39

Anna est la première à arriver chez Karen. Très pressée de s'assurer que Steve a tout préparé à la cuisine, elle a accepté aussitôt la proposition de Karen d'accueillir les premiers invités tandis que cette dernière et les proches de la famille vont se recueillir au cimetière. Elle a amené Molly et Luc avec elle. Luc commençait à devenir grognon, et Anna lui a proposé de les ramener à la maison. Ils ont été très sages jusque-là, et Karen a décidé que le cimetière risquait d'être traumatisant pour eux. Anna est secrètement contente de ne pas assister au sermon sur « la poussière qui va retourner à la poussière ».

Steve ouvre la porte, et Anna constate aussitôt qu'il est en forme. Sobre et tout à fait présentable. Une délicieuse odeur de pâtisserie flotte dans l'air et elle se sent soulagée. Elle est néanmoins fatiguée de danser ce « pas de deux » : un pas en avant, deux pas en arrière. Il tente de l'embrasser, mais elle l'évite.

— Allez, viens, dit-il en passant ses bras autour d'elle.

Elle lâche la main des enfants et se laisse faire quelques secondes, mais elle étouffe : elle ne supporte pas la laine rugueuse de son pull, et son étreinte ressemble plus à un étau qu'à un geste de consolation. Alors elle se dégage.

— Je regrette, ce n'est pas le moment !

— OK, dit-il en baissant les bras, désemparé.

Et il va dans le couloir d'un pas lourd et découragé par la rebuffade. Même son air de victime lui tape sur les nerfs : Lou a été généreuse, et elle a donné sans rien demander en retour. Après les funérailles, elle est repartie à la gare en toute discrétion.

Je suppose que c'est plus facile pour elle, qui n'est pas impliquée dans cette affaire, se raisonne Anna, *elle ne vit pas avec moi, et ne connaissait pas Simon*.

Pourtant, elle suit Steve dans la cuisine, en emmenant les enfants :

— Ça sent bon, chéri, c'est super, lance-t-elle d'un ton léger.

Puis elle voit ce qu'il est en train de faire. Elle n'arrive pas à y croire au début, mais il tient un tire-bouchon et des verres à la main.

— Ne me dis pas que tu es déjà en train de boire !

— Je ne comprends pas, dit-il, aussi abasourdi qu'elle.

— C'est un enterrement, murmure-t-elle en essayant de ne pas parler trop fort pour que les enfants n'entendent pas.

— Les gens vont boire du vin, affirme Steve d'un ton résolu.

— Oui, c'est possible, mais pas à la minute où ils vont franchir le pas de la porte.

Des invités arrivent dans le couloir et dans la cuisine pendant leur conversation.

— Un petit verre de vin ? leur propose Steve, imperturbable.

— Oui, avec plaisir, pourquoi pas ? dit le premier arrivant.

C'est Charles : il est un peu surpris, mais paraît content de l'offre.

Steve lance un sourire sarcastique à Anna, qui est estomaquée par son culot :

— Il n'est même pas 1 heure de l'après-midi, râle-t-elle, alors qu'il tend un verre à Charles et s'en sert un.

— Moi, j'aimerais mieux une tasse de thé, dit l'un des voisins de Simon et de Karen.

— Certainement, je vais vous en faire un, dit Anna, les lèvres pincées, écartant Steve d'un coup de coude pour atteindre la bouilloire. Réflexion faite, je te charge du thé, moi, je vais m'occuper des enfants. En principe, ils ont déjà déjeuné à cette heure-ci, n'est-ce pas mes chéris ? dit-elle en ébouriffant les cheveux des petits d'un geste tendre.

*

* *

La pancarte lumineuse, tout au fond, indique que les toilettes sont occupées, mais Lou veut être la première dans la file d'attente. Avec toute l'eau qu'elle a bue dans le parc, elle ne tient plus ; elle marche dans la même direction que le train, en se tenant aux poignées fixées à l'arrière des sièges, pour garder l'équilibre quand le train accélère ou ralentit.

Elle se retrouve en train d'attendre dans le « concertina » entre deux wagons. Le train fait une embardée inattendue et Lou appuie malencontreusement sur le bouton qui déclenche l'ouverture automatique de la porte. Finalement, le signal indique « Libre », le loquet des toilettes s'ouvre, et une femme et son petit garçon en sortent avec difficulté.

— Désolée, murmure la femme en poussant l'enfant devant elle tout en lui tenant la tête avec la main.

Lou sourit gentiment.

Elle entre dans la cabine avec appréhension : les gogues des trains peuvent être vraiment glauques. Tout en se séchant les mains avec le séchoir défectueux, elle espère que sa mère appréciera l'énorme effort qu'elle a fait pour venir. Elle passe déjà une partie de sa vie dans les transports en commun, alors le train est bien le dernier endroit où elle voudrait se trouver un samedi. En plus, aujourd'hui, elle se prive à la fois de l'anniversaire de Vic et de la présence de Sofia.

La plupart du temps, Lou s'énerve en présence de sa mère ; elle n'est pas sûre d'avoir la patience de la supporter. Lou est à la fois physiquement et mentalement épuisée après une semaine de travail intense, et vingt-quatre heures de stress non-stop. Il n'en faudra pas beaucoup pour la faire tourner en bourrique, même si elle sait d'avance que sa mère ne pourra pas comprendre pourquoi elle a voulu aller à l'enterrement de Simon. Elle n'a pas du tout envie de se justifier, et sa mère n'a pas intérêt à la titiller avec ça.

Et, bien entendu, elle ne peut pas lui expliquer non plus qu'elle est fatiguée parce qu'elle a rencontré une fille – et maîtresse éventuelle – la veille au soir, avec qui elle a fait la fête jusqu'au petit matin.

Une fois de plus, Lou se demande combien de temps elle va continuer à mentir. Car sa vie est quand même un mensonge. Et ce mensonge la taraude de plus en plus férocement, ça ne peut pas durer éternellement.

*

* *

— Ne t'en fais pas, et ne t'excuse pas, c'est moi qui leur aurais proposé du vin de toute façon, dit Karen à son retour.

— Il a ouvert six bouteilles ! réplique Anna.

La cuisine est remplie d'invités, et elle observe Steve, qui remplit les verres à ras bord et rajuste le niveau du sien à chaque fois.

— C'est bien, ça permet aux gens de se détendre. Franchement, ne t'inquiète pas.

Mais Anna s'inquiète. Karen ne le comprend pas, mais la générosité de Steve s'adresse d'abord à lui-même.

Anna fait des efforts démentiels pour penser à autre chose : c'est un cercle vicieux, car elle s'efforce de rassembler ses forces pour aider Karen ou les autres ; mais Steve pompe constamment son énergie émotionnelle et mentale. Elle est fière de lui parfois, et l'instant d'après, elle a envie de se cacher tellement elle a honte.

La meilleure chose à faire, décide-t-elle, *c'est de l'oublier pour le moment*. Alors elle prend une assiette en carton, se sert copieusement, et se dirige vers le salon.

*

* *

— Bonjour, Lola.

Lola est la fille de Tracy. Karen se penche légèrement pour se trouver à la hauteur de la petite fille de sept ans :

— Tu sais ce qu'il y a en haut de l'escalier ?

Lola secoue la tête.

— Un chaton.

Lola en a le souffle coupé.

— Il s'appelle Toby. Qu'est-ce que tu dirais d'aller là-haut avec Molly et ses amis pour le voir ? Mais pas tous les enfants à la fois, car il est encore très petit.

— Moi, je peux ?

Karen hoche la tête. Lola a l'habitude de s'occuper d'enfants plus petits, car sa maman est nourrice, et elle aime bien qu'on lui confie ce rôle de grande fille.

— Qui vient avec moi pour voir le petit chat ? crie-t-elle par la porte de la cuisine.

Et en quelques secondes, des petites filles et des petits garçons la suivent dans la chambre de Luc et de Molly. Juste avant de disparaître, Karen entend Lola ordonner :

— Il faut être très gentil.

— Ne laisse pas sortir le chat de la chambre ! crie Tracy à sa fille, puis elle se tourne vers Karen. Est-ce que le chat va supporter les enfants ?

— Il a l'habitude d'être avec Luc et Molly.

Karen cherche son fils du regard. Il n'a pas l'air trop malheureux : il essaie de marquer des buts contre le mur du fond avec son ami Austin ; son oncle Alan est gardien de but. La petite cour n'est pas faite pour ce genre de sport, et Karen a toujours peur pour les vitres de sa cuisine, mais le destin ne peut pas s'acharner continuellement sur elle après cette semaine de malheur. C'est bien plus important que les enfants s'amusent. Elle ne veut pas qu'ils se souviennent des funérailles de leur père comme d'une journée complètement sinistre.

— Alors, comment ça va ? s'inquiète Tracy, qui se reprend : question idiote, j'imagine...

— Non, ça va...

Karen sourit pour montrer qu'elle n'est pas complètement défaite.

— Pour être vraiment honnête, les deux derniers jours ont été si remplis que je n'ai pas eu un moment à moi. L'organisation a pris beaucoup de temps, j'ai été au téléphone toute la journée. Sans parler des visiteurs, qui se sont relayés constamment. Ma belle-mère, Alan, sa femme Françoise, tous sont passés me voir pour me donner un coup de main, et hier Steve et Anna sont venus préparer le repas des funérailles. Ma mère est arrivée aujourd'hui... et quand tout ça sera terminé, je suppose que je m'écroulerai. Mais, franchement, j'ai très peur d'avoir le temps d'y penser.

— Je comprends.

— Il y a tellement de choses que je n'ai pas encore réalisées.

Il semble plus facile de parler de ces problèmes avec Tracy, peut-être parce que leurs relations ont toujours tourné autour des enfants et que Tracy ne connaissait guère Simon. Karen ne se sent pas obligée de faire des manières, elle peut lui dire les choses sans détour.

— J'imagine que, dans ce tourbillon, on a du mal à penser au lendemain.

— C'est vrai, soupire Karen.

Sa plus grosse frayeur, pour l'instant, c'est que, après les funérailles, une nouvelle réalité s'abatte sur elle.

— Il va falloir réorganiser la maison pour commencer... enfin, je n'ai pas envie d'y penser pour le moment, évidemment, mais il va y avoir énormément de choses à trier, donner, jeter. Je sais aussi que Simon avait une assurance-vie, mais je n'ai rien fait jusqu'à présent. Je ne sais même pas où se trouvent les papiers.

— C'est une bénédiction qu'il y ait pensé, souligne Tracy.

— Oui, mais je n'ai aucune idée de ce que ça représente financièrement.

— Vous aurez tout le temps.

— Oui, c'est certain...

Pourtant, Karen prévoit qu'il y a quand même urgence : il faudra payer les factures et les traites de la maison. Charles lui a dit qu'elle ne devait absolument pas inquiéter, mais elle comprend bien que peu à peu, les gens s'attendront à la voir fonctionner normalement, et ça pourrait prendre du temps avant qu'elle se sente prête – si elle est prête un jour…

Tracy semble lire dans ses pensées et lui propose son aide :

— En tout cas, je voulais simplement vous dire que, dans les semaines qui viennent, je serai là ; je peux prendre Molly et Luc chaque fois que vous aurez besoin de moi, en plus du temps normal qu'ils passent chez moi. Et, vous savez, je le fais pour vous, en tant qu'amie, ce n'est pas pour être payée en plus… Je veux dire, je le ferai de bon cœur, dit-elle un peu maladroite.

— Merci.

La générosité de Tracy bouleverse Karen, d'autant qu'elle a de faibles revenus et travaille déjà énormément. Ses yeux se remplissent de larmes, et elle cherche un mouchoir en hoquetant :

— Excusez-moi !

— Ne vous excusez jamais de pleurer, enfin ! proteste Tracy.

Elle prend Karen par le bras pour la guider :

— Maintenant, vous savez ce que vous pourriez faire ? Venez avec moi, nous allons nous servir une pleine assiettée de tous ces plats qui m'ont l'air délicieux. Je ne sais pas pour vous, mais moi je prendrais bien une part de cette tarte à l'oignon, et peut-être aussi de cette pizza…

16 h 29

Ni Lou ni sa mère n'ont une voiture, mais c'est pour des raisons différentes. Lou est d'abord préoccupée par l'environnement. En réalité, elle adore conduire, et quand elle était plus jeune, elle avait une Coccinelle VW ; mais depuis peu, elle s'inquiète davantage des accidents et de leurs conséquences, et de toute façon, elle n'en a pas vraiment besoin. Brighton est une ville dense, Lou habite en centre-ville, et il est très facile d'aller partout à pied ou à bicyclette ; et pour aller à Londres, les trains sont directs, rapides et relativement bon marché.

De son côté, sa mère n'a jamais appris à conduire, et ce n'est pas à presque soixante-dix ans qu'elle va s'y mettre. Elle est condamnée à rester cloîtrée dans sa maison, surtout depuis la mort de son mari. Elle est obligée de compter sur la bonne volonté des uns et des autres pour la véhiculer. Le beau-frère de Lou est sollicité plus souvent qu'il ne le voudrait ; bizarrement, c'est lui qu'elle relance, et non Georgia, sa fille cadette. Sa mère croit que c'est à l'homme de prendre le volant. Et quand elle n'a pas de clients dans son gîte, surtout en milieu de semaine et en hiver, elle doit trouver le temps long dans cette baraque vide, devenir malade de solitude et de tristesse.

Par conséquent, il n'y a personne à la gare pour attendre Lou, obligée de prendre un taxi. Elle ne peut décemment pas demander à sa tante et à son oncle de venir la chercher, d'autant que celui-ci a été très malade, et eux aussi sont invités. Cerise sur le gâteau, elle doit ajouter le prix du taxi à celui du billet de train ; quand elle n'a pas envie d'aller voir quelqu'un, comme c'est le cas aujourd'hui, sa frustration augmente à mesure qu'elle approche de sa destination : elle a la gueule de bois, elle n'a pas assez dormi et elle se prépare à se faire laminer à cause de son arrivée tardive.

*

* *

— Comment va papa ?

Karen réalise que ça fait plusieurs heures qu'elles sont ensemble, et elle n'a pas encore posé la question à sa mère.

— Oh, tu sais ! réplique sa mère.

Karen comprend. La dernière fois qu'elle a vu son père, c'était à Noël, pendant la période où Simon, elle et les enfants étaient partis au Portugal pour quelques jours. Il avait reconnu Karen et Simon, mais ne se rappelait pas les prénoms de Molly et Luc. Les vieux souvenirs, les visages gravés profondément dans son esprit demeurent, mais les expériences récentes passent comme des voitures sur une autoroute : wouizz, et plus rien.

— Je suis désolée, mais il n'était pas prêt à venir, tu sais bien comme les voyages le perturbent, continue sa mère.

— Je comprends.

Karen est malheureuse en pensant à ce que devient son père. Elle le perd petit à petit lui aussi. Et sa mère perd son mari, tout comme Karen a perdu le sien. La détresse n'est peut-être pas aussi soudaine, choquante, car le père de Karen a quatre-vingts ans, mais sa mère en a le cœur brisé.

*
* *

Lou est accueillie comme d'habitude : le thé est servi au salon. En attendant que sa mère revienne de la cuisine, elle bavarde avec sa tante Audrey et son oncle Pat. Finalement, sa mère arrive avec un plateau en bois foncé, recouvert d'un napperon de lin blanc amidonné et savamment plié aux angles, comme un origami rituel. Sur cet autel miniature, trônent quatre tasses et soucoupes à fleurs, dorées à l'or fin, avec la théière, le pot à lait et le sucrier assortis, ainsi qu'une paire de pinces étincelantes en argent et un assortiment de gâteaux élégamment disposés en forme de fleur.

— Du thé, ma chérie ? demande sa mère.

— Sers les autres d'abord, j'aime bien que mon thé soit fort.

Sa mère s'exécute, mais en prenant sa tasse, Lou sait déjà qu'elle ne va pas aimer ce thé, même si elle le demande fort, comme d'habitude.

— Un petit gâteau au chocolat ?

Lou n'est plus une enfant. Elle déteste quand sa mère lui parle comme si elle avait dix ans, même si elle reconnaît partiellement sa mauvaise foi. Elle en prend deux d'un coup, car elle a très faim.

— Laisse-nous-en un peu, râle sa mère

Lou constate qu'il reste au moins une douzaine de gâteaux sur le plateau, mais murmure une excuse.

— Alors, parle-nous de cet enterrement de dernière minute, ma chérie. Au fait, tu étais habillée comme ça ?

Sa mère se redresse sur sa chaise, droite et raide comme la justice, impressionnante de tenue pour son âge.

— Oui, c'était une cérémonie très simple, sans manières.

Lou lutte pour ne pas relever l'insulte.

— Je vois. Au fait, c'était qui ?

Lou avait espéré qu'on lui laisserait un répit de quelques heures avant que la torture de l'inquisition commence. Le fait que le rituel démarre quelques minutes après son arrivée aggrave son impression d'être aspirée, vampirisée.

Elle inspire profondément. Comment va-t-elle s'expliquer de façon claire et définitive, pour qu'ils changent de sujet de conversation ? Même si elle ne connaissait pas Simon personnellement, elle éprouve du respect pour cet homme en tant que mari de Karen, et père de Luc et de Molly. Lou ne veut pas que la curiosité ou le jugement de sa mère contamine ses propres sentiments.

— C'est juste quelqu'un, disons, que j'ai rencontré dans le train...

— Oh ?

Sa mère se penche en avant pour mieux écouter la suite.

— Je ne le connaissais pas, mais il y avait quelque chose chez lui...

Lou cherche ses mots.

— Oui ?

Elle décide de ne pas parler de leur rencontre à trois avec Karen et Anna. Cela ne ferait que compliquer les choses, et peut-être qu'un résumé, sans trop de détails, suffira à satisfaire sa mère.

— Il est mort d'un seul coup, de façon vraiment inattendue, tu sais. Il était encore assez jeune. On parlait ensemble de temps en temps... (Lou a conscience qu'elle sort un beau mensonge, mais si ça peut aider sa mère à lâcher l'affaire...)

Je l'aimais beaucoup, et je euh… enfin, on s'entendait bien... alors quand j'ai su qu'il était mort, j'ai décidé d'aller à son enterrement pour lui rendre hommage, tu sais, lui dire au revoir.

Pfft ! J'espère que ça lui suffira et qu'on va passer autre chose.

— Mais… ah, je vois, dit sa mère d'un ton plein de sous-entendus.

Aussitôt, Lou comprend que sa mère a interprété la chose à sa manière : une sorte d'idylle amoureuse sur le point de se concrétiser. Comment peut-elle se planter à ce point-là ? C'est presque risible.

— Non, non, ce n'était pas ça du tout, proteste Lou. C'était juste un ami.

— Si tu le dis… Je comprends maintenant pourquoi tu voulais aller à son enterrement, dit-elle en faisant un clin d'œil complice à l'oncle Pat et à la tante Audrey.

Plutôt que de discuter, justifier, clarifier le malentendu, Lou décide de couper court.

*

* *

La soirée est à peine commencée, et Steve a déjà bu tout l'alcool de la maison. On dirait qu'il a eu pour mission de passer l'après-midi à soûler tout le monde : il a passé son temps à remplir les verres, que les invités ont vidé consciencieusement, sans se demander s'ils en avaient vraiment envie. Anna le surveille du coin de l'œil. La réunion est en train de changer d'ambiance. Il y a de la musique dans le salon, et certains parents commencent même à danser, au grand désarroi de leurs enfants adolescents. Les enfants plus jeunes se sentent le droit de courir partout dans la maison en criant et en jouant à cache-cache en toute liberté. Les gens se parlent sans se connaître, échangent des confidences, des rires, et Anna est contente. Simon aurait adoré ça. Pourtant, elle éprouve un certain malaise, car elle sait pertinemment, contrairement aux invités, que c'est un stratagème de la part de Steve. Cela lui permet de boire impunément, en cachant son état habituel d'ivrognerie, et Anna soupçonne que dès qu'il sert un verre à quelqu'un, lui en boit au moins trois.

— Il n'y a plus rien à boire, tu veux que j'aille en chercher ? demande Steve à Karen, au moment où elle va monter l'escalier.

— Déjà ? J'ai acheté des tonnes de boissons, et on avait deux cartons pleins dans le placard du couloir.

— Tout est parti.

Anna, plantée devant la porte du salon, l'observe en silence.

Karen est déconcertée :

— Euh... j'imagine qu'il va falloir en acheter, alors.

— Je vais y aller, lui propose Steve.

— Merci, c'est très gentil à toi.

Mais il reste là un moment avant de demander tout de go :

— J'ai besoin d'argent.

— Évidemment ! Excuse-moi...

Anna est furieuse. L'argent n'est pas la préoccupation majeure de Karen à cet instant et ne devrait pas l'être. C'est une des raisons pour lesquelles elle en veut à Steve de ne pas gagner assez et de dépenser uniquement pour lui le peu qu'il gagne : il ne peut jamais offrir quoi que ce soit à personne, pas même quelques bouteilles de vin à une femme tout juste veuve.

— Je vais te donner ce qu'il faut, je vais chercher mon sac à main... dit Anna

— Non, c'est à moi de le faire.

Karen est gênée par la générosité d'Anna.

— On verra ça plus tard, insiste-t-elle, en décidant que Karen ne lui remboursera pas cette somme quoi qu'il arrive.

— D'accord.

Karen sourit et se dirige vers l'étage.

Anna va dans la cuisine, trouve son sac à main et donne à Steve trois billets de vingt.

— Pourquoi tu ne me passes pas ta carte bleue ? suggère Steve.

Anna ne lui fait pas confiance, pas après autant de verres... Il est tout à fait capable d'acheter, en plus, une bouteille d'alcool fort pour lui seul.

— Pas question, ça ira comme ça. Et je pense que ce serait bien que tu y ailles avec quelqu'un. Pour t'aider à porter les bouteilles.

S'il n'est pas seul, avec un peu de chance il aura honte de s'acheter à boire pour lui.

— Pourquoi tu ne viens pas avec moi ?

Mais Anna ne veut pas aller seule dans le froid avec Steve pour acheter de l'alcool... Elle ne supporte plus de voir une bouteille d'alcool, alors elle botte en touche :

— Pourquoi ne demandes-tu pas à un mec de venir avec toi pour t'aider à porter les sacs ? C'est trop lourd pour toi tout seul.

— Moi, je vais y aller, propose Alan.

Et ils s'en vont tous les deux.

19 h 21

Une demi-heure plus tard, Alan et Steve sont de retour, avec six sacs en plastique pleins à craquer.

— Merci, dit Anna pendant qu'ils les vident.

Mais ses remerciements sont adressés directement à Alan, qu'elle embrasse sur les deux joues.

— Comment, je n'ai pas droit à un baiser, moi ? demande Steve.

Mais Anna l'ignore. Elle n'a pas fait deux pas dans le couloir que Steve la prend par l'épaule et l'oblige à le regarder :

— Tu ne m'as pas dit merci à moi, hurle-t-il, incapable de contrôler le volume excessif de sa voix.

Quelques invités viennent dans le couloir pour voir ce qui se passe.

Anna baisse le ton, espérant que ça encouragera Steve à parler moins fort.

— Qu'est-ce qui te prend ?

— Rien du tout, je vais bien. Mais... ne me mens pas ! hurle-t-il de plus belle.

Un couple qui discutait sur le seuil de la cuisine interrompt sa conversation et leur jette un coup d'œil inquiet.

— Ça suffit maintenant, arrête ça !

— Non, je n'arrêterai pas ! s'écrie Steve.

Et tout le monde se tait.

— Pourquoi tu as embrassé Alan et pas moi ?

L'alcool réveille toujours la jalousie chez Steve. Quand il est sobre, il a confiance en son pouvoir de séduction ; c'est l'une des choses qu'elle a tout de suite aimées chez lui. Mais l'ivrogne en lui est un animal bien différent : c'est le monstre aux yeux verts, l'archétype du Dragon infernal.

— Ça ne voulait rien dire, qu'est-ce que tu racontes ?

Anna a conscience que cette scène perturbe les autres, et elle veut absolument alléger la situation au plus vite.

— Tu l'as embrassé, lui.

Ses lèvres sont tordues et son regard mauvais. Anna secoue la tête :

— Je lui disais seulement merci.

— Dis donc, mon vieux… tu vas te calmer maintenant, d'accord ? Elle n'avait pas d'intention…

Alan les interrompt en prenant gentiment Steve par les épaules pour l'éloigner d'Anna et s'interposer entre eux de toute sa stature. Mais cette intrusion ne fait qu'envenimer les choses :

— Fous-moi la paix ! hurle Steve.

Et il repousse Alan à coups de coude de toutes ses forces.

— Ouah ! C'est pas la peine de t'énerver.

Alan se recule et lève les mains en signe de paix.

— Pourquoi tu ne le dis pas ? Allez, vas-y, dis-le !

Steve revient à la charge si vite qu'Anna n'a pas le temps de l'en empêcher. Karen apparaît en haut de l'escalier pour voir d'où vient le vacarme.

Steve l'aperçoit, réalise qu'il a un public et provoque son adversaire :

— Pourquoi tu ne le dis pas ?

— Dire quoi ?

Alan n'y comprend rien.
— Tu aurais préféré que ce soit moi !
— Pardon ?
Steve prend conscience du couple dans la cuisine, qui regarde la scène, et des invités dans le salon, horrifiés, médusés.
— Tu aurais préféré que ce soit moi !
Karen prend la parole au milieu de l'escalier :
— Je crois qu'il faut que tu te calmes maintenant, Steve !
Mais c'est peine perdue. Il fixe Karen, et Anna voit le venin dans ses yeux, un venin qui lui est en principe destiné :
— Toi aussi, tu aurais préféré que ce soit moi ! hurle encore Steve.
Puis il fait demi-tour et balance sa rage à 360 degrés :
— Vous auriez tous préféré que je sois mort à la place de Simon !
Le silence qui suit est à couper au couteau.
Alors, Karen dit d'une voix calme :
— Tu sais quoi, Steve ? Je ne sais pas ce qu'en pensent les autres, je ne peux parler que pour moi. Mais tu as parfaitement raison, j'aurais préféré que ce soit toi qui meures, plutôt que Simon. Maintenant, je veux que tu t'en ailles immédiatement. Tu as fait assez d'histoires comme ça, allez, dehors ! Va cuver ton vin !
Steve est tellement choqué que Karen ait pu dire ça qu'il reste sans voix un bon moment.
— Fais-le sortir, murmure Karen à Anna pardessus la rampe d'escalier, avant de remonter vers les chambres.
Karen est tellement en colère intérieurement que tout son corps tremble.
— Je vais le ramener à la maison, dit Anna.
Elle se rend vaguement compte que tous autour d'elle ont recommencé à parler. Apparemment,

ils font comme si rien ne s'était passé en parlant à voix haute de tout et de rien. À voix basse, ils évoquent le comportement épouvantable de Steve.

Pour le moment, celui-ci est appuyé contre le mur, s'efforçant de se tenir debout.

— Ça va aller ? Je peux m'occuper de lui si tu veux, en tout cas, laisse-moi vous accompagner jusqu'à la maison, propose Alan à Anna.

— Non merci, je t'assure, ça va aller.

Alan en a déjà supporté beaucoup et, franchement, à sa place, elle lui aurait collé une bonne droite. Mais Alan est comme son frère, un mec gentil : et ce n'est pas dans son tempérament d'être agressif ailleurs que sur un terrain de football. Il est lui aussi trop assommé par le chagrin pour réagir.

— Je suis désolée, s'excuse-t-elle auprès de lui.

— Ce n'est pas ta faute, réplique Alan.

Mais Anna se sent coupable.

Steve a mis Anna en colère des dizaines de fois auparavant, mais rien de comparable avec ce qui vient de se passer. Comment a-t-il osé ? Cette fois, elle a bien l'intention de lui dire tout ce qu'elle a sur le cœur depuis trop longtemps, et elle le fera dès leur arrivée à la maison. Peu importe dans quel état il est, trop, c'est trop ; mais d'abord, il faut qu'elle puisse le ramener jusque-là.

— Allez, dit-elle en grinçant des dents, et elle le tire par son pull vers la porte.

— Oùsèkonva ? grommelle Steve.

— À la maison, tu n'es plus le bienvenu ici.

Elle lui prend le bras et, même si ce contact la dégoûte pour le moment, le pousse dehors.

— Bonsoir, dit-elle à Alan par-dessus son épaule.

Steve a beaucoup de mal à se tenir debout. Il s'arc-boute contre le porche, puis titube dans l'allée.

— Va le coucher et rejoins-nous après ! propose Alan, sur le seuil de la porte.

— Pourquoi pas…

Anna aimerait bien, mais cela lui semble peu probable.

Elle parvient à emmener Steve jusqu'au portail et à le faire aller à gauche ; il faut un temps fou pour le faire marcher jusqu'au bout de la rue. Il trébuche plusieurs fois, rigolant et s'exclamant « Oups ! » chaque fois qu'il dérape. Anna ne trouve pas ça amusant, elle est excédée.

— Pourquoi t'es aussi en colère ? lui demande-t-il en traversant la rue principale beaucoup trop lentement.

— Je n'en reviens pas que tu oses me poser la question.

Mais dans l'état où il est, il a complètement perdu la mémoire. Donc, logique, il doit se demander pourquoi.

— Je n'ai bu que quelques verres de vin.

— Oui, c'est ça ! En attendant, je vais te ramener à la maison, et puis je te dirai ce que tu as fait de mal.

Elle n'a pas envie de crier après lui dans la rue.

— Oooh, ma nana Anna est en colère contre moi, dit-il en faisant sa moue de petit garçon boudeur.

S'il était sobre, peut-être trouverait-elle ça amusant. Là, il est simplement pathétique. Finalement, ils arrivent à Charminster Street. Il s'écroule en remontant l'allée du jardin, et s'arrête devant la porte. Elle prend la clé dans son sac à main et ouvre le battant d'une seule main, tenant Steve de l'autre. Puis elle le pousse violemment à l'intérieur.

— Tu m'as poussé ! proteste-t-il en se fracassant contre l'escalier.

— Ouais, grogne-t-elle. C'est vrai !

— Pourquoi t'as fait ça ?

— Pour te faire entrer.

Elle donne un coup de pied dans la porte d'entrée pour la refermer derrière elle.

— Si tu n'étais pas aussi bourré, tu ne serais pas tombé ! N'en fais pas un tout un plat non plus.

— Mais tu m'as fait mal, gémit-il en essayant de se remettre debout.

— Je ne t'ai pas fait mal. En tout cas, s'il faut parler de souffrance, qu'est-ce que tu crois que tu me fais, à moi ?

— Hein ?

Elle sait bien que c'est une perte de temps, mais il faut que ça sorte, quoi qu'il arrive. Elle est trop en colère pour se contenir plus longtemps :

— Ton attitude aujourd'hui a fait beaucoup de mal. À moi d'abord et à beaucoup d'autres personnes. En réalité, je n'ai jamais vu ou connu quelqu'un comme toi jusqu'ici.

— Hein ?

— Mais putain ! Steve, les gens pleurent et souffrent devant toi, pauvre demeuré ! C'est un enterrement. Un homme est mort. D'un seul coup, comme ça, sans prévenir ! Oui, un homme est tout simplement mort ! Un homme plutôt jeune. Un homme que nous aimions beaucoup... un homme qui a laissé une femme, des enfants, et un tas d'amis et de parents qui le pleurent. Tu as été épouvantable : d'abord avec son frère, si gentil, et puis avec sa femme Karen, et enfin avec tous ceux qui étaient là !

— Désolé...

— Je m'en fous que tu sois désolé. C'est trop tard pour être désolé. J'en ai jusque-là. Tu as réussi à monopoliser l'attention générale, mais

Karen avait raison, franchement. Simon vaut dix fois mieux que toi.

— Qu'est-ce que t'as dit ?

Il s'avance vers elle, menaçant.

Anna recule vers la porte d'entrée. Elle a déjà vu ça : cette capacité à changer brutalement d'attitude, pas seulement dans les émotions, mais aussi physiquement. Steve peut passer du personnage d'ivrogne maladroit et grotesque à un être cruel et effrayant en un instant. Pourtant, même si elle sait qu'elle va déclencher un cataclysme, elle ne peut s'empêcher de répéter :

— J'ai dit que Simon vaut, mais je devrais dire valait, dix fois mieux que toi.

Elle est tellement en colère qu'elle se fiche de ce qui va arriver après.

— Salope !

L'insulte la touche à peine. Elle relève le menton d'un air provocant :

— Je ne suis pas une salope. Je te dis simplement la vérité. Aujourd'hui, tu as réussi l'exploit de transformer une cérémonie de recueillement en désastre. Nous étions à un enterrement Steve, je te le rappelle. L'enterrement de mon ami. Et pourtant, tu as été agressif, grossier, et surtout tu t'es comporté comme un monstre insensible. Pourquoi ? Parce que tu t'es soûlé comme un malade, voilà pourquoi !

Steve n'arrive peut-être pas à s'exprimer pour le moment, mais Anna, elle, est déchaînée. La rage a aiguisé sa langue, et éclairci son esprit.

— Je ne suis pas soûl !

— Je vais te dire… Tu étais, tu es, absolument dégueulasse. C'est toi qui as un gros problème de saloperie, parce que tu t'es comporté comme un immonde salaud ! Tu te fous complètement des autres, de leurs besoins, tu ne penses qu'à ta gueule ! Tu es incapable de te mettre à la place de quelqu'un d'autre, Steve. Et surtout, à la mienne !

Et voilà le cœur du problème, se dit-elle.

— Eh ?

— Essaye de suivre un peu. Je viens de perdre un ami, un très, très cher ami. Je suis profondément, mais alors profondément bouleversée. Depuis la mort de Simon, qui s'est produite il y a... quoi ? cinq jours... tu n'as rien fait, je dis bien, rien, pour me soutenir dans cette épreuve.

— Mais si, j'ai...

— Ah oui, tu as fait des spaghettis bolognaise... Oh là là ! Désolée, j'avais oublié... Et, bien entendu, tu as fait la cuisine hier aussi. C'était très bien de ta part, je te félicite, dit-elle en exagérant le ton de faux compliment. Mais ça t'a donné une bonne excuse pour ne pas aller à l'enterrement. Alors que moi, j'avais besoin de toi à mes côtés à ce moment-là. Mais ça n'a même pas effleuré ta petite tête de crétin narcissique.

Il relève la tête comme si l'insulte avait réussi à pénétrer les brumes de l'alcool.

— Tu penses d'abord et avant tout à toi... Tu n'aimes pas les enterrements, pauvre chou ! Mais qu'est-ce que tu crois ? Personne n'aime ça ! Je crois... j'espère... que tu as pensé un peu à Karen ! Mais on vit ensemble, et tu n'as pas pensé, pas une seule fois à m'en parler et à partager ça avec moi.

Elle s'arrête, le regarde. Il semble se dégriser un petit peu, à mesure qu'il entend ses quatre vérités, alors elle ajoute :

— Tu sais ce que je désire le plus en cet instant ?

— Quoi ?

Ils sont debout, comme deux boxeurs qui se mesurent, séparés de deux pas.

— Je veux que tu ailles te faire foutre !

Alors, elle se rapproche de lui et lui crache au visage, littéralement. Un énorme glaviot, horrible, atterrit sur la joue de Steve et glisse lentement jusqu'au cou.

Ce spectacle procure à Anna un plaisir intense.

Elle fait une pause. Plus lent qu'elle à cause de l'alcool, il réagit à retardement : il plonge sur elle et la frappe sournoisement, de toutes ses forces, jusqu'à la projeter en arrière. Sa tête heurte la porte d'entrée, puis elle glisse sur le sol. Mais bien qu'elle soit sous le choc, elle est galvanisée en deux secondes. La voilà prête au combat, dopée à fond par l'adrénaline. Une partie d'elle a conscience que Steve est beaucoup plus grand qu'elle, plus costaud, mais elle s'en fiche. Il l'a menacée une fois de trop. Et qu'elle soit plus faible que lui n'a pas d'importance. Elle veut qu'il ressente physiquement la puissance de sa fureur. Alors, comme un animal sauvage, elle se relève fièrement et, avant qu'il ait le réflexe de bouger, elle lui balance des coups de pied, de toutes ses forces : elle a de grandes jambes, donc elle frappe très haut. Ses bottes – des bottes diaboliques, en cuir vert foncé, avec des talons hauts, extrêmement pointues au bout – sont des armes redoutables. Et tandis qu'elle le frappe, elle vise juste au milieu des cuisses, pile poil là où ça fait très, très mal.

Il se plie en deux, le souffle coupé.

Ça n'arrête pas Anna, qui reprend pied. Et tandis qu'il est toujours couché et l'insulte, elle ouvre la porte d'entrée. Puis elle l'attrape, avant qu'il réalise ce qu'elle fait, et le jette dehors, avec toute l'énergie qu'elle peut rassembler pour ce dernier effort.

Il s'écroule sur le derrière, dans l'allée, mais elle ne s'arrête pas pour voir s'il a mal : sa propre sécurité passe avant tout. Elle retourne dans le couloir et bang ! elle claque la porte. Puis elle tourne le verrou et passe la chaîne.

*
* *

— Tu crois qu'Anna va s'en sortir ? demande Karen.

— J'espère bien, répond Alan.

Tous deux sont encore secoués par l'incident. Karen se mord la lèvre :

— Je devrais peut-être lui téléphoner.

— Je pense que tu as eu assez d'émotions comme ça. Françoise et moi allons passer chez elle, si tu veux, sur le chemin du retour. Nous allons bientôt partir, de toute façon.

— Ça ne te dérange pas ?

— Non, pas du tout, je t'assure.

Alan et sa famille habitent à trois kilomètres de là ; la maison d'Anna se trouve sur le trajet.

— Steve est un con, déclare Alan.

— Tu peux le dire, confirme Karen. Je regrette terriblement de l'avoir présenté à Anna.

— Elle va le laisser tomber, tu verras, annonce Alan.

— J'espère que tu as raison.

— Allez, viens !

Alan ouvre les bras et ils s'étreignent. Il se recule, écarte les cheveux de son visage pour la regarder dans les yeux :

— Arrête de te blâmer tout le temps pour tout, pour Steve, ou pour Simon d'ailleurs. Ça suffit.

— Mais non ! proteste Karen.

— Mais si, tu le fais tout le temps.

Sa voix est ferme, mais pleine de gentillesse.

Le cœur de Karen se brise, il lui rappelle tellement Simon.

— D'accord ! Mais envoie-moi un texto quand tu rentreras, pour me dire si Anna va bien.

*
* *

Quelques instants plus tard, Anna entend Steve se relever et reprendre ses esprits. Puis il ouvre la boîte aux lettres pour regarder à l'intérieur de la maison.

Elle s'écarte, s'assied sur une marche et le fixe.

— Tu vas me laisser entrer ? demande-t-il.

— Tu plaisantes ?

Puis elle réalise qu'elle a envie de lui dire quelque chose depuis le début de la dispute... et ça fait très longtemps, peut-être même depuis la mort de Simon.

— Tu ne remettras plus jamais les pieds ici.

— Quoi ?

— Comment ça, quoi ? Tu as bien entendu : je t'ai dit que tu ne reviendras plus jamais chez moi, jamais de la vie.

— Tu ne peux pas faire ça !

— Qu'est-ce que tu paries ?

La boîte aux lettres se referme. Anna se prépare mentalement, elle sait ce qui va se passer. Et pas de surprise : bam ! Elle sent la porte, le couloir, toute la maison vibrer pendant qu'il se jette de toutes ses forces contre le bois. Encore et encore : bam ! bam !!

Anna s'inquiète : les verrous vont-ils résister ? Mais elle est encore shootée à l'adrénaline et n'a peur de rien : elle se précipite au premier étage, ouvre la fenêtre donnant sur la terrasse dans la chambre, se penche vers l'extérieur.

Steve est juste en dessous d'elle, dans l'obscurité, et son corps est entièrement tordu par ses efforts : il recule de quelques pas et se précipite de toutes ses forces comme un bélier contre la porte. Il ne se soucie pas d'avoir mal.

— Han !

Il lève les yeux vers Anna, les mâchoires serrées.

— Si tu continues comme ça, j'appelle la police.

— Tu ne ferais pas ça !

Il ne la croit pas.

— Bien sûr que je le ferai.

Elle retourne dans la chambre, va chercher le téléphone sans fil sur la table de chevet et retourne à la fenêtre. Elle lui montre le combiné :

— On fait le 999 pour la police, n'est-ce pas ?

Il se met à gémir :

— Laisse-moi entrer, Anna... s'il te plaît.

Ça lui rappelle l'histoire des trois petits cochons.

— Pas question ! dit-elle en riant.

Son visage arbore la même expression ahurie qu'elle a souvent remarquée quand il était soûl.

Il est raide et flasque en même temps, ses membres ne sont pas coordonnés et, finalement, comme si elle voyait enfin clairement ce qui restait caché derrière les derniers vestiges d'un brouillard tenace, il lui apparaît dans toute sa déchéance. Elle voit enfin ce qu'il est : un malheureux et pitoyable ivrogne.

Elle comprend alors le message contenu dans le petit discours que Karen a fait pour les funérailles de Simon. Karen aimait Simon pour ses défauts, mais Anna n'aime pas Steve pour les siens. Elle ne peut pas et ne le pourra jamais. Comment pourrait-elle, alors que le plus gros défaut de Steve, son addiction, le conduit à cela ? Il la terrorise dans sa propre maison. C'est insupportable, ça ne peut plus continuer.

— Il faut que tu me laisses entrer, supplie Steve.

— Non.

— Je vais dormir où ?

— C'est ton problème.

— Oh, Anna… bobo, dit-il en désignant son cœur

Elle est inébranlable.

— Ça ne marche pas avec moi… tes « maman bobo », c'est terminé, j'en ai marre ! Tu ne penses qu'à toi, je le répète encore une fois pour que ça s'imprime dans ta petite tête ! Ces derniers jours, tu t'es comporté comme si je devais choisir : toi ou ma meilleure amie, et il n'y en a eu que pour toi, aux funérailles de son mari… alors, je choisis ma meilleure amie. Et tu n'as pas intérêt à rester là et à discuter. Si tu cries ou si tu frappes sur ma porte encore une fois, j'appelle la police. Maintenant, va-t'en ! Casse-toi, va dormir où tu veux, ça m'est égal. Je mettrai tes affaires devant la porte demain.

Elle s'écarte de la fenêtre, passe dans la pièce voisine, attrape deux vieilles couvertures usagées puis retourne à la fenêtre de la chambre et se penche.

Steve est assis dans l'allée, hagard.

— Tiens ! dit-elle.

Il lève la tête.

— Tu peux prendre ça, attrape ! dit-elle

Et elle lui lance la première couverture, puis la seconde. La première, très lourde, atterrit encore pliée ; mais la seconde s'ouvre en tombant, comme un parachute.

Pendant quelques minutes, Steve se traîne devant la porte d'entrée en lançant des jurons. Puis il se calme, mais Anna l'entend encore marcher devant la maison. Elle ne bronche pas jusqu'au moment où il commence à lui téléphoner. D'abord sur le fixe. Sans cesse. Jusqu'à ce qu'elle débranche le cordon. Puis il l'appelle sur son mobile. Elle l'éteint aussi. Finalement, elle l'entend ramasser les couvertures et s'en aller.

21 h 45

Et voilà, c'est fini... pense Karen en refermant la porte d'entrée.

Tous les invités sont partis. Maintenant, elle doit vérifier ses messages sur le mobile.

Alan a tenu parole : « Tout est calme à l'horizon. Je suis allé faire un tour, et je n'ai rien entendu, alors je suis reparti pour ne pas les déranger. Je suppose qu'ils dormaient et je ne voulais pas les réveiller : repose-toi bien. »

Pourtant, quelque chose la dérange. Toute la semaine, elle a eu l'impression que la situation s'était dégradée entre Anna et Steve – même en passant le vendredi à cuisiner joyeusement ensemble ; mais elle a été si préoccupée par les événements qu'elle n'y a pas prêté attention. Or, la terrible bagarre de ce soir lui a fait peur au point qu'elle tremble à l'idée de ce que Steve est capable de faire quand on le pousse hors de ses limites.

Elle décide de téléphoner à Anna pour se rassurer. Mais son mobile ne répond pas ; il est sur répondeur. Karen essaye le fixe, il sonne dans le vide et personne ne lui répond.

— Laisse tomber, ma chérie, lui dit sa mère, Anna est assez grande pour prendre soin d'elle toute seule.

Karen secoue la tête.

— Je suis inquiète, maman...

Mais comment lui expliquer qu'Anna et elle ont une relation qui dépasse la plupart des amitiés, que parfois elles semblent être reliées psychiquement par un sixième sens – en particulier lorsque leurs émotions sont à vif comme c'est le cas depuis ces derniers jours. Sa mère va la trouver excessive.

— Je sais que tu es anxieuse, et tu es une amie fidèle... mais avec ce que tu vis en ce moment, je crois que tu pourrais prendre un peu de repos et laisser quelqu'un d'autre l'aider si nécessaire.

— Je suis sa meilleure amie, proteste Karen, et j'habite à côté de chez elle. Si quelque chose lui était arrivé ?

— Alan te l'a dit dans son texto : ils sont allés se coucher et il ne lui est rien arrivé. Elle a dû débrancher les téléphones pour ne pas être dérangée. Je crois que tu es tellement submergée par les soucis et le chagrin que tu ne peux pas t'empêcher d'imaginer le pire, et c'est bien compréhensible. Mais je suis sûre qu'ils vont bien. Je m'occuperai des enfants et tu pourras aller voir chez elle demain matin si tu veux.

— OK...

Mais Karen n'est pas tranquille.

*

* *

Lou est assise dans le salon avec sa mère, sa tante Audrey et son oncle Pat. Le fauteuil inclinable de l'oncle Pat a été rapproché de la télévision, car il est sourd, entre autres handicaps, comme il le leur rappelle en parlant très fort, et il veut écouter son émission-débat favorite. Audrey et la mère de Lou sont assises sur le canapé-lit, le dos bien droit, conformément à l'éducation qu'elles ont reçue toutes petites : « Tiens-toi droite ! »

Lou est allongée, les pieds sur un bras du vieux fauteuil déglingué de son père, que sa mère n'a pas jeté par sentimentalisme, car c'était son préféré.

L'oncle Pat empêche tout le monde de regarder l'écran de télé, mais de toute façon Lou ne s'y intéresse pas. Elle préfère se ronger les ongles et couper les petites peaux avec ses dents, activité qui lui permet de déplacer son sentiment de frustration après la discussion au sujet de Simon.

Pourquoi ma mère ne voit-elle pas que les hommes ne m'intéressent pas ? pense-t-elle en arrachant un fragment de cuticule particulièrement résistant. *Et pourtant, elle a tout de suite vu que je n'étais pas habillée correctement pour un enterrement. Ça fait des années que je n'ai pas eu de petit copain, oui, des années. Pas depuis mes quinze ans. Qu'est-ce qu'elle s'imagine depuis tout ce temps ? Que j'ai fait vœu de chasteté ?*

Lou pense à Sofia et à leur baiser de la veille au soir, puis elle jette un coup d'œil à sa mère : elle ressemble à Marguerite Thatcher avec son casque ondulé de cheveux gris, immuable, et ses lèvres pincées, ridées et plissées par des dizaines d'années de frustration. Malgré son apparence austère, sa mère a eu deux filles très rapprochées. Elle a bien dû faire l'amour pour les concevoir. Lou se souvient que son père lui avait laissé entendre que sa mère était étonnamment passionnée au lit et, après tout, il devait bien y avoir quelque chose de fort pour que deux personnes aussi différentes restent ensemble pendant plus de trente ans.

Donc elle devait être dans le déni, se cacher quelque chose à elle-même.

Cette situation avait littéralement bouffé Lou pendant toute sa vie adulte. C'est très pervers d'évoquer le baiser d'une femme, alors qu'elle se vautre sur le fauteuil de son père, comme un aigle aux ailes écartées, se dit-elle.

— Je suis gay, murmure-t-elle.

Mais sa mère est si captivée par la télévision qu'elle n'entend pas.

*

* *

— Va te coucher, maman, dit Karen, je monte dans une minute.

— Laisse donc ça pour demain matin !

Karen vide le lave-vaisselle.

— Ça va aller, je t'assure, et je préfère le faire maintenant. Comme ça, je peux faire tourner une autre machine. Pourquoi ne prendrais-tu pas un bain, ça te détendrait ?

— C'est une bonne idée. Tu veux que je te laisse l'eau ?

— Oui, pourquoi pas ?

Elles n'ont pas fait ça depuis des années, ça lui rappelle son enfance. Sa mère est de la génération qui a connu la frugalité obligée des années d'après-guerre. Karen pense que les gens devraient faire de même plus souvent à l'avenir.

C'est bizarre, se dit-elle tout en retirant la vaisselle et en la rangeant en piles sur le comptoir ; le passé ressurgit dans les moments les plus inattendus. La voilà en train de toucher des assiettes chargées de sa propre histoire.

Voici, par exemple la cocotte en fonte, légèrement ébréchée, que sa belle-mère lui a donnée il y a quelques années, en prétextant que sa belle-fille en aurait plus besoin qu'elle, maintenant qu'elle avait des enfants. Et ces tasses et ces mugs dépareillés : certains avaient été rapportés du bureau par Simon à l'occasion de célébrations et de fêtes : deux tasses en porcelaine fine avaient été offertes par Anna, et un mug rigolo par Alan, avec une légende sur les hommes poilus qui seraient de meilleurs amants que les autres. Et les ramequins à dessert de sa grand-mère, offerts à Karen pour son entrée à l'université. C'était en automne, au moment où sa grand-mère partait en maison de retraite ; Karen se souvient, elle lui avait dit qu'elle ne ferait plus la cuisine, et lui avait demandé si elle en avait besoin. Karen avait considéré le cadeau d'un air blasé. Mais maintenant, chaque fois qu'elle s'en sert, elle est profondément émue, et tous les souvenirs remontent à la surface.

Ensuite, elle retire une, deux, trois, quatre, cinq, six assiettes assorties qui font partie du service que Simon et elle avaient reçu en cadeau pour leur mariage. Combien de repas a-t-elle servis dans ces assiettes ? Karen en caresse d'un doigt le bord, en soulignant le tracé bleu qui contraste élégamment avec le blanc pur de la porcelaine. À l'époque, ses amis sortaient de l'université et n'avaient pas beaucoup d'argent ; elle était jeune quand elle s'est mariée avec Simon. Une liste de mariage extravagante les aurait taxés lourdement ; en tout cas, ces assiettes ont duré très longtemps : il n'en manque que deux. Et à quoi aurait bien pu servir un service trop fragile et sophistiqué, puisqu'ils n'auraient jamais osé le sortir ? Alors que ces assiettes ont été utilisées constamment toutes ces années, depuis leurs premiers dîners de couple, quand elle ne savait cuisiner qu'un plat, le hachis Parmentier, jusqu'aux goûters d'anniversaires des enfants. Ces assiettes, idéales pour y poser les gâteaux, sont encore parfaites pour les quiches, les pizzas et les tartes...

Tout en traçant les cercles, Karen redessine le contour de sa vie. Au cœur de chacun de ses souvenirs, de chacun des éléments de sa batterie de cuisine et de sa vaisselle, il y a Simon et leur couple, en filigrane.

Mais elle a tant pleuré aujourd'hui qu'il ne lui reste plus une seule larme à verser. Elle est épuisée, son réservoir d'émotions tourne à vide.

Alors, elle vide le panier à couverts et remplit la machine avec la vaisselle sale qui reste. Puis elle insère une tablette de détergent dans le compartiment, ferme la porte et met le programme en route.

*

* *

Anna se réveille une fois encore après quelques heures de sommeil seulement. Elle est surprise et soulagée que Steve n'ait pas causé plus d'ennuis. Il est peut-être parti.

Elle retourne à la fenêtre et tâche de voir entre les rideaux sans se faire remarquer, au cas où il serait resté dans le jardin ; elle n'a pas envie d'une autre scène.

Apparemment, il n'y a personne.

Soudain, elle aperçoit quelque chose. Dans l'entrée de l'immeuble de bureaux qui se trouve en haut de la route, elle reconnaît ses couvertures ; elle ne peut pas le voir, lui, mais d'après la forme arrondie, elle en conclut qu'il doit être enroulé dedans, endormi. C'est là que le sans-abri avait d'habitude de se réfugier, le type qui mangeait des sandwichs au fromage frais.

Dimanche

08 h 23

Karen se retourne dans le lit, elle sent une présence à côté d'elle.

Est-ce que ça peut être...

Ce n'est pas possible.

Ce n'est pas lui.

C'est Luc. Il s'est glissé sous les couvertures pendant la nuit... Maintenant, ça lui revient.

Chaque matin va-t-il être comme celui-ci ? Un coup de poing dans l'estomac, dès qu'elle ouvre les yeux ?

Elle baisse les paupières, espérant que cette image va disparaître. Elle s'enroule et se blottit contre Luc ; elle ne sait trop si c'est pour le protéger ou si c'est lui qui la protège. Mais il est doux et chaud et, pendant qu'il dort profondément, paisiblement, une partie de cette douceur va peut-être irradier en elle pendant quelques instants.

*

* *

La première chose que fait Anna en se réveillant, c'est de regarder par la fenêtre : Steve a quitté l'entrée de l'immeuble, et emporté les couvertures avec lui. Elle ouvre la fenêtre en grand, se penche, observe la rue.

Aucun signe de lui.

Encore brisée par les événements de la veille, mais toujours aussi pragmatique, elle fait rapidement le point. Elle ne peut pas quitter la maison pour le moment, au cas où il reviendrait. Steve a les clés. Alors, avant qu'il se manifeste à nouveau, elle doit faire venir un serrurier. Elle rebranche le téléphone fixe et en déniche un.

Ça va lui coûter deux fois plus cher : on est dimanche.

— Vous pouvez bien attendre jusqu'à demain, puisque vous êtes déjà chez vous, suggère l'homme.

— Non, répond Anna sèchement.

Alors, moins d'une heure plus tard, elle est debout, habillée, et regarde le type démonter la serrure de la porte d'entrée.

Elle a peur que Steve revienne avant que l'homme ait terminé ; mais, plutôt que de rester assise à s'énerver, elle décide de s'occuper utilement. Elle va chercher un rouleau de sacs-poubelle sous l'évier de la cuisine et les emporte au premier étage.

Là, elle prend tous les vêtements de Steve rangés dans la penderie et dans les commodes puis les étale sur le lit. Elle les met ensuite un par un dans les sacs, sans les plier vraiment et, en moins de vingt minutes, elle a terminé.

Elle part à la recherche de boîtes pour ranger ses livres quand elle se souvient que son mobile est toujours éteint. Elle décide de prendre le risque de le rallumer, elle peut filtrer les appels. Il sonne aussitôt. Elle sursaute nerveusement.

C'est Karen.

— Merci, mon Dieu ! J'essaie de te joindre depuis des heures.

— Désolée... j'avais éteint mon téléphone. Pourquoi tu n'as pas tenté le fixe ?

— J'ai essayé la nuit dernière, mais ça sonnait dans le vide. Et j'ai essayé à nouveau ce matin, c'était occupé : j'ai pensé qu'il y avait peut-être un problème sur la ligne.

— Non, je l'avais débranché. Et ce matin je devais être au téléphone avec le serrurier.

— Un serrurier... Pourquoi ?

— Steve et moi, nous nous sommes séparés. Cela ne doit pas te surprendre, j'imagine.

— Oh !

La voix de Karen marque la surprise.

Anna attend que l'information soit assimilée.

— Pour de bon ? demande Karen après une pause.

— Oui.

Anna sait que son amie ne va pas faire beaucoup de commentaires, au cas où elle reviendrait sur sa décision. C'est toujours incertain quand les couples se séparent : si on manifeste sa loyauté de façon trop marquée, c'est embarrassant quand le couple se reforme. Alors, elle va insister sur le fait qu'il s'agit bien d'une rupture décisive :

— Nous avons eu une bagarre sanglante, littéralement, au retour.

— Oh ! je suis désolée...

— Il ne faut pas.

— Tu as raison.

— Il s'est comporté comme un vrai con. C'est moi qui devrais te faire des excuses. J'aurais dû le voir venir.

— Anna, avec Steve on ne peut jamais prévoir ce qui va arriver. D'abord il est charmant, et l'instant d'après... bon, j'espère que tu ne m'en voudras pas de dire les choses aussi crûment, mais... c'est un ivrogne.

— C'est le moins qu'on puisse dire.

— La nuit dernière, il a fait très fort.

— Ne m'en parle pas ! s'écrie Anna. Tu n'as pas vu le pire. Quand nous sommes rentrés, il a été épouvantable.

— Il ne t'a pas frappée, j'espère ?

— Pas exactement... (Anna éclate de rire.) Je crois que je lui ai fait plus de mal que lui ne m'en a fait.

— Oh ?

— Je lui ai balancé des coups de pied dans les couilles.

— Bien fait ! applaudit Karen. Il est où maintenant ?

Et Anna comprend ce que son amie pense réellement de lui.

— Je l'ai mis à la porte

— Quoi, ce matin ?

— Non, la nuit dernière.

— Oh, la la, le pauvre ! Il faisait froid.

— Je lui ai donné des couvertures.

C'est seulement en racontant la scène qu'Anna se rend compte à quel point toute cette expérience a été bizarre.

— Alors, qu'est-ce qui se passe maintenant ?

— J'ai fait changer les serrures.

— Dis donc, tu n'as pas perdu de temps, constate Karen.

— Seulement quatre ans, déclare Anna.

— Eh bien, je suis désolée... Je l'aimais bien, d'une certaine manière... enfin, quand il était sobre.

— Tout le problème est là : ce n'est que la moitié de lui.

— Oui... Qu'est-ce que tu fais aujourd'hui ?

Elle entend Karen penser.

— Je rassemble toutes ses affaires, pourquoi ?

— Maman m'a proposé de s'occuper de Luc et de Molly un peu plus tard. Tu veux que je vienne te donner un coup de main ?

— Ça serait formidable, dit Anna.

*

* *

Lou a eu une semaine épuisante, et elle a besoin de dormir. Cela, plus le fait que c'est dimanche, justifie qu'elle reste au lit une heure plus tard que d'habitude. À moitié réveillée, à moitié endormie, elle écoute les bruits des gens qui circulent dans la maison. Le bruit du chauffe-eau quand sa tante prend une douche, le son assourdi de la musique classique à la radio, le cliquetis des assiettes dans la cuisine.

Finalement, elle sent qu'elle ne peut pas rester au lit plus longtemps : sa mère doit faire les cent pas en attendant qu'elle descende prendre son petit déjeuner avec les autres ; alors elle rejette les couvertures, enfile sa robe de chambre et descend l'escalier. Elle entend des voix, mais ce n'est pas celle de l'oncle Pat qui parle à sa mère ; sa sœur Georgia est là.

Georgia vient souvent faire un tour le week-end chez sa mère, et elles sont toutes les deux dans la cuisine.

— Eliott ressemble à ton père, dit sa mère

— Tu trouves ? Moi, je dirais qu'il ressemble plus à Howard.

Eliott est le fils de Georgia, et Howard est son mari.

— Non, tu vois là ? Son menton ? C'est ton père tout craché.

Lou se renfrogne et s'arrête sur la dernière marche. Saleté de Georgia ! Elle montre à sa mère les photos de Noël alors qu'elle voulait le faire. C'est elle qui a pris ces photos, après tout et, très fière du résultat, elle est déçue de ne pas pouvoir récolter les compliments qu'elle espérait de la part de sa mère. Elle aurait dû se méfier là encore et ne pas envoyer ses photos à sa sœur, car bien évidemment Georgia va vouloir montrer sa progéniture à la première occasion. Lou se dit qu'elle ferait mieux d'être polie et les rejoint.

— Bonjour, dit sa mère.

Lou prend une tasse et une soucoupe, et se sert une tasse de thé. Elle aime le thé fort et celui-ci, gardé en principe au chaud dans la théière couverte d'un petit capuchon, est complètement froid.

— Je crois que je vais me refaire du thé, marmonne-t-elle.

— Ah oui, désolée, on a fait celui-là il y a déjà longtemps, dit Georgia. J'ai l'habitude de me lever tellement tôt avec les enfants. C'est automatique… je t'envie de pouvoir dormir aussi tard, je t'assure !

Pendant une seconde, Lou a envie de lui dire :

— Non, tu ne m'envies pas.

Mais elle les rejoint et observe les photos. Son neveu Eliott mange une cuillerée de pâte à gâteau : il en a partout autour de la bouche. Eliott fait ses premiers pas… Eliott dans son bain… Elle doit absolument avoir l'air enthousiaste. Puis il y a l'allaitement de la nièce, la même qui fait des grimaces, toujours sa nièce qui sourit et joue avec un râteau que Lou lui a offert.

Lou ajoute du lait à son thé et savoure cet instant. Finalement, elle éprouve du plaisir à rire avec sa sœur et sa mère et, après tout, elle est contente des photos, même si sa mère ne lui fait aucun compliment sur ses beaux cadrages.

Et, au moment où elles arrivent à la dernière photo, Lou est inexplicablement submergée par l'émotion. Elle a soudain envie de pleurer.

Elle se lève et se dirige vers la fenêtre pour essayer de comprendre ce qui la bouleverse ; et, tout à coup, elle définit le sentiment qu'elle essaie de repousser. C'est l'envie. Non pas de la vie de sa sœur : elle ne voudrait pas de son mariage, ni de sa maison, ni même, il faut bien le dire, de ses enfants. Mais elle est jalouse de la relation de Georgia avec leur mère.

Si facile, propre, simple, honnête... comparée à la sienne.

*

* *

Anna ferme le troisième carton de livres de Steve quand son téléphone sonne à nouveau.

— Salut ! Je te dérange ? demande Lou.

Cette fois, Anna sent que c'est le bon moment pour bavarder. La tornade est passée. Elle en ramasse les morceaux, tant bien que mal :

— Non, pas du tout, je t'assure.

— Je voulais juste savoir comment ça s'était passé, hier.

Par où commencer ? se demande Anna. Ces dernières vingt-quatre heures ont été épiques :

— La réunion après, chez Karen, a été formidable. Dans l'ensemble.

— Tant mieux, je suis vraiment contente.

— Où es-tu ?

Anna veut vérifier avant de se lancer dans la version détaillée des événements.

— Chez ma mère. Enfin, en réalité, je suis sortie acheter les journaux ; j'avais besoin d'une excuse pour aller faire un tour.

Au moment où elle lui parle, Anna entend le bruit d'une voiture.

— Tu es bien arrivée ?

— Oui, sans problème.

Anna ne connaît pas assez Lou, mais elle entend au son de sa voix que quelque chose ne va pas.

— Est-ce que tout va bien ?

Lou soupire :

— Ça se passe mal avec ma mère en ce moment. Elle me rend dingue.

— Ah...

Anna devine qu'il y a toute une histoire là-dessous, d'après ce que dit Lou et ce qu'elle a sous-entendu auparavant.

— Je suis désolée pour toi.

— C'est toujours les mêmes salades, les mêmes vieux dossiers... Je ne m'attendais pas à ce que ce soit autrement. Pourtant, on aimerait que ça change, on espère, mais on n'y peut rien.

— Oui.

Anna pense à Steve. Elle a tant espéré qu'il changerait. Elle décide de se confier :

— En fait, Steve et moi, nous nous sommes séparés la nuit dernière.

— Oh !

Anna lui donne quelques secondes pour assimiler la nouvelle, comme elle l'a fait pour Karen.

— Quel dommage ! s'exclame Lou

— Tu le penses vraiment ?

Anna est surprise de la réaction de Lou. Elle n'aurait jamais cru qu'elle pouvait les voir en couple idéal.

Mais Lou s'explique :

— C'est toujours dommage, quand des gens qui se sont aimés se séparent. J'avais l'impression que tu tenais beaucoup à lui.

Elles se connaissent depuis si peu de temps, Lou avait pourtant perçu ses sentiments.

— C'est vrai, je tiens... je tenais à lui.

— Mais c'est très difficile de vivre avec un alcoolique, et je te comprends parfaitement.

— C'est juste que je ne pouvais plus le supporter.

Anna regarde les cartons tout autour d'elle. Quel gâchis ! Ils avaient tant de choses en commun, la lecture par exemple, et ça va lui manquer terriblement.

— Mais ce que je t'ai dit dans le parc, je vais te le redire.

— Qu'est-ce que tu m'as dit ?

— Que tu ne peux pas le soigner à sa place, tu ne peux pas le guérir, lui.

— C'est vrai...

— Il faudra probablement qu'il touche le fond, tu sais, avant de se décider à se soigner. C'est ce qu'ils disent dans les centres spécialisés. Peut-être qu'en faisant cela, tu vas l'aider, l'obliger à affronter son démon. Tant que tu le soutenais, tu le confortais d'une certaine manière, et il aurait continué à boire.

Anna a déjà entendu ce raisonnement auparavant, elle comprend vraiment le sens de ces paroles ce matin seulement. C'est tragique d'imaginer Steve au fond du trou. Elle souffre pour lui :

— Tu crois qu'il va s'en sortir ?

Elle veut que Lou lui dise que oui. Elle ne peut pas le reprendre, elle en a la certitude. Pourtant, elle se sent concernée par lui, elle se sent coupable. Elle l'a abandonné sans un toit au-dessus de la tête, même si pour certains, il l'avait cherché.

— Probablement, dit Lou. En tout cas, s'il cherche de l'aide, il va en trouver.

— Tu veux parler des Alcooliques anonymes et autres centres de désintoxication ?

— Oui. Il a déjà essayé d'y aller ?

— Non.

— On ne sait jamais, il va peut-être tenter le coup. En attendant, il a un endroit où aller ?

— Je n'en sais rien.

Anna est franche, et sa culpabilité ne fait que grandir. Elle se sent encore responsable de Steve. Ce n'est pas en une nuit qu'elle peut éliminer ce malaise. Mais elle éprouve également un sentiment né depuis peu et qu'elle chérit : pour la première fois, elle se rend compte qu'elle doit prendre soin d'elle, d'abord et avant tout.

— Je ne veux plus de lui chez moi...

— Tu as raison.

— Il peut rester chez le type avec qui il travaille de temps en temps, Mike, je crois, enfin j'espère... Et puis, je n'ai vraiment pas envie de lui parler. J'aimerais seulement savoir s'il va bien... je n'ai pas eu de nouvelles de lui, ce matin.

— Il a son mobile sur lui.

Anna se rappelle ses appels incessants la nuit précédente :

— Oui.

— Je pourrais lui téléphoner si tu veux, propose Lou.

— Comment ça ?

— Eh bien, je pourrais m'assurer qu'il va bien. Je travaille aussi dans un centre pour les sans-abri... alors, si ça tourne mal et qu'il n'est pas chez Mike ou quelqu'un d'autre, je peux toujours le diriger là.

Anna éprouve des émotions contradictoires : imaginer Steve dans un centre pour les sans-abri la déstabilise complètement. Elle aimerait pourtant le savoir au chaud, en sécurité, ce serait mieux que rien : il aurait au moins le gîte et le couvert. Elle ne supporte pas l'idée qu'il dorme encore une nuit sous une porte cochère.

— Tu pourrais faire ça pour lui ?

— Évidemment. Je ne lui donnerai pas mon numéro de téléphone, pour ne pas être harcelée, on saura seulement s'il va bien.

Anna se rend compte que, forte de son expérience avec les personnes comme Steve, Lou propose aussitôt des solutions pratiques et généreuses, tout en sachant mettre des limites. Son cœur s'emplit de reconnaissance envers Lou, qui a ses propres problèmes à régler.

La mère de Lou ne sait pas à quel point elle a de la chance. Elle devrait être fière de sa fille au lieu de la malmener.

*
* *

C'est le moment ou jamais, pense Lou. Elle ne sait pas encore ce qu'elle va dire, mais ce n'est pas la peine de répéter la scène à l'avance. Elle est partie depuis un bon moment, elle a fait le tour du parc municipal. Sa mère va se demander où elle est.

À son grand soulagement, Steve répond aussitôt :

— Allô ?

— Oh, salut ! Je suis, euh, vous ne me connaissez pas, mais je m'appelle Lou et je suis une amie d'Anna, dit-elle en essayant de se concentrer.

— Oui. Elle a parlé de vous. Qu'est-ce que vous voulez ?

Le ton est rogue.

— Je vous appelle de sa part. Elle veut juste savoir si vous allez bien.

— Ça va, dit-il.

Il n'a pas l'air soûl. Bien. *La nuit a été rude, c'est tout*, en conclut-elle.

— Est-ce qu'Anna va bien ? demande-t-il d'une voix radoucie.

— Oui, je crois. Où êtes-vous ?

— Chez mon ami Dave. Il m'a dit que je pouvais rester là, le temps de me retourner.

— Ah, alors Anna avait raison...

Tout va bien. Dans un sens, il est devenu le problème de quelqu'un d'autre. Mais Lou ne veut pas en rester là : elle veut secouer Steve, lui donner de l'espoir. Pas pour lui et Anna, mais pour lui-même.

— Je suis très contente d'entendre ça dit-elle. (Et elle ajoute :) Écoutez, Steve, vous ne me connaissez pas, et vous pouvez me dire d'aller me faire voir ou m'écouter, faites-en ce que vous voudrez, c'est vous qui voyez. Je sais que vous avez un problème avec l'alcool... Anna me l'a dit.

Elle attend pour voir comment il va réagir : s'il lui raccroche au nez, ou non ; mais il est encore là, elle l'entend respirer. Alors elle continue :

— Je vais vous envoyer un texto avec un numéro de téléphone, dès que j'aurai raccroché. Je connais des gens qui peuvent vous aider, si vous sentez que vous avez envie d'arrêter ça. OK ?

— On verra, dit-il. (Puis il ajoute :) Merci !

13 h 00

Le déjeuner est servi à 13 heures tapantes, c'est le cas de le dire. En fait, l'horloge posée sur le manteau de la cheminée, dans la salle à manger, résonne juste au moment où tous s'assoient à table : Lou, sa mère, Pat et Audrey. Georgia est partie pour préparer le repas de sa famille à elle.

La mère de Lou a mis une rallonge sur la table en chêne en l'honneur de Pat et Audrey. Elle a préparé un rosbif pour eux. Comme d'habitude, Lou se contente de simples légumes.

— Alors, tu es toujours végétalienne ? demande Pat.

— Végétarienne, précise Lou, je mange des produits laitiers.

— J'avais l'impression que tu étais revenue de tout ça, dit-il en découpant la viande avec gourmandise.

Le sang jaillit et dégouline sur la planche à découper. Il le récupère avec une cuillère et en arrose sa tranche de rosbif.

— Ce n'est pas quelque chose dont on revient, le corrige Audrey. C'est une chose à laquelle on adhère... on croit, en somme.

Elle sourit à Lou pour lui montrer qu'elle comprend - plus ou moins.

Lou la remercie d'un petit signe de tête. Elle a constaté depuis longtemps qu'Audrey est beaucoup plus tolérante que son mari et que sa propre sœur ; la mère de Lou, bien qu'ayant des enfants et des petits-enfants, est beaucoup moins en phase avec les jeunes générations.

Pendant quelques instants, on n'entend que le cliquetis des couverts en argent étincelant sur la porcelaine. Puis Audrey essaye d'engager la conversation :

— Alors, ma chérie, tu as un petit ami en ce moment ? demande-t-elle innocemment.

Lou en laisse presque tomber sa fourchette. Elle n'a pas l'habitude d'être questionnée aussi directement, sa mère s'en garde bien.

— J'ai l'impression qu'il y avait quelque chose entre Lou et cet homme dans le train, dit sa mère en haussant un sourcil.

Évidemment, avec Pat et Audrey pour la soutenir, elle se sent prête à tâter le terrain plus en profondeur que d'habitude.

Lou grince des dents :

— Non, il n'y avait rien...

Elle pique du nez vers son assiette, se concentre sur une carotte. Ce repas est incroyablement fade. Elle ne peut même pas prendre de cette sauce, faite avec la graisse de la viande.

— Ne t'inquiète pas, ma chérie, tu peux bien nous le dire, insiste l'oncle Pat d'un ton exagérément sympathique, comme celui de sa mère la veille.

Mais il n'y a rien ! C'est ça le problème, se dit-elle en éludant.

— J'ai l'impression qu'elle ne veut pas en parler, comprend Audrey avant d'enchaîner : Désolée, chérie, je ne voulais pas être indiscrète, c'est juste que tu es une fille si gentille et...

— Que tu vas sur tes... continue l'oncle Pat, avec ses gros sabots.

— Pat ! le réprimande Audrey.

— Ce n'est pas ce que je voulais dire, se défend-il.

— Moi, j'étais mariée à vingt et un ans, fait remarquer la mère de Lou.

— Je sais.

Lou se sert de la moutarde. Elle a besoin de donner du goût à cette nourriture insipide.

— Et ta sœur s'est mariée à vingt-quatre ans.

— Je le sais aussi...

— Alors, tu ne veux pas avoir de bébé ? demande l'oncle Pat.

Lou se sent comme le fil d'un cerf-volant tendu à l'extrême et poussé par un grand vent.

— Je... Euh, je ne sais pas, marmonne-t-elle.

— Tu ferais une très jolie maman, dit Audrey.

Lou sait que sa tante est bien intentionnée, mais franchement, Audrey aurait pu faire une très jolie maman elle aussi, et Lou ne se permettrait pas de le lui dire. Elle ne sait pas pourquoi Audrey n'a pas eu d'enfants – fausse couche, stérilité, impuissance du mari –, tout est possible. Un tel sujet peut susciter un profond malaise. Pourquoi ne la laissent-ils pas tranquille ?

— Vous voulez savoir ? Je crois vraiment que je ne veux pas avoir d'enfants, dit-elle en espérant les choquer, ne serait-ce qu'un peu.

Ce n'est même pas tout à fait vrai. La vérité est qu'elle n'a trouvé personne avec qui elle aurait envie d'avoir un enfant. Mais peut-être cela va-t-il les empêcher de la questionner davantage.

— Oh ! s'exclame sa mère.

Lou peut lire la déception sur son visage. Après tout, pourquoi se laisserait-elle humilier ainsi ? Sa mère n'a-t-elle pas assez de deux petits-enfants ? Ça lui rappelle l'épisode des photos, et elle sent la ficelle se tendre de nouveau en elle.

C'est peut-être parce que sa mère s'identifie à elle : elles vivent seules toutes les deux. Et même si sa mère refuse de l'admettre, son existence est si solitaire qu'elle n'imagine pas que sa fille puisse vivre autrement.

Lou frissonne. Elle refuse l'idée que sa mère puisse croire, ne serait-ce qu'un instant, qu'elles mènent une vie semblable. Elles sont différentes, complètement différentes. Et sa mère doit le savoir.

Lou pense alors à Simon, à tout ce qui s'est passé cette semaine, et se dit qu'elle n'a qu'une vie et qu'elle doit la vivre le mieux possible, en toute intégrité.

Elle se rappelle que son père lui a demandé de ne pas dire la vérité à sa mère, mais elle voit très bien maintenant de quoi il s'agit...

De lâcheté, purement et simplement.

Même son père a passé toute sa vie à éviter les confrontations avec sa femme, ce qui a fini par le tuer, Lou ne va pas faire la même chose. Elle réalise que si elle persiste ainsi dans le déni, elle finira peut-être comme sa mère : asphyxiée peu à peu, comme quelqu'un qui respire sans le savoir le gaz qui s'échappe d'une gazinière mal éteinte.

Lou ne peut plus faire semblant.

Dès qu'elle l'a compris, la ficelle ne peut plus supporter la tension. Elle claque.

— Je suis gay, dit Lou.

Cette fois, tous ont entendu... la télévision est éteinte. Ils sont là, autour de la table. Les trois mots les plus forts que Lou ait jamais prononcés font oublier les légumes trop cuits, la viande trop saignante et la sauce qui se fige rapidement.

*

* *

Pizza réchauffée, salade de haricots, couscous : pour le déjeuner, Karen sert aux enfants, à sa mère et à elle-même les restes de la veille. Puis, alors que Molly fait sa sieste et que Luc et sa mère se livrent tranquillement à des exercices de calligraphie, elle s'en va chez Anna.

Cette petite promenade rapide est la première qu'elle fait seule, vraiment seule, depuis des jours. Il y avait toujours du monde chez elle, partout, à côté d'elle.

Il fait un temps déplorable cet après-midi. Karen n'a pas vraiment besoin d'un parapluie ou de mettre la capuche de l'anorak, mais l'humidité imprègne ses cheveux, ses vêtements, et lui colle à la peau. D'une certaine manière, c'est une journée comme des milliers d'autres ; mais, tout en marchant, elle réalise que cette journée est différente.

C'est le premier jour de sa vie sans Simon.

Il est enterré, parti, disparu à jamais.

En passant devant les pavillons et les petites terrasses blanches qui se succèdent, qu'elles soient fraîchement repeintes ou couvertes d'échafaudages, bien entretenues ou décrépites, Karen est frappée par le fait que la plupart de ces maisons appartiennent à des familles. À l'intérieur, derrière les murs blanchis à la chaux, vivent des gens en couple, avec des enfants. Ils vont continuer à rire, à jouer, à discuter, à se faire la tête, à manger ensemble le dimanche midi, à ronfler sur le canapé.

C'est presque irréel de penser que son monde à elle ne fait plus partie désormais de leur univers.

*

* *

— Je le savais, dit l'oncle Pat.

— Si tu le savais, pourquoi tu ne nous as rien dit ?

Mais l'oncle Pat ne semble pas connaître la réponse à cette question, alors Lou vient à son secours.

— Parce que tu avais peur de le dire, peut-être ?

— Euh… je ne sais pas.

— C'est ce que je crois, dit Lou. Et qui pourrait t'en vouloir ? Moi, j'avais peur de le dire. La vérité, c'est que vous le saviez tous depuis des années, mais que vous n'avez jamais osé le dire ouvertement.

Elle les regarde chacun à tour de rôle. Sa tante contemple son assiette, fascinée par la porcelaine Royal Doulton. Son oncle la regarde, la tête penchée, comme s'il se trouvait en face d'un animal étrange dans un zoo et tentait de savoir ce que c'est. Mais ce qui intéresse Lou, c'est la réaction de sa mère et, pour le moment, elle ne lit rien sur son visage dénué d'expression.

— Tu sais quoi, maman ? Je n'ai pas de petit ami, non pas parce que je ne peux pas en avoir, mais parce que je n'en veux pas. J'aime les femmes, c'est simple comme bonjour… Et papa était au courant, mais il m'avait demandé de ne pas te le dire. Alors je me suis tue. Pendant toutes ces années, je t'ai protégée… J'ai gardé le secret parce qu'il avait peur que ça te contrarie. En fait, il m'a dit que ça te détruirait. Mais j'ai trente-deux ans, bordel !

Elle voit sa mère se ratatiner en entendant le juron, mais Lou ne peut plus se contenir. Elle doit absolument le crier sur les toits.

Elle se tourne vers son oncle.

— Et tu as raison, mon oncle, je ne rajeunis pas…

Puis elle dit à sa mère :

— Alors, ce que je viens de comprendre ici, c'est que vouloir te protéger à tout prix, c'est très bien, mais qu'est-ce que ça me fait à moi, de te protéger ? Si je continue à vivre dans ce mensonge, je vais être complètement détruite, dévorée de l'intérieur ! Alors je te le dis : je suis lesbienne. Il n'y a plus moyen de revenir en arrière, de changer quoi que ce soit, de te dire que c'est juste parce que je n'ai pas rencontré l'homme qu'il me fallait... Je ne vais pas ressembler à ma sœur Georgia. Je ne vais jamais me marier, pondre deux enfants virgule quatre, pour rester dans la moyenne nationale. Je ne vais pas habiter dans une jolie petite maison à la campagne, avec un gentil petit mari, près de chez toi. Je ne vais pas non plus conduire une jolie petite Golf, pendant que mon mari ira travailler pour m'acheter des sacs à main, comme ceux de ma sœur, et des vêtements pour les enfants. Je me contrefous de tout ça. J'habite à Brighton, où il y a des tas de gens qui sont comme moi. Je gagne ma vie. J'ai des amis à moi. Et je couche avec des femmes.

Lou se tait pour reprendre son souffle, et se prépare mentalement au jeu de massacre. Elle attend...

Mais sa mère dit simplement :

— Tout le monde a terminé ?

Et elle se lève de table.

Ils lui passent leurs assiettes comme elle le leur a demandé implicitement et, sans un mot, sa mère quitte la pièce.

Ils restent assis tous les trois, embarrassés, et Lou écoute l'horloge égrener les secondes sur le manteau de la cheminée, marquant le passage du temps.

Finalement, Audrey tousse discrètement et déclare :

— Bien ! Alors, ça veut dire que tu as une petite amie, ma chérie ?

Lou lâche un petit rire nerveux :

— Non.

Sofia lui vient bien à l'esprit, mais il est beaucoup trop tôt pour lui donner ce titre et, de toute façon, Lou ne veut pas mettre de l'huile sur le feu, la situation est assez explosive comme ça.

Audrey lui sourit gentiment, de façon subtile, signifiant qu'elle lui accorde son soutien.

— Je ne sors avec personne en ce moment, avoue Lou.

Elle se rend compte que l'oncle Pat est mal à l'aise : il se tortille sur son siège, comme si le simple fait qu'elle puisse sortir avec une femme impliquait qu'elle avait toutes les perversions possibles.

Lou sourit à sa tante, inspire profondément, verse les légumes restants dans un seul plat, place le légumier vide en dessous, récupère la saucière et se dirige vers la cuisine.

Sa mère est devant l'évier, les mains dans l'eau savonneuse.

Lou pose les plats de l'autre côté de l'égouttoir.

Sa mère pleure.

Lou sent la colère monter, et elle se penche pour la regarder dans les yeux.

— Ça va, maman ?

Sa mère détourne le regard. Elle fixe obstinément le jardin devant elle puis elle dit :

— Je ne te comprends pas... Qu'est-ce que j'ai fait de mal, Lou ?

— Ça n'a rien à voir avec toi, maman, réplique Lou.

Elle crie intérieurement : « Qu'est-ce qui te fait croire que c'est parce que tu as fait quelque chose de mal que je suis devenue lesbienne ? »

Finalement, sa mère se tourne vers elle, et Lou voit la souffrance, le chagrin. Un spasme nerveux agite le coin de sa bouche et son regard est plein de désespoir.

— Tu as toujours été la préférée de ton père, dit sa mère, comme si elle essayait de trouver une explication.

— Mais je n'étais pas la tienne, lui fait remarquer Lou.

— Ce n'est pas que je ne t'aimais pas.

Lou est choquée : sa mère n'a jamais utilisé le gros mot « amour » jusqu'ici. Elle attend. Les mains de sa mère restent posées sur le bord de l'évier, des gouttes d'eau savonneuse tombent sur le sol.

— Je ne te comprenais pas, c'est tout.

— Je sais.

Soudain, Lou comprend le point de vue de sa mère. Il a dû être difficile d'avoir une fille comme Lou. Une fille si attachée à son père. Sa mère se sentait peut-être exclue, dévalorisée, dépossédée.

— Je vais essayer de t'aider à mieux me comprendre maintenant !

— Hmm...

Sa mère regarde à nouveau par la fenêtre, d'un air pensif. Dehors, le jardin est parfaitement entretenu : la pelouse est fraîchement tondue, des primevères et des pensées poussent tout le long du chemin dans un ordre parfait, comme des petits élèves alignés en rangs pour la photo de classe annuelle.

— Il n'est pas trop tard, tu sais.

Lou s'avance vers sa mère, pose ses mains sur les siennes, et les presse. Elle n'a pas l'habitude de toucher sa mère. Elles se touchent si rarement. Les mains mouillées de sa mère lui semblent tout à coup fragiles, comme des oiseaux apeurés.

Et même si elle ne répond pas à sa caresse, même si elle ne regarde pas sa fille, elle ne retire pas ses mains.

À cet instant précis, Lou constate que c'est déjà beaucoup. Elle ne peut en demander plus pour le moment...

*

* *

— Du café, ce serait bien... Laisse-moi le préparer, et toi tu pourras continuer pendant ce temps-là, dit Karen.

Elle sait où Anna range le café moulu, comment fonctionne la cafetière électrique ; et elle apporte les tasses en faisant attention de ne rien renverser sur la moquette beige.

— Attends une minute, suggère-t-elle.

Elles prennent un siège pour s'asseoir devant le balcon. Karen pose les tasses sur le sol, tout près.

Elles restent assises en silence et regardent à l'extérieur.

C'est une rue banale et ordinaire, qui le restera vraisemblablement. Des détritus jonchent le trottoir : une bouteille en plastique, un sac d'emballage, un vieux journal détrempé par la pluie. Une voiture passe lentement, cherche une place pour se garer, un jeune homme remonte la rue en évitant les flaques d'eau. Au loin, sur la colline, un nouvel immeuble de bureaux est en construction ; le toit de la maison d'en face a perdu quelques tuiles.

— Et voilà, nous nous retrouvons toutes les deux sans nos hommes, dit Anna. (Et elle ajoute en s'excusant :) Je sais bien que ce n'est pas la même chose pour toi et pour moi.

Anna est différente aujourd'hui, se dit Karen. Puis elle en comprend la raison. Elle n'a pas de maquillage : voilà un vrai changement, le signe que les événements ont eu raison d'elle, comme pour Karen. Elle a dû abandonner ses habitudes. Mais Karen aime bien ce qu'elle voit sur le visage de son amie : elle semble plus jeune, plus vulnérable, plus vraie.

Karen se penche vers elle, lui prend la main :

— Courage, dit-elle.

Dimanche

11 h 43

Pas un nuage. Le ciel bat tous les records de bleu. C'est l'été, il fait chaud. Lou pose sa tête sur son coude pour respirer la fraîcheur de la brise par la portière de la voiture qui roule toutes fenêtres ouvertes. Elles filent dans la vieille MG sport deux places, décapotable et décapotée de Sofia, sur la route du bord de mer. C'est Sofia qui conduit. Lou admire le profil de la jeune femme, concentrée sur la conduite, et son cœur monte au ciel comme le chant de l'alouette à la rencontre du ciel sans nuage.

C'est un de ces instants rarissimes où Lou ne peut s'imaginer être plus heureuse. Elle aime son travail, malgré tous les étudiants franchement pénibles avec qui elle doit composer. Elle adore sa ville, avec son enchevêtrement d'immeubles vétustes, sa population et sa plage de galets sans un grain de sable. Elle aime son appartement, même s'il est minuscule et tarabiscoté. Elle aime ses amis, les anciens et les nouveaux. Elle aime même sa mère, à sa manière, bizarrement. Elle sait que sa mère fait ce qu'elle peut : elle entend ses efforts quand elles se parlent. Et même si elle perçoit sa désapprobation, la vraie Lou existe désormais au grand jour. Maintenant, c'est davantage le problème de sa mère que le sien. Et sa mère s'y habitue lentement, à son rythme. Car, finalement, Lou a changé sa façon de voir les choses, elle a lâché prise. Elle avait peut-être besoin de voir la mort en face pour comprendre à quel point elle voulait rencontrer quelqu'un, se rendre disponible, se libérer des démons créés par les traumatismes du passé. Peu importe la raison, Lou est amoureuse et, depuis la nuit dernière, c'est officiel. Elle l'a dit la première, quand elles étaient au lit :

— Je t'aime.

Et Sofia l'a dit à son tour, plus fort, comme un serment sacré :

— Je t'aime aussi.

Puis elles ont ri, se sont embrassées, et d'abord Sofia puis Lou ont explosé de plaisir.

Elles arrivent près d'un feu de circulation :

— Il faut tourner à droite, ici, dit Lou.

Sofia met le clignotant, tourne et, tandis qu'elles quittent la Promenade du quartier résidentiel de Hove pour monter dans les collines, Lou se demande ce qui pourrait rendre cet instant encore plus parfait.

— Arrêtons-nous pour acheter des glaces, dit-elle.

*
* *

Karen, à quatre pattes, désherbe le petit jardin ouvrier, lopin de terre qu'elle et ses amies louent et cultivent ensemble. Elle tend discrètement l'oreille : Molly et Luc discutent tout en jouant. La terre est humide après la pluie de la nuit précédente : ils font des pâtés avec la boue. Un petit peu plus loin, quelqu'un tape sur du bois avec un marteau : pour installer une clôture, peut-être, ou réparer un abri de jardin. Et, plus loin encore, elle entend les supporters chanter sur le terrain de jeux de l'autre côté de la rue : « Allez ! Allez ! Allez ! » au moment où l'un des joueurs est sur le point de marquer un but.

Normal, c'est le week-end, et les équipes scolaires disputent des matchs de base-ball.

Karen sent sur son dos le soleil qui la réchauffe.

— Les enfants, dit-elle en se relevant, on va mettre de la crème solaire.

— Non, non, non, pas la crème !

Molly tape du pied sur le gazon. Elle déteste ce rituel.

— Si, on va mettre du produit à cause du soleil.

Et, avant que Molly s'énerve davantage, Karen étale le liquide blanc bleuté sur ses paumes de main, et l'étale généreusement sur les bras et les jambes de la petite. Enfin, elle lui tartine les deux joues. Molly est en position de repli offensif, et il s'en faut de peu qu'elle embraye sur une redoutable crise de nerfs :

— Et voilà, c'est fini, déclare Karen en relâchant Molly juste à temps.

Pfft ! Il s'en est fallu d'un cheveu que Molly explose, mais ses crises se sont espacées ces derniers temps, après avoir atteint des records le mois précédent. Karen se demandait si elle n'allait pas craquer et faire des choses qu'elle regretterait, finalement sa patience avait eu gain de cause. Maintenant, les crises ne se produisent qu'une fois par jour, et elle parvient à la soulager à peu près.

— À ton tour, Luc.

Il attend, soumis, le torse bombé ; il a sa couleur de peau et de cheveux à elle, mais son corps ressemble à celui de son père, tout comme son caractère et ses aptitudes, pense Karen.

Elle aimerait que Simon puisse les voir. Il ne va pas pouvoir assister à ces changements, au fur et à mesure qu'ils grandissent. Les progrès de

Molly, la transformation physique du corps de Luc, de l'enfant au garçonnet…

Karen se sent parfois seule quand elle les regarde, comme aujourd'hui. Bien sûr, elle a des amis et une famille, tous heureux d'avoir des nouvelles des enfants ; mais seul leur père aurait pu voir, comme elle, tous ces changements subtils.

Soudain, elle sent le vent se lever, les feuilles bruisser dans les arbres, le bourdonnement d'une abeille près de sa main. Et, pour la première fois depuis cette journée effrayante, épouvantable, abominable de février, elle a l'impression qu'elle pourrait, qu'elle va, s'en sortir. C'est loin d'être terminé, elle le sait, et de bien des manières ça ne sera jamais fini. Elle prend sa peine au jour le jour, même si plus rien ne sera jamais comme avant pour elle.

Mais elle apprend à vivre autrement, dans ce monde où Simon n'est plus. C'est comme si elle se reconstruisait ailleurs, d'abord en déterrant son chagrin, pierre par pierre, pour refaire les fondations. Autant par instinct que par volonté, elle cherche et finit par trouver tout ce qui peut lui donner du réconfort, comme une fleur à la recherche du soleil, elle va continuer son chemin.

— Et voilà, c'est fini ! dit-elle en refermant le tube d'écran solaire et en donnant une petite tape sur le derrière de Luc.

*

* *

Anna déverrouille le cadenas à chiffres avant d'ouvrir en grand le portail en métal. Elle est chargée : sur l'épaule, elle porte un sac en toile cirée rempli de sandwichs, de bouteilles d'eau et de petits gâteaux ; elle tient une grande bêche de jardin dans une main, et un tapis dans l'autre.

Elle referme la porte derrière elle et emprunte l'allée.

Dans le virage, elle voit que Karen, Molly et Luc sont arrivés avant elle.

Molly se retourne pour dire bonjour :

— C'est marraine Anna !

Karen, accroupie, arrache les mauvaises herbes.

— Youpi !

Elle lève la tête, radieuse.

— Coucou !

Anna pose le tout sur un coin d'herbe et admire le tas de mauvaises herbes :

— Tu en as déjà retiré une montagne !

— Viens voir mon coin à moi ! s'écrie Luc.

Il oublie ses pâtés de boue pour saisir le tee-shirt d'Anna de ses mains pleines de terre. Elle n'a d'autre choix que de le suivre jusqu'à la plus petite plate-bande. Et, bien entendu, les tournesols ont poussé au cours de la semaine passée, ils mesurent maintenant presque soixante-dix centimètres et forment une belle rangée de tiges dont les feuilles se ratatinent un peu à cause de la chaleur, mais on voit déjà les fleurs en boutons.

— Ouah ! s'exclame Anna. Bientôt, elles seront aussi grandes que toi.

— Je sais, et tu vois, ici, mes graines ont germé aussi, dit Luc avec fierté.

— Oh oui ! Comment elles s'appellent ?

— Iberis, mais on dirait des flocons de neige...

— Ravissant, et maintenant allons voir si les légumes ont bien poussé.

Luc la conduit vers la plate-bande où Karen s'échine.

— Les haricots à rames ont bien poussé, n'est-ce pas ?

Anna constate que les haricots, enroulés autour des tuteurs en bambou, commencent à faire des fleurs. Et certains ont déjà donné des haricots.

Karen propose :

— Il faut éclaircir les plants de laitues. Prends-en autant que tu peux, parce qu'elles seront fichues après.

— Super ! Alors, qu'est-ce que tu veux que je fasse ? demande Anna.

Karen s'y connaît beaucoup mieux qu'elle en jardinage, elle a beaucoup lu sur la question et a demandé des conseils à sa belle-mère.

— Ce n'est pas la peine d'arroser maintenant. Il fait trop chaud. Nous le ferons juste avant de partir. Tu veux désherber autour de la rhubarbe ?

— D'accord.

Anna prend ses gants de jardinage dans son sac et se retrouve aussitôt à genoux pour chasser les mauvaises herbes.

Peu après, dans l'allée, on entend :

— Bonjour, bonjour !

C'est Lou, suivie de près par Sofia. Elles sont en tenue de jardinage, avec leurs shorts en jeans et leurs vestes assorties en coton. Anna ne peut s'empêcher de remarquer à quel point elles sont complémentaires, symétriques, harmonieuses. Bref, elles forment un couple particulièrement délicieux.

— Bienvenue à vous, mesdemoiselles, dit-elle en se relevant.

— Nous avons apporté des glaces ! annonce Sofia.

— Ouais ! s'écrie Molly en sautant à leur rencontre.

Elle était très occupée à aligner des silex en ordre de grandeur, près de ses pâtés de terre.

— Ces enfants ont besoin de manger immédiatement ! s'exclame Lou en fouillant dans un sac en plastique blanc.

Anna constate, et ce n'est pas la première fois, que la jeune fille a un savoir-faire naturel avec les enfants. Normal qu'elle réussisse si bien dans son travail.

— Chocolat ou fraise ? demande Lou à Molly.

— Fraise !

Lou lui tend un esquimau.

— Luc ?

— Chocolat !

— Moi aussi j'aimerais essayer le chocolat, s'il y en a assez, dit Anna.

— Oui, bien sûr ! Et toi, Karen ?

— Moi, je prendrai ce qui reste, dit Karen.

— Non, c'est à toi de choisir maintenant, insiste Lou.

Anna sourit. C'est typique de Karen, typique de Lou aussi : Karen a rencontré quelqu'un d'aussi généreux qu'elle. Elles sont en miroir. En même temps, Anna et Karen se reflètent l'une l'autre, et de même Anna et Lou : alors, ça fait un triptyque, un miroir à trois panneaux, un peu comme celui posé sur la coiffeuse de sa mère… Cela symbolise leur amitié.

Enfant, Anna aimait bien faire bouger les trois panneaux du miroir pour se voir à l'infini, en abîme ; elle adorait la façon dont la perspective présentait une autre image d'elle-même et du monde.

Anna déchire le papier de son esquimau et se délecte en le goûtant :

— Hmm !

Du chocolat blanc, son péché mignon, un délice.

— Nous avons quelque chose à vous annoncer, dit Lou.

Anna le devine à son expression : c'est une bonne nouvelle.

— Sofia va venir habiter à Brighton, annonce Lou en souriant à sa compagne.

— C'est formidable, dit Anna.

— Félicitations !

Karen leur sourit.

Lou s'avance vers son amie, l'attrape par la hanche. Sofia rougit.

Anna éprouve un pincement de jalousie. Elle est ravie pour elles, mais elle ne peut s'empêcher d'envier leur bonheur. *Ne sois pas comme ça, c'est le bon moment pour elles, Lou est tellement loyale, elle mérite d'être heureuse*, se dit-elle en silence.

— Ça veut dire que tu vas prendre les transports en commun ? demande-t-elle.

— Oui, confirme Sofia.

— Une de plus sur le train de 7 h 44, renchérit Lou.

— Super ! dit Anna avec un soupçon de tristesse.

Les tête-à-tête dans le train avec Lou sont terminés.

— Mais je vais à East Croydon, explique Sofia.

Ah ! pense Anna. *Très bien, on aura quand même un peu de temps rien que pour nous deux.*

Elle se trouve vraiment puérile, et elle espère que personne ne devinera ses émotions. Mais ça fait à peine six mois depuis ce fameux jour de février, et une semaine plus tard elle se séparait de Steve. Elle n'a aucun regret : elle sait maintenant qu'il n'aurait jamais pu la rendre heureuse, même s'il s'est inscrit aux Alcooliques anonymes et qu'il va mieux. Mais la sobriété est son chemin de croix à lui, pas celui d'Anna. Pourtant, il lui manque beaucoup, et elle ne se sent pas prête pour une autre relation. Avec le temps, elle espère pouvoir un jour ou l'autre rencontrer un homme plus gentil, plus facile à vivre.

Un jour, peut-être.

Probablement…

Ce dont elle est certaine, c'est que ça n'a pas été facile. Ni pour elle, ni pour Karen, ni pour les enfants. Karen pleure encore tous les jours, en cachette. Luc dort encore avec sa mère toutes les nuits, et Karen reconnaît que c'est autant pour elle que pour lui ; mais elle sait qu'il va falloir obliger Luc à dormir dans sa chambre tôt ou tard. Elle le fera bientôt, elle est courageuse.

Anna espère que Karen aussi rencontrera quelqu'un, un jour peut-être. Il lui faudra certainement plus de temps, car Simon et elle ont vécu ensemble très longtemps –, mais peut-être pas si longtemps après tout.

Qui sait ?

D'ici là, et pour le moment, leur amitié les tient en équilibre.

Si Dieu, le destin, la chance… le veulent, elles resteront ensemble quoiqu'il arrive, et elles ont maintenant de nouvelles amies, Lou et Sofia.

Soudain, Anna a envie de pleurer, en les regardant tous. Il y a quatre mois, quand elles ont décidé de louer ce petit jardin ouvrier, c'était juste un carré de terre en friche. Pas de fleurs, pas de légumes, rien. Juste des ronces et des mauvaises herbes, le tout avait vraiment besoin d'un grand nettoyage. Elles ont défriché le sol puis l'ont ensemencé. Elles ont transpiré, rigolé, ont eu des moments d'hystérie, tantôt à cause des excès d'eau, tantôt à cause de la sécheresse. Elles ont râlé à cause des limaces, jusqu'à ce que Karen craque et achète des granulés anti-limaces, pas du tout écolo. Et elles se sont battues, en vain, contre les mauvaises herbes. Molly et Luc leur ont donné un coup de main. Aujourd'hui, le jardin compte huit carrés cultivés, chacun entouré de planches de bois. Et elles ont fait pousser des laitues exotiques, des frisées, des pourpres, toutes bonnes à manger. Elles ont eu de la roquette pendant un moment, les framboises sont mûres et un pied de rhubarbe n'en finit pas de fleurir. Bientôt, elles auront des haricots, des brocolis, des choux lisses et frisés, des citrouilles et des prunes issues d'un prunier déjà présent sur le terrain à leur arrivée. Ce n'est peut-être pas le grand jardin résidentiel dont Karen avait tant rêvé, mais une alternative plus raisonnable. La nature a sa manière à elle de guérir l'âme, et le jardin s'est fait passerelle pour un retour dans le monde extérieur. Et qu'elles aient entrepris cette aventure ensemble, avec les enfants, remplit Anna de joie.

Alors, pourquoi ne peut-elle s'empêcher de pleurer ?

Et soudain, elle comprend. C'est Simon.

Simon aurait adoré ça. Ce jardin ouvrier est exactement le genre d'endroit qui lui aurait plu. Il aurait aimé ce sentiment de communauté, de vie bourgeonnante, et cette vaste étendue de ciel. Il adorait les plantes lui aussi : il aurait été dans son élément, à dessiner, programmer, organiser chaque espace.

Mais, encore une fois, il est peut-être là, qui sait ? Son corps est retourné dans la terre après tout. La vie, la mort, les saisons, le jour, la nuit : c'est un cycle universel.

Anna a terminé son esquimau, elle prend ses outils.

Aussitôt, elle retourne s'agenouiller pour déterrer un énorme pissenlit, un coriace, avec lequel elle va se bagarrer gentiment. Après tout, le pissenlit s'appelle aussi dent de lion… et celui-là, on peut même le manger.

Remerciements

Tout d'abord, je veux remercier chaleureusement mon agent, Vivien Green. Quand le destin a distribué les cartes de ma vie, elle m'a donné un as ; les mots sont insuffisants pour exprimer ma gratitude. Je remercie ensuite Sam Humphreys, chez Picador, qui dès le début a été à cent dix pour cent derrière ce roman. Deux as ! J'ai beaucoup de chance. Sans oublier tous les gens de Picador, Gaia Banks de chez Sheil Land, et tout le monde chez Digital & Direct. Je voudrais également remercier les amis qui ont lu ce que j'écrivais au fur et à mesure. Alison Boydell et Clare Stratton, qui m'ont aidée à mettre en forme la première version, et qui m'ont conseillée quand je m'égarais. Merci également à Clare Allison, Jackie Donnellan, Patrick Fitzgerald, Hattie Gordon, Emma Hall, Katy Holford, Alex Hyde, Niccy Lowit, Kate Miller, Aiden et Ginette Roworth.

Sans oublier Joanna Watson, qui a entièrement relu le manuscrit dès que j'ai eu terminé et dont les conseils sont inestimables. Merci également à Diane Messidoro, à John Knight, pour la photographie. Et, bien entendu, à ma mère, Mary Rayner, qui est mon inspiration. Merci à Tom Bicât, pas seulement pour avoir relu mon texte, puisqu'il écrit des romans lui aussi, mais parce qu'il a supporté ma mauvaise humeur quand j'étais en écriture, et parce qu'il est tout simplement adorable.

Enfin, le livre est dédié à mes amies, je veux parler de toutes les femmes, car c'est pour vous que je l'ai écrit.

Vous pouvez contacter Sarah Rayner, en visitant son site : www.thecreativepumpkin.com.

10655

Composition
NORD COMPO

Achevé d'imprimer en Espagne
par BLACKPRINT CPI IBERICA
le 2 juin 2014.

1er dépôt légal dans la collection : mars 2014.
EAN 9782290079867
OTP L21EPLN001514B002

ÉDITIONS J'AI LU
87, quai Panhard-et-Levassor, 75013 Paris

Diffusion France et étranger : Flammarion